Museum
für Kunst und Gewerbe
Hamburg

Museum
für Kunst und Gewerbe
Hamburg

Handbuch

Prestel

Museum für Kunst und Gewerbe
Steintorplatz 1
(am Hauptbahnhof)
2000 Hamburg 1
Tel. (040) 2 48 25 26 30

Öffnungszeiten
Täglich außer montags 10-17 Uhr
Mittwochs 10-19 Uhr und freier Eintritt
Beratungsstunde mittwochs 14-16 Uhr

Führungen
Im Winterhalbjahr sonntags um 11.15 Uhr

Weihnachtsmesse der Kunsthandwerker
Alljährlich ab 1. Advent

Museumverein
Die Justus Brinckmann Gesellschaft, ge-
nannt nach dem Gründer des Museums, ist
der Verein der Förderer des Museums und
Freunde des Kunsthandwerks.
Die Mitgliedschaft (jährlicher Beitrag
50,– DM) bringt folgende Vorteile:
Freien Eintritt in die Sammlungen, Sonder-
ausstellungen und zur Weihnachtsmesse.
Einladung zu Ausstellungseröffnungen und
Vorträgen sowie laufend Information über
alle Veranstaltungen im Museum.
Kostenlose Beratung in allen Fragen, die den
Besitz und das Sammeln von freier und an-
gewandter Kunst betreffen und freie Teilnah-
me an den Sonntagsführungen.
Eine Jahresgabe in Form des Jahrbuchs der
Hamburger Kunstsammlungen.

Dieses Handbuch enthält 602 Abbildungen,
davon 334 in Farbe.

Herausgeber:
Museum für Kunst und Gewerbe Hamburg

Lithographien:
Karl Dörfel Reproduktionsges. mbH, München
und Ernst Wartelsteiner, Garching bei München
Satz, Druck und Bindung:
Passavia Druckerei GmbH Passau

© Prestel-Verlag, München, 1980
ISBN 3-7913-0497-6

Inhalt

5055

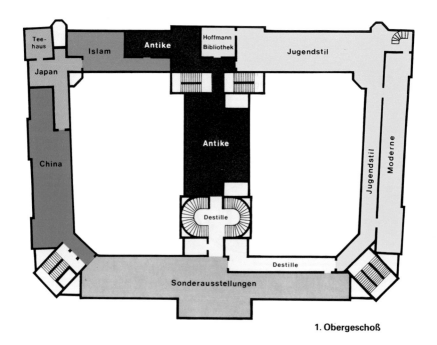

Wissenschaftliche Instrumente

Barock

Barock

Renaissance

Fayence

Porzellan

Zur Bibliothek

Kunst des 19. Jahrhunderts

Hof-café

Ver-kaufs-stand

WC

WC

WC

WC

Mittelalter

Sonder-ausstellung

Verwaltung

Erdgeschoß

Eingang Steintorplatz

Tee-haus

Islam

Antike

Hoffmann Bibliothek

Jugendstil

Japan

China

Antike

Jugendstil

Moderne

Destille

Destille

Sonderausstellungen

1. Obergeschoß

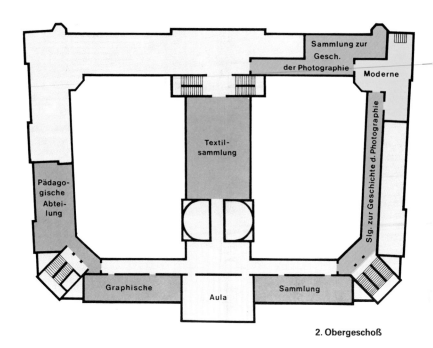

Sammlung zur
Gesch.
der Photographie

Moderne

Textil-
sammlung

Slg. zur Geschichte d. Photographie

Pädago-
gische
Abtei-
lung

Graphische

Aula

Sammlung

2. Obergeschoß

Pädagogische Abteilung

Werkschule, Führungen, audiovisuelle Programme und ›Museumsgespräche‹ für Ju-
gendliche vom Vorschulalter bis zur Studien-
reife, Sonderprogramme für Erwachsene.
Weitere Informationen über das Angebot der
Pädagogischen Abteilung finden Sie auf
S. 276.

Destille und Hofcafé

In der Destille, einem Restaurant, das im alt-
berliner Stil des 19. Jahrhunderts eingerichtet ist, hat der Museumsbesucher Gelegenheit zu Imbiß und Erfrischung.
Während der Sommermonate ist das Hof-
café geöffnet.

Das Museum

In diesem Handbuch stellt sich das Museum für Kunst und Gewerbe zum erstenmal seit 1894 in einer umfassenden Auswahl seiner reichen Bestände vor. Bedeutung und Wert eines Museums liegen in der Qualität, aber auch in der Quantität seiner Sammlungen. Pädagogische Arbeit und Ausstellungswesen, ästhetisch überzeugende und didaktisch vorbildliche Aufstellungen in Schausammlungen und ein vielfältiges Publikationsprogramm sollen nicht darüber hinwegtäuschen, daß immer, und vor allen anderen Aufgaben, zunächst den Kunstwerken selbst unsere Aufmerksamkeit zu gelten hat: Erhaltung und konservatorische Betreuung, dann erst Präsentation und Interpretation. Die hier vorgestellten sechshundert, zwischen 1879 und 1979 erworbenen Werke, mögen die Bedeutung unserer Hamburger Sammlungen verdeutlichen.

Das Museum für Kunst und Gewerbe ist ein typisches Kind des 19. Jahrhunderts. Am Anfang seiner Geschichte steht der Gewerbeverein der 1761 gegründeten Gesellschaft zur Beförderung der Künste und Nützlichen Gewerbe – der Patriotischen Gesellschaft. Die Industrialisierung hatte maschinengefertigte und genormte Massenware auf den Markt gebracht; Kreativität und handwerkliches Können behaupteten sich nur schwer gegen das billigere Angebot der Fabriken. Nach Auflösung der Zünfte versuchten daher die Gewerbevereine das augenscheinlich dem künstlerischen Verfall anheimgegebene Kunsthandwerk zu fördern und den »Geschmack der Nation« durch kleine Vorbildersammlungen nachahmenswerter »alter Kunstsachen« zu verbessern. Gleichzeitig gaben Weltausstellungen – die erste in London 1851 – einen umfassenden Überblick über das zeitgenössische Kunstschaffen; auch wiesen Museumsgründungen wie die des South Kensington Museums in London (1852) den Weg für das systematische Sammeln und die kritische Beurteilung angewandter Kunst der Vergangenheit und Gegenwart. Weltausstellungen und neue Gewerbemuseen dienten den Bürgern Hamburgs als Anregung, auch in ihrer Stadt ein derartiges Institut ins Leben zu rufen.

Die heute den Besuchern gebotene Vielfalt der Sammlungen, die den Nahen und Fernen Osten, die griechisch-römische Antike, die Plastik und die angewandte Kunst Europas vom Mittelalter bis zur Gegenwart, aber auch Graphik und Photographie umfassen, verdankt Hamburg dem Sammeleifer einer Reihe bedeutender Museumsdirektoren und ihrer wissenschaftlichen Mitarbeiter. Das engagierte Interesse der Hamburger Sammler und Mäzene bereitete den Grund für das fruchtbare Wirken dieser Museumsleute.

Die ersten Initiativen zur Gründung unseres Museums lassen sich bis zum Jahr 1861 zurückverfolgen. Am 28. Mai 1866 schreibt dann der 23jährige angehende Dr. jur., Naturwissenschaftler und Kunstkritiker Justus Brinckmann einen zündenden Aufsatz in den Vaterstädtischen Blättern der Hamburger Nachrichten: Es sei an der Zeit, ein Museum zu gründen mit der Aufgabe, »die Einsicht des Volkes in den geschichtlichen Entwicklungsgang der Kunstindustrie zu fördern und veredelnd auf die Geschmacksrichtung einzuwirken«; den Handwerkern seien dabei »authentische Vorbilder« zu liefern. Bald darauf wird eine Gründungskommission gebildet, ein Spendenaufruf folgt, und schließlich wird 1869 eine Ausstellung in den Börsenarkaden veranstaltet, auf der die ersten Werke für das künftige Museum erworben werden. Anfangs der 70er Jahre reifen die Pläne zum Bau eines kombinierten Schul- und Museumsgebäudes auf dem Lämmermarkt und dem »Waisengrün«, direkt an der Hamburg-Altonaer Verbindungsbahn gelegen. Nach Einzug der Schule für Bauhandwerker und der Realschule des Johanneums in die Obergeschosse des in 30 Monaten errichteten Baus wird am 25. September 1877 das Museum im Erdgeschoß feierlich eröffnet. Brinckmann, im Frühjahr 1877 zum Direktor des 1876 vom Staat übernommenen Museums ernannt, hatte bereits 1869 begonnen, mit sicherem Blick für Qualität und historische Bedeutung »alte und neue Kunstsachen« einzukaufen. In Venedig und auf den Wiener und Pariser Weltausstellungen, im Hamburger Umland und bei in- und ausländischen Kunsthändlern erworben und durch großmütige Stiftungen Hamburger Bürger erweitert, wuchs die Sammlung nun schnell zu einer der bedeutendsten in Mitteleuropa; als Brinckmann 1915 starb, waren nicht weniger als rund 80% des heutigen Bestandes bereits im Haus am Steintorplatz untergebracht.

Die Raumnot war schon damals unerträglich. Bis zum 2. Weltkrieg standen für Schausammlungen, Magazine und Werkstätten nur das Erdgeschoß und die Südseite des 1. Obergeschosses zur Verfügung. Solange die Möbeltischler im »Vorraum zum Anstandsort für Angestellte und männliche Besucher« restaurieren mußten und fast alle historischen Zimmereinrichtungen in den Keller verbannt waren, konnten die Bestände des Museums kaum die verdiente Anerkennung finden. Heute, nach dem Auszug der letzten Schule vor 4 Jahren, können endlich die Pläne für eine umfassende Aufstellung verwirklicht werden.

Justus Brinckmann hat die Sammlungen 46 Jahre betreut. Sein besonderes Interesse galt vornehmlich der Keramik in ihren vielfältigen Erscheinungsformen, der europäischen Volkskunst und der Kunst Ostasiens. Dank des »furor ceramicus« Brinckmanns und seiner Nachfolger verfügt das Museum jetzt über einen der umfangreichsten Komplexe an Fayence und Porzellan in Deutschland; die großen Privatsammlungen Blohm und Reemtsma, als Dauerleihgaben im Museum ausgestellt, bilden dazu höchst willkommene Ergänzungen. Ebenso ist es Brinckmann zu verdanken, wenn japanische Holzschnitte, Schwertzieraten und Teekeramik, wenn deutsche Volkskunst und europäische Textilien in Hamburg vorzüglich vertre-

Aufstellung des ›Pariser Zimmers‹, 1901-1943

ten sind, wenn die Jugenstilsammlung und die angewandte Graphik internationales Ansehen genießen. Auch sind seine Bemühungen um die Wiederbelebung zeitgenössischen Kunsthandwerks noch heute in den in Europa einmaligen, alljährlichen Weihnachtsmessen unseres Hauses spürbar.

Max Sauerlandt (1919-1934), Erich Meyer (1947-1961) und Lise Lotte Möller (1961-1971) folgten Brinckmann als Museumsdirektoren; in den »Interregna« wurde das Haus kommissarisch von Rudolph Stettiner (1915-1918), Konrad Hüseler (1934-1945) und Eugen von Mercklin (1945-1947) verwaltet. Die Nachfolger des Museumsgründers setzten konsequent seine bis heute bewährte Ankaufspolitik fort, erweiterten sie aber auch in mehrfacher Hinsicht. So legte die 1916 erworbene Sammlung Reimers den Grundstein für die treffliche Antikenabteilung, deren Ausbau insbesondere in den Jahrzehnten nach 1945 gelang. Sauerlandts engagiertes Verhältnis zur Kunst des Expressionismus bescherte dem Museum wichtige zeitgenössische Werke, von denen 269 Arbeiten in der Aktion »Entartete Kunst« beschlagnahmt wurden, jedoch nach dem Krieg glücklicherweise zum Teil durch ähnliche Arbeiten wieder ersetzt werden konnten. In den vergangenen Jahrzehnten gelang es auch, die bis dahin geringen Bestände islamischer Kunst zu einer eigenständigen Abteilung auszubauen.

Das Herzstück des Museums – die europäischen Abteilungen – wurde unter der Ägide von Erich Meyer und Lise Lotte Möller beträchtlich verstärkt: Mittelalterliche Bildwerke und Bronzegeräte, Bildteppiche und Möbel, Goldschmiedekunst, figürliche Terrakotten und Elfenbeinarbeiten der Renaissance und des Barock setzten neue Akzente in diesen von Brinckmann und Sauerlandt besonders gepflegten Sammlungen. Die Sammlung zur Geschichte der Photographie schließlich kehrte erst kürzlich – und erheblich erweitert – in das Museum zurück und

erfreut sich wachsender Beliebtheit. Viele der Nachkriegserwerbungen wären ohne Hilfe der Campe'schen Historischen Kunststiftung, der Stiftung zur Förderung der Hamburgischen Kunstsammlungen und der Justus Brinckmann Gesellschaft allerdings nicht möglich gewesen.

Der Besucher betritt das Museum auf seiner Ostseite. Die Sammlungen sind chronologisch und nach Regionen geordnet und in Schausälen und Kabinetten ausgestellt, die, um zwei Innenhöfe gelagert, über zweieinhalb Stockwerke verteilt sind. Der Rundgang beginnt im Erdgeschoß in den Räumen mit mittelalterlicher Kunst und endet im Historismus. Im 1. Obergeschoß schließen sich Jugendstil und Moderne, zeitgenössisches Kunsthandwerk und Photographie an. Der Mittelbau mit der »Destille« ist auch der Ausgangspunkt für die Sammlungen der griechisch-römischen Antike, des Islams und der Ostasiatischen Abteilung. Dabei sind die zur Schau gestellten Werke zumeist nach Stilperioden – und nicht nach Materialien – geordnet, um dem Besucher den Eindruck einer gesamtkünstlerischen Einheit zu vermitteln. Diese Raumfolgen werden von Zeit zu Zeit von Sälen unterbrochen, die einem einzigen Thema, z. B. den wissenschaftlichen Instrumenten, der Barockplastik oder dem Porzellan gewidmet sind.

1894 veröffentlichte Justus Brinckmann den zweibändigen »Führer durch das Hamburgische Museum für Kunst und Gewerbe, zugleich ein Handbuch des Kunstgewerbes«. Kein Museumsmann scheint heute noch die Zeit zu haben, ein derart grundlegendes Standardwerk zu schreiben. Das vorliegende Handbuch kann und will diesen »Führer« keineswegs ersetzen, es vermag als ein handliches, mit zahlreichen Abbildungen versehenes Kompendium viele der bedeutendsten Werke unseres Hauses dem Leser vorzustellen und ihn an seinen Besuch im Museum für Kunst und Gewerbe zu erinnern.   A. S.

Verfasser der Texte

Wolfgang Eckhardt	W. E.
Bernhard Heitmann	B. Ht.
Rose Hempel	R. H.
Wilhelm Hornbostel	W. H.
Hermann Jedding	H. J.
Nils Jockel	N. J.
Fritz Kempe	F. K.
Maritheres Gräfin Preysing	M. P.
Jörg Rasmussen	J. R.
Axel von Saldern	A. S.
Heinz Spielmann	H. Sp.

Zu den Maßen:
Alle Maße sind in cm angegeben. Höhe (H.) steht vor Breite (Br.). Sonst sind Länge (L.) und Durchmesser (Dm.) angegeben.

Abkürzungen:
Brinckmann-Stiftung = Stiftung der Justus Brinckmann Gesellschaft
Campe-Stiftung = Campésche Historische Kunststiftung
Kunst-Stiftung = Stiftung zur Förderung der Hamburgischen Kunstsammlungen

Photographien

Beatrice Frehn und Hans-Joachim Heyden

1

**1 Reliefs aus dem Grab des Würdenträgers
Chenemu.** Ägypten, Mittleres Reich,
Regierungszeit des Sesostris I. (1971-1927
v. Chr.). Kalkstein mit Bemalung; Gesamtlän-
ge 475. Wahrscheinlich aus Beni Hassan in
Mittelägypten. Inv. Nr. 1963.82/St.192;
1964.329/St.210 und 1965.102/St.215.
Kunst-Stiftung.

Die Abbildung zeigt einen Ausschnitt aus
zwei ursprünglich gegeneinandergerichteten
Szenenbändern mit Gabenträgern. Diese tragen verschiedene Lebensmittel für die Jen-
seitsverpflegung des Verstorbenen: Stier-
schenkel, Gänse, Körbe, Untersätze mit Spei-
sen, kleine Opfertische mit Kuchen, Früchten, Brot, Milch und Wein. Der letzte Gaben-
träger treibt als Opfertier eine Gazelle vor
sich her. In einem oberen Reliefstreifen über-
wacht der Grabinhaber das Bringen der Lebensmittel. Eine Hieroglypheninschrift nennt
seinen Namen. Dort heißt es: »Darbringen
ausgewählter Fleischstücke auf dem Altar
durch Totenpriester für die Lebenskraft des
wirklich geliebten Königsbeamten, der einzig
in seiner Art ist, ... Chenemu, Herr der Ehr-
würdigkeit.« W.H.

2

2 Osiris. Ägypten, Spätzeit, wohl 26. Dynastie (664-525 v.Chr.). Bronze; H. 75. Inv.Nr. 1956.129/St.12. Kunst-Stiftung.

Die Spätzeit Ägyptens (ca. 745-332 v.Chr.), die mit der Herrschaft äthiopisch-kuschitischer Fürsten aus Napata in Nubien als 25. Dynastie einsetzt, ist besonders reichhaltig an Bronzestatuetten. Unter ihnen nimmt Osiris, in einem wesentlichen Aspekt Herrscher des Totenreiches, eine bedeutende Stellung ein. Der Typus des Gottes mit seinem eng einhüllenden ›Leichentuch‹, den Attributen Geißel und Krummstab, dem Zeremonialbart und der hohen Atefkrone mit Uräusschlange ist geläufig und bleibt über Jahrhunderte unverändert. Dieses zähe Festhalten an der Tradition, das so charakteristisch für die Religions- und Kunstgeschichte des Nillandes ist, führt häufig zu Datierungsschwierigkeiten, wenn nicht Königsinschriften einen Anhalt bieten. W.H.

3 Sarapis. Römisch, spätes 2.Jahrhundert n.Chr. Marmor; H. 48,5. Aus Ägypten. Inv.Nr. 1974.81. Erworben mit Hilfe von Spenden zahlreicher Museumsbesucher.

Die ursprünglich für eine Nischenaufstellung bestimmte Skulptur gibt im Büstenausschnitt und in starker Verkleinerung ein vielkopiertes Werk antiker Plastik wieder: die berühmte Kultstatue des Sarapis im alexandrinischen Hauptheiligtum, ein fast 12 m hohes Gold-Elfenbein-Sitzbild des griechischen Bildhauers Bryaxis aus der Zeit um 300 v.Chr. Markante Erkennungszeichen sind der mit Zweigen geschmückte Fruchtkorb (Kalathos) auf dem Kopf und die fransenartige Stirnfrisur. Der Globus weist den Gott als Kosmokrator, als Herrscher über Erdball und Himmel, aus. Bei diesem Detail handelt es sich um eine späte Kopistenzutat, die das Bemühen anschaulich macht, den Gott entsprechend den Bedürfnissen einer großen Anhängerschaft mit einem weitreichenden Kompetenzbereich auszustatten. W.H.

3

4

4 Amphora mit Deckel. Ägypten, frühere Kaiserzeit, wohl 1.Jahrhundert n.Chr. Glasierte Quarz-Fritte (›Fayence‹); H. 17,3. Inv.Nr. 1900.516.

Erste Vorläufer glasierter Keramik begegnen in Ägypten schon in prädynastischer Zeit, also vor 3000 v.Chr.; nur wenig später finden wir die ersten Fayence-Objekte, deren Kerne aus zerstoßenem Quarz bestehen. Die Glassubstanz der Glasur wurde aus Quarzpulver und Soda als Flußmittel gewonnen, wobei zur Färbung Metallverbindungen beigegeben wurden. Aus der Frühzeit Ägyptens als römische Provinz, die nach dem Sieg Octavians über Kleopatra und Marc Anton bei Actium 31 v.Chr. beginnt, stammt die türkisfarben glasierte Amphora, ein Typus, der im kaiserzeitlichen Ägypten in verschiedenen Formvarianten und Dekorationsschemata – hier Efeuranke und schraffierte Dreiecke – vorkommt. W.H.

5

5 Mumienporträt einer Frau. Ägypten, 1. Drittel 4. Jahrhundert n. Chr. Wachsmalerei auf Holz; H. 36, Br. 11,5. Aus Er Rubayat. Inv. Nr. 1928.42.

Mumienporträts, mit Wachsfarben oder in Temperatechnik ausgeführt, sind zu Hunderten im Fayûm, einer Oase etwa 70 km südlich von Kairo, und in Mittel- und Oberägypten gefunden worden. Die auf Holztafeln – aus Zypresse, Linde oder Zeder – gemalten Bilder wurden mit langen Mumienbinden über dem Gesicht des Verstorbenen befestigt. Von der frühen Kaiserzeit bis in die Zeit um 400 n. Chr. vermitteln die Mumienporträts ein eindringliches Bild vom Aussehen der Bevölkerung des Nillandes, die sich aus Ägyptern, Griechen und Römern zusammensetzte. Über die Auftraggeber informieren die Bildnisse selbst. Es ist die gehobene Bürgerschicht von Offizieren, Beamten, Kaufleuten und Priestern, die sich eine solch »aufwendige Vorsorge für den Tod« leisten konnte. W. H.

6

7 Möbelbeschlag ›Göttin am Fenster‹. Phönizien, 9.-8. Jahrhundert v. Chr. Elfenbein mit Glaseinlage; H. 5,9, Br. 4,2. Aus Arslan Tasch, Syrien. Inv. Nr. 1966.26/St.224. Kunst-Stiftung.

»2300 Talente Silber, 20 Talente Gold, 5000 Talente Eisen, Gewänder aus Leinen mit vielfarbigem Besatz, ein Bett mit Elfenbein und eine Liege, mit Elfenbein eingefaßt und eingelegt.« Dies und mehr mußte der König von Damaskus nach seiner Niederlage gegen den assyrischen König Adadniraris III. 802 v. Chr. abgeben. In assyrischen Tributlisten ist des öfteren von Betten und Thronen aus Elfenbein und Gold die Rede. Zum Schmuck eines solchen Bettes aus edlen Hölzern gehörte einstmals auch der Beschlag mit der ›Göttin am Fenster‹. Über einer Balustrade erscheint mit ägyptischer Perücke eine Frau, wohl die Himmelsgöttin Ischtar-Astarte. Phönizische Elfenbeine sind neben assyrischen und syrischen in den königlichen Palästen von Nimrud, Chorsabad, Samaria und Arslan Tasch gefunden worden. W. H.

8

6 Pferdetrense. ›Luristan‹ (Iran), 9.-8. Jahrhundert v. Chr. Bronze; H. 13,9, Br. 11, L. Stange 21. Inv. Nr. 1931.67.

Seit den späten zwanziger Jahren dieses Jahrhunderts sind im Zagros-Bergland in der heutigen westpersischen Provinz Luristan und in angrenzenden Gebieten, zumeist bei unbeobachteten Grabungen in Nekropolen, zahlreiche Bronzen vom 3.-1. Jahrtausend v. Chr. gefunden worden. Obwohl nachweislich keiner einheitlichen Kulturgruppe zugehörig, ist ihnen der Sammelname ›Luristan-Bronzen‹ geblieben. Neben einer Fülle von Votiv- und Kultgegenständen – vor allem den eigenwilligen Standartenaufsätzen – sind es Schmuck, Waffen und Teile von Pferdegeschirr, die den Ruhm der ›Luristan-Bronzen‹ ausmachen. Die Gebißstange mit den gebogenen Enden für die Zügel, deren Seitenblätter als geflügelte Wildziegen ausgebildet sind, gehört zum Zaumzeug eines Nomadenpferdes. W. H.

7

8 Kandelaber. Urartu, wohl spätes 8. Jahrhundert v. Chr. Bronze; H. 118. Aus Toprakkale. Inv. Nr. 1960.61 (= 1904.390).

Assyrien und Urartu zählten in der 1. Hälfte des 1. Jahrtausends v. Chr. zu den dominierenden Mächten Vorderasiens. Der Staat Urartu entstand gegen Mitte des 9. Jahrhunderts nördlich von Mesopotamien, rund um den Van-See. Berühmt sind die urartäischen Bronzen, die bis nach Griechenland gewirkt haben. Zu den herausragenden Objekten dieser Gattung gehört der hohe Leuchter, den C. F. Lehmann-Haupt 1898/99 in einem Nebenraum des Haldis-Tempels von Toprakkale, unweit vom Berge Ararat, ausgegraben hat. Der schlanke Schaft steht auf zoomorphen Füßen, die mit Löwenköpfen und liegenden Fabelwesen zusätzlich geschmückt sind. Die Inschriften weisen das kostbare Tempelgerät als Besitz des Königs Rusa aus, wahrscheinlich Rusa I. (ca. 730-714/13 v. Chr.), des Kontrahenten des assyrischen Königs Sargon II. W. H.

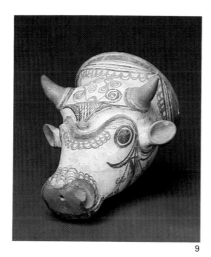

9

**9 Rhyton in Form eines Stier- oder Kalbs-
kopfes.** Kleinasien (Phrygien), klassisch
oder hellenistisch. Ton; L. 21,2, Dm. 14,5 bis
15,3. Inv.Nr. 1977.51.

Rhyta – primär Spendegefäße, aber auch
Trinkgefäße aus Ton, Glas und Edelmetall –
haben in Griechenland und Kleinasien eine
lange Tradition. Über die Verwendung geben
Vasenbilder und Reliefs Aufschluß. Neben
dem schlichten Tierhorn als Ausgangsform
finden sich zahlreiche Rhyta, deren unterer
Teil kunstvoll in einem Tiervorderteil endet
oder die ganz in Form eines Tieres oder Tier-
kopfes gebildet sind. Charakteristisch sind
die weite Einfüllöffnung oben und ein kleines
Ausgußloch unten, das hier in der Tier-
schnauze liegt. Die kräftige Bemalung in
Schwarz, Rot und verschiedenen Brauntönen
in Verbindung mit gesicherten Fundorten
gleichartiger Rhyta verweisen dieses prachtvolle Gefäß nach Phrygien, in ein Randgebiet
griechischer Kultur.   W.H.

10 Schale. Achaimenidisch, spätes 5. bis
frühes 4. Jahrhundert v. Chr. Glas; H. 7,2,
Dm. 19,2. Inv.Nr. 1973.107.

Innerhalb des nur spärlich erhaltenen achai-
menidisch-persischen Glases kommt dieser
Schale unbekannter Provenienz aufgrund
der Ausgewogenheit von Form und Dekoration, der perfekten Erhaltung und handwerklichen Ausführung ein hervorragender Rang
zu. Das dünnwandige, klare Glas ist in der
Form geschmolzen worden, wobei in einem
zweiten Arbeitsgang auf der Außenseite der

›Buckeldekor‹ eingeschnitten wurde. Vergleichbare Buckelschalen in Gold, Silber und
Bronze haben sich weit häufiger gefunden
als die zerbrechlichen Glasgefäße, die den
Luxus einer gehobenen Gesellschaftsschicht
reflektieren. Vermutlich gehört die Schale in
die Zeit Artaxerxes II. (404-359 v. Chr.).   W.H.

11 Halsamphora (Ausschnitt). Athen, spät-
geometrisch, letztes Drittel 8. Jahrhundert
v.Chr. Ton; H. 73. Inv. Nr. 1966.89.

Daß Amphoren, also großräumige Vorrats-
gefäße des Alltags, auch in sepulkralem Zusammenhang Verwendung gefunden haben,
ist häufiger beobachtet worden. Vor allem
das Thema des Halsbildes (Ausschnitt) weist
auch diese Amphora als Grabgefäß aus: In
der strengen Formensprache der Zeit (die
der ganzen Epoche den Namen ›geometrisch‹ eingetragen hat) wird eine Aufbah-
rungsszene (Prothesis) geschildert. Der Verstorbene liegt aufgebahrt auf einer hochbei-
nigen Kline, über ihm ein Bahrtuch in
Schachbrettmuster. Hinterbliebene stehen
und knien um das Totenbett. Die Frauen haben beide Hände über den Kopf genommen,
die Männer jeweils nur eine. Mit der anderen
weisen sie auf den Verstorbenen oder halten
das Bahrtuch.   W.H.

11

10

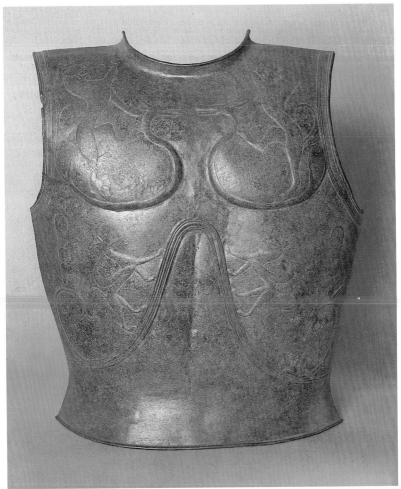

12

12 Brustpanzer. Kreta, dädalisch, späteres
7. Jahrhundert v. Chr. Bronze; H. (ergänzt)
45,5. Aus Aphrati. Inv. Nr. 1970.26a.

Der Insel Kreta kommt bei der Vermittlung
östlicher Kunsttraditionen nach Westen eine
bedeutsame Rolle zu. Östlicher Einfluß ist bei
kretischen Werken häufiger zu beobachten,
so auch bei dem Dekor des aus Bronzeblech
getriebenen Brustpanzers. Dieser stammt
aus einem wichtigen Fundkomplex von Helmen, Panzern und Mitren in Aphrati im südli-
chen Mittelkreta, dem antiken Arkades. Die
allgemeine Stilisierung der Brustmodellie-
rung hält sich an die Großplastik der Zeit.
Seeschlangen umrunden die Brustmuskeln,
auf ihnen stehen wappenartig aufgerichtete
Löwen. Greifen und hockende Krieger auf
dem Rippenbogen vervollständigen den reichen Schmuck.   W. H.

13 Salbgefäß. Mittelkorinthisch, 1. Viertel 6. Jahrhundert v. Chr. Ton; H. 20,9. Inv. Nr. 1966.12.

Korinthische Salbölgefäße (Alabastra) sind rund um die Küsten des Mittelmeeres gehandelt und gefunden worden. Sie bezeugen damit die hohe Wertschätzung dieser kleinen Gefäße, hinter deren Beutelform ursprünglich gewiß ein organisches Material – vielleicht Leder – vermutet werden darf. Die üppige Bemalung kann nicht darüber hinwegtäuschen, daß es der Kundschaft in fernen Ländern in erster Linie um den wohlriechenden Inhalt, weniger um die »Verpackung« und ihre Bemalung ging. Natürlich mögen die Vasenbilder oft als zusätzliche Kaufanreize empfunden worden sein. Dieses Alabastron zeigt als Zentralfigur einen mächtigen doppelköpfigen, bärtigen Dämon mit Sichelflügeln und zwei Schlangenleibern, umgeben von vier vollbewaffneten Hopliten. W. H.

13

14

14 Weibliches Idol (›Brettidol‹). Boiotien, kurz vor Mitte 6. Jahrhundert v. Chr. Terrakotta; H. 17,5. Inv. Nr. 1926.3.

Die griechische Terrakottakunst bietet seit archaischer Zeit ein abwechslungsreiches Bild, in dem die individuellen Eigenarten der verschiedenen Landschaften und Werkstätten klar hervortreten. Von den boiotischen Terrakotten kommt den originellen ›Brettidolen‹ besonderes Interesse zu, die in großer Zahl in Gräbern gefunden wurden. Ungeachtet aller Vereinfachungen, die an spätmykenische Idole erinnern, gehören diese Figuren bereits in archaische Zeit. Sie stellen wohl mit der Erdtiefe verbundene Wesen dar, deren äußere Form – wie bei den frühgriechischen Kultbildern – auf urtümliche Vorstellungen zurückgeht. Charakteristisch sind der brettartig flache Körper, die kurzen Armstümpfe und der korbartige Kopfputz (Polos) mit angesetzter Spirallocke, ein vermutlich aus dem Osten stammendes Schmuckelement. W. H.

15

15 Kanne. Gorgo-Maler, Athen, schwarzfigurig, 1. Viertel 6. Jahrhundert v. Chr. Ton; H. 26,3. Inv. Nr. 1960.6.

Der Konkurrenzkampf zwischen den athenischen und korinthischen Keramikwerkstätten wurde zu Beginn des 6. Jahrhunderts zugunsten Athens entschieden. Gleichwohl orientierten sich die Vasenmaler des frühen schwarzfigurigen Stils auch weiterhin an korinthischen Vorbildern. Ein athenischer Schalenspezialist hat bezeichnenderweise den Behelfsnamen C-Maler (C = korinthisierend) bekommen. Der Gorgo-Maler, benannt nach einem Kessel mit einer Gorgo-Darstellung im Louvre, gehört zu den führenden, kraftvollen Vertretern des aufblühenden attisch-schwarzfigurigen Stils. Prächtige Tierbilder zieren seine Kannen: Hier ist es ein wuchtiger Löwe mit bleckenden Zähnen. Den Freiraum füllen in korinthischer Manier kleine Rosetten und Palmetten mit Ranken. W. H.

16

16 Trinkschale. Ambrosios-Maler, Athen, rotfigurig, Ende 6. Jahrhundert v. Chr. Ton; H. 8,9, Dm. 23. Inv. Nr. 1962.134.

Ein ausgelassenes Treiben herrscht auf den Außenbildern dieser Trinkschale aus der Frühzeit des rotfigurigen Stils. Wilde und erregte Satyrn, Naturburschen mit Pferdeohren und -schweif aus dem Gefolge des Weingottes Dionysos, vergnügen sich tanzend, zechend und musizierend. Auf dem einen Bild sorgt zusätzlich eine Mänade für Kurzweil. Die Darstellung orgiastischer Ausschweifungen hat die schwarz- und rotfigurigen Vasenmaler immer wieder beschäftigt; gewiß hat das Satyrspiel der Bühne dabei gewichtige Anregungen gegeben. Bemerkenswert bei dieser Weinschale ist der große Qualitätsunterschied zwischen dem relativ steif gemalten Innenmedaillon – laufender Jüngling mit Helm, Rundschild und Speer – und den Außenbildern, die zum Besten zählen, was von diesem Maler überliefert ist.   W. H.

17 Bauchamphora (Ausschnitt). Eucharides-Maler, Athen, rotfigurig, 1. Viertel 5. Jahrhundert v. Chr. Ton; H. 64. Inv. Nr. 1966.34. Stiftung der BAT Cigaretten Fabriken GmbH.

Das prachtvolle Weingefäß, das in dem spannungsreichen tektonischen Aufbau die sichere Hand eines bedeutenden Töpfers verrät, überragt an Größe die meisten seiner spätarchaisch-frühklassischen Zeitgenossen. Gleichsam wie die Giebelfelder eines Tempels sitzen die beiden Halsbilder hoch über dem schlicht schwarzgefirnißten Gefäßkörper: Während die hier nicht gezeigte Seite das tragische Ende des Aktaion schildert, der

von seinen eigenen Hunden zerfleischt wird, zeigt die Abbildung die Tötung des Argos durch Hermes, den Zeussohn. Argos sollte mit seinen über den Körper verteilten scharfsichtigen Augen – den sprichwörtlich gewordenen Argos-Augen – im Auftrag der eifersüchtigen Hera die in eine Kuh verwandelte Io, eine Geliebte ihres Gatten, bewachen.   W. H.

17

18 Trinkschale. Briseis-Maler, Athen, rotfigurig, um 470 v. Chr. Ton; H. 9, Dm. 23,3. Inv. Nr. 1900.518.

Unter den spätarchaischen athenischen Schalenmalern kommt dem Brygos-Maler und seinem Kreis, dem der Briseis-Maler zuzuordnen ist, ein besonderer Rang zu. Von der Qualität der töpferischen Arbeit wie von der Bemalung her legt diese Athletenschale dafür ein beredtes Zeugnis ab. Die Innen- und Außenbilder sind thematisch als Einheit zu verstehen: Außen stehen zwei Ringerpaare, und das Innenbild zeigt einen Palästradiener mit einer Hacke zur Auflockerung des Bodens für den Weitsprung und mit drei kurzen Wurfspeeren. Hinter ihm hängt in einer Stoffschlaufe ein Diskus. Athleten, beim Training oder im Wettkampf, gehören zu den häufigen Bildthemen der Vasenmaler im Kerameikos, keine Überraschung bei einem Volk, zu dessen Grundverständnis der Agon, der Wettkampf, in all seinen Möglichkeiten gehört.   W. H.

18

19

19 Widderkopf-Kantharos. Töpfer Sotades und Sotades-Maler, Athen, rotfigurig, um 460 v.Chr. Ton; H. 22,8. Inv.Nr.1977.220.

Zu den einfallsreichsten athenischen Töpfern aus der Zeit kurz vor der Mitte des 5.Jahrhunderts zählt Sotades. Bei seinen figürlichen Gefäßen gelingen ihm die witzigsten Bildungen: ein Krokodil, das ein Negerlein verschlingen will, eine Sphinx oder Tierkopfgefäße in Form eines Hundes, Affen, Widders oder Ebers. Hier handelt es sich um ein Widderkopf-Gießgefäß, dessen Bemalung dem Esprit des Töpfers entspricht: Zwei muntere Satyrn mit Pferdeschwanz und Tierohren, von denen einer die Käuzchen auf der Vorderseite respektlos mit einer langen Leimrute zu fangen sucht, ausgerechnet die heiligen Tiere der Göttin Athena, die Wappentiere der Stadt Athen! W.H.

20 Choenkanne. Athen, rotfigurig, um 460 v.Chr. Ton; H. 22,6. Inv.Nr. 1962.124.

Der zweite Tag des athenischen Frühlingsfestes zu Ehren des Dionysos (Anthesterien) hieß nach den dort verwendeten, bauchigen Weinkannen Choenfest (ein attischer Chous = 3,28 Liter). Während die Miniaturkännchen, die man den erstmals am Fest teilnehmenden kleinen Kindern schenkte, vornehmlich mit Kinderdarstellungen bemalt sind, ist die Themenwahl bei den großen Kannen, aus denen der neue Wein in Form eines Wett-Trinkens genossen wurde, abwechslungsreicher. Hier eine Szene aus dem Landleben: Ein athenischer Bauer mit knielangem Schurz und Mörserkeule vor seinem Maultier, das mit seiner auffälligen Schultermarkierung und seinen gestreiften Hinterbeinen auf einem Spreuhaufen steht. Der Vorgang spielt also auf dem Dreschplatz. W.H.

20

21 Stangenkrater (Ausschnitt). Neapel-Maler, Athen, rotfigurig, um 450 v.Chr. Ton; H. 48. Inv. Nr. 1968.79. Stiftung der BAT Cigaretten Fabriken GmbH.

Während die Rückseite des Mischgefäßes mit stark typisierten ›Mantelfiguren‹ bemalt ist, zeigt das Hauptseitenbild den mythischen Sänger Orpheus, als dessen Heimat meist Thrakien gilt. Sein Schicksal hat die athenischen Künstler sehr beschäftigt, so z.B. der tragische Verlust seiner Gattin Eurydike oder sein eigener, grausiger Tod. Hier scheint Orpheus, der Lorbeerbekränzte, ganz in sein Lyraspiel vertieft zu sein. Die Fuchspelzmützen, die langen, gemusterten Wollmäntel und die Fellstiefel charakterisieren die bewaffneten und der Musik lauschenden Männer als Landsleute, als Thraker. Die den Hügel hinaufkletternde Schildkröte und der runde Stein, der nach Aischylos und Euripides gleichfalls von der Musik des Orpheus bezaubert wurde, sind als Sinnbilder der belebten und unbelebten Natur zu verstehen. W.H.

21

22

22 Trinkschale (Ausschnitt). Penthesilea-Maler, Athen, rotfigurig, 460-450 v.Chr. Ton; H. 10,9, Dm. 27. Aus Nola. Inv.Nr. 1900.164.

Die hochfüßige Schale mit ihrem eleganten, flachen Becken stammt aus Nola, jener alten campanischen Landstadt, in deren Gräbern sich athenische Importkeramik so reich erhalten hat. Das Innenbild zeigt zwei Knaben beim Leierspiel und Gespräch – oberhalb der Köpfe eine sog. Lieblingsinschrift »Der Knabe ist schön« –, während sich auf den Außenseiten Jünglinge im Reiterkostüm mit Speeren auf einen Ausritt bzw. Wettkampf vorbereiten. Die Handschrift der Zeichnung weist unmißverständlich auf den Penthesilea-Maler, jenen bedeutenden frühklassischen Schalenmaler, der nach seinem Hauptwerk, der Münchner Schale mit der Tötung der Amazonenkönigin Penthesilea durch Achill, benannt ist. Seine kühnen Bilderfindungen lassen die große Malerei des Polygnot und die Tragödien des Aischylos und Sophokles ahnen.   W.H.

23 Helm. Sizilien, spätes 6. bis frühes 5. Jahrhundert v. Chr. Bronze; H. 19,5. Aus Montagna di Marzo. Inv. Nr. 1965.182. Campe-Stiftung.

Der aus Bronzeblech getriebene Huthelm weicht vom konventionellen Pilos – der konischen Helmhaube mit zentrierter Spitze und abgesetztem, gelegentlich konvex eingezogenem Rand – vor allem durch die waagerecht abstehende und rückseitig nach oben geschlagene Krempe und die nach hinten verlegte Helmspitze ab. Unverkennbar hat als Vorbild ein Hut aus einem verformbaren weichen Material, also Filz, Leder oder Wolle, gedient. Darstellungen auf Vasen zeigen deutlich, daß die besondere Hutform und die dazugehörigen Varianten bevorzugt von Wanderern – so von Hermes und Odysseus –, Wagenlenkern und Hirten getragen wurde. W. H.

23

24

24 Lekythos. Sabouroff-Maler, Athen, weißgrundig, um 450 v. Chr. Ton; H. 28,5. Aus Eretria. Inv. Nr. 1896.21.

Die kreidig-weiß grundierten Lekythen mit ihrer zarten figürlichen Bemalung, eine Spezialität athenischer Töpfer und Maler des 5. Jahrhunderts, waren als Ölgefäße von vornherein ausschließlich für den attischen Grabkult bestimmt (vgl. Nr. 30). Entsprechend nehmen die Darstellungen durchweg Bezug auf Tod und Grab, Aufbahrung und Trauer, Hinterbliebene am Grab, Abholung des Verstorbenen durch den Totenfährmann Charon u. ä. Die sehr empfindlichen Farben sind bei dieser Lekythos des Sabouroff-Malers (benannt nach einem russischen Sammler) ausgezeichnet erhalten: rot, gelb und schwarz. Die Szene zeigt in unsentimentaler Natürlichkeit die Schmückung einer Grabstele, zu deren Linken zwei junge Männer in kräftig roten Mänteln stehen bzw. sitzen, wobei der vordere, auf einen Stab gestützt, mit ruhigem Ernst das Grabmonument berührt. W. H.

25

25 Jüngling als Schalengriff. Großgriechenland, um 500 v.Chr. Bronze; H. 21,9. Inv. Nr. 1957.52/St.76. Kunst-Stiftung.

Der massiv gegossene, in weichen Formen modellierte, schlanke Jüngling, mit gestreckten Beinen auf einem Widderkopf stehend, diente ursprünglich als Griff für ein aus Bronzeblech getriebenes Schalenbecken. Dieses ist – wie in den meisten Fällen – verlorengegangen. Zwischen Becken und anthropomorphem Griff sitzt hier ein offener Palmettenfächer mit Volutenkapitell und einer Löwenkopfmaske. Bei dem Schalentypus, der vermutlich bei kultischen Anlässen Verwendung fand und dessen Hauptproduktionszeit in die Jahrzehnte um 500 v.Chr. fällt, überwiegen die Jünglinge als Griffe bei weitem. Diese Tatsache überrascht nicht angesichts der zahlreichen Jünglingsstatuen in der gleichzeitigen Großplastik.   W.H.

26 Ausruhender Athlet. Großgriechenland, um 460 v.Chr. Bronze; H. 9,1. Inv. Nr. 1969.200/St.275. Kunst-Stiftung.

Der schlaufenförmige Riemen in der rechten Hand, der muskulös-durchtrainierte Körper, das große rechte Ohr und die kurzgeschnittenen Haare weisen den Ausruhenden als einen Athleten, wohl einen Faustkämpfer, aus. Die Modellierung ist ungeachtet der für Unteritalien charakteristischen Körperanlage in großteiligen Kompartimenten durchaus feinnervig und nuanciert. Die nachhaltige Wirkung des kleinen Meisterwerks resultiert aus der Kohärenz von Form und Inhalt und dem Spannungsverhältnis zwischen dem muskulösen Körper und dem träumerisch-kontemplativen, fast schwermütigen Gesichtsausdruck. Hier offenbart sich eine Verinnerlichung, eine psychische Ergriffenheit, in gewisser Weise eine Isolierung des einzelnen, dessen Schicksal zur gleichen Zeit Aischylos in der Dichtung formuliert hat.   W.H.

27

26

27 Heroldstab (Ausschnitt). Sizilien (Syrakus), 480-470 v.Chr. Bronze; L. 51,1. Inv.Nr. 1978.61/St. 337. Kunst-Stiftung.

Der gewerbsmäßige Ausrufer und Überbringer von Botschaften im privaten und staatlichen Bereich hieß bei den Griechen Keryx (Herold). Ihm kamen wichtige Aufgaben zu. So eröffnete er etwa die Volksversammlung und überbrachte die Kriegserklärung; durch den Heroldstab (griechisch Kerykeion) galt er – im Gegensatz zum eigentlichen Gesandten – als sakrosankt. Im mythischen Bereich ist in erster Linie Hermes, der Götterbote, mit dem Kerykeion ausgestattet. Auf ungezählten Vasenbildern sehen wir ihn mit seinem ›Ausweis‹ in Aktion. Nur in relativ wenigen Beispielen haben sich bronzene Kerykeia erhalten, die oben in der Regel in Schlangen- oder Widderköpfen enden. Die Inschrift in dorischem Dialekt auf dem Schaft weist dieses Kerykeion als Eigentum der Stadt Syrakus aus, wobei nicht zu entscheiden ist, ob es ursprünglich bei einer politischen Mission als amtlicher Heroldstab oder als Weihgabe diente. W.H.

28

28 Gliederpuppe. Griechenland, wohl Korinth, frühes 4.Jahrhundert v.Chr. Terrakotta; H. 16. Inv.Nr. 1898.56.

»Timareta hat zur Vermählung ihr Spielzeug und ihren Spielball, den sie so innig geliebt, auch das haarbezähmende Netz und ihre Puppen Limnaea geweiht, als Mädchen der Jungfrau Artemis, wie es sich ziemt, selbst der Puppen Gewand.« Diesem Epigramm eines unbekannten Dichters ist zu entnehmen, daß die Mädchen vor der Hochzeitszeremonie ihre (Anzieh-)Puppen der jungfräulichen Göttin Artemis weihten. Daneben gab man derartige Spielzeugpuppen, die auch aus Holz, Elfenbein, Stoff oder Wachs bestanden, frühverstorbenen Kindern und unvermählt verstorbenen Mädchen mit ins Grab. In der Regel sind die Puppen älter dargestellt als es die kleinen Mädchen waren, die mit ihnen spielten. Die beweglichen Arme und Beine wurden mit Hilfe von Schnüren oder Drähten befestigt. W.H.

29

29 Athena. Römische Kopie der 1. Hälfte des 2.Jahrhunderts n.Chr. nach dem griechischen Original des Myron aus der Mitte des 5.Jahrhunderts v.Chr. Marmor; H. mit Plinthe 142. Inv.Nr. 1961.288/St.168. Kunst-Stiftung.

»Daselbst ist auch Athena dargestellt, welche den Silen Marsyas schlägt, weil er die Flöte aufgehoben hatte, welche die Göttin doch weggeworfen haben wollte.« Mit diesen wenigen Worten geht Pausanias, der griechische Reiseschriftsteller des 2.Jahrhunderts n.Chr., auf eine Bronzegruppe ein, die er bei seinem Rundgang auf der Akropolis in Athen sah. Immerhin hat es genügt, um die berühmte Zweifigurengruppe des Erzgießers Myron aus den reichen Beständen römischer Kopien herauszufinden. Von der Athena haben sich bislang acht Statuen- und drei Kopfwiederholungen gefunden. Innerhalb der Gruppe stand die gerüstete Athena links, im Fortschreiten dem sich tänzelnd nähernden Marsyas zugewandt. W.H.

30

30 Statuettenlekythos in Form eines Eros.
Athen, weißgrundig und rotfigurig, 1. Viertel
4. Jahrhundert v. Chr. Ton; H. 25,5. Aus
Methana, Argolis. Inv. Nr. 1899.95.

Schon der wenig haltbare, kreidig-weiße
Überzug dieses kleinen Meisterwerks athenischer Töpferkunst mit der zarten Bemalung
in Rot-, Blau-, Grün- und Gelbtönen deutet
wie bei den weißgrundigen Lekythen (vgl.
Nr. 23) darauf hin, daß derlei Grabbeigaben
von vornherein von jeder Verwendung im
Alltagsleben ausgeschlossen waren. Der junge, in weichen Formen modellierte Eros mit
seinen in die Fläche ausgebreiteten Flügeln
kaschiert auf elegante Weise eine Eichelleky-
thos mit rotfigurigem Ornament. Der Liebes-
gott hat seinen Kopf nachdenklich gesenkt,
eine Muschel und einen Schmuckkasten in
den Händen haltend. Verschiedene Details
enthalten Hinweise auf Grab und Jenseits.
So werden die vergoldeten Ranken und Rosetten als Seligkeitszeichen interpretiert, die
– wie der Eros selbst – die Jenseitshoffnun-
gen des Verstorbenen verstärken sollten. W. H.

31 Weinkanne in Form eines Negerkopfes.
Athen, Mitte 4. Jahrhundert v. Chr. Ton;
H. 15,1. Inv. Nr. 1962.126.

Von John Davidson Beazley, dem bedeutenden englischen Vasenforscher, stammt die Bemerkung, daß der glänzend-schwarze, attische Firnis geradezu nach Negerdarstellungen verlangt habe. Neger mit Kraushaar, flacher Nase, wulstigen Lippen und weißen Zähnen finden sich seit dem 6. Jahrhundert mehr oder weniger häufig auf griechischen Vasen, und zwar in der Regel durchaus nicht in diskriminierender Absicht. Bei Weinkannen in Form von Negerköpfen mag neben dem gezielten Hinweis auf ein seliges Land (Libyen) und damit auf ein seliges Leben die Freude am Kuriosen, am Exotischen auslösend gewirkt haben. Hier handelt es sich um ein aus der Form gepreßtes Weinkännchen in der Gestalt eines typischen Vertreters der Rasse mit handmodellierter Laschenmütze, der sog. phrygischen Mütze, die den Träger als Orientalen ausweist. W. H.

31

32

32 Grabstele des Neokles und des Aristoteles (Ausschnitt). Athen, Mitte 4. Jahrhundert v. Chr. Marmor; H. (ergänzt) 142. Inv. Nr. 1977.52. Campe-Stiftung.

Die Griechen bestatteten ihre Toten gewöhnlich außerhalb der Stadtmauern. Der Gräber lagen bevorzugt an den ausfallenden Straßen, so wie wir es sehr anschaulich vom Kerameikos, dem Hauptfriedhof Athens, her kennen. Am Wegrand sollten die Toten im Grabmal den Vorübergehenden in Erinnerung bleiben. Von einem attischen Friedhof stammt die schlanke (nach unten ergänzte) Bildfeldstele mit ihrem bekrönenden Anthemion, die uns durch die Namensbeischriften über die Existenz zweier sonst unbekannter Personen Auskunft gibt: Links sitzt Neokles, rechts steht sein Sohn Aristoteles, offenbar

schon in vorgerücktem Alter, beide im Handschlag miteinander verbunden. Bei der Figurenschilderung der Verstorbenen überwiegt das Typische gegenüber dem Individuellen, wie häufig bei diesen kleinformatigen Bildfeldstelen. W. H.

33 Kanne in Form eines menschlichen Fußes. Großgriechenland, wohl 4. Jahrhundert v. Chr. Ton; H. 23,7, L. 24,2. Inv. Nr. 1975.38. Campe-Stiftung.

Das Bestreben griechischer Töpfer, Gefäße über die reine Zweckform hinaus figürlich zu gestalten, ist häufig und schon in der Frühzeit zu beobachten. Die Phantasie wird besonders bei kleinformatigen Salbölgefäßen immer aufs neue angeregt. Da gibt es Gefäße in Gestalt von Krieger- und Frauenköpfen, hockenden Satyrn und Affen, Igeln, Enten und toten Hasen, männlichen Geschlechtsteilen, Muscheln und Mandeln, Beinen und Füßen. Letztere sind gleichsam die Vorläufer für die Weinkanne, die auf den ersten Blick in der Kombination von sandaliertem Fuß, Kleeblattmündung, Strickhenkel mit Stierkopf und sprungbereitem Frosch wie die Spielerei eines Töpfers anmutet. Gleichwohl darf eine religiös-kultische Verwendung vermutet werden; ein monumentales Fußgefäß aus Ton in Reggio Calabria ist als Kindersarkophag benutzt worden. W. H.

33

34

34 Kanne (Ausschnitt). Apulien, Victoria & Albert-Gruppe, 365-350 v.Chr. Ton; H. 25. Aus Ruvo. Inv. Nr. 1876.285.

Um die Mitte des 5.Jahrhunderts gründeten athenische Töpfer in Unteritalien neue Werkstätten. Sind in der Frühzeit dieser Entwicklung athenische Produkte von ihren unteritalischen Imitationen nur schwer zu unterscheiden, so gingen die Töpfer und Maler der Magna Graecia schon bald unverwechselbar eigene Wege. Der gegenüber den mutterländischen Vorbildern veränderte Geschmack äußert sich sowohl in der Wahl der Themen, denen andere religiöse und mythisch-kultische Gegebenheiten zugrunde liegen, als auch im Stil, der z.T. wuchernden Ornamentik und den ungewöhnlichen Gefäßformen. Diese Kleeblattkanne ziert ein Dreifigurenbild: eine sitzende Frau mit geschmücktem Palmenzweig, links ein androgyner, geflügelter Eros mit Spiegel und Kranz, rechts ein Satyr mit Fackel und Eimerchen. W.H.

35 Skyphos. Apulien, Gnathia-Keramik, spätes 4.Jahrhundert v.Chr. Ton; H. 11,6, Dm. 10,3. Inv. Nr. 1917.555.

Innerhalb der apulischen Keramik bilden die Gnathiavasen, die ihren Rufnamen nach dem Hauptfundort Egnazia (antik Gnathia) erhalten haben, eine Sondergruppe. Die schwarzgefirnißten Gefäße – primär in Tarent, aber auch in anderen Zentren zwischen 350 und 250 v.Chr. hergestellt – zeigen in weißer, gelber und roter Deckfarbe Efeu- und Weinranken, Masken, Eroten, Tiere, Symbole und ähnliche Motive. Menschlich-Figürliches wie auf den apulischen Gefäßen findet sich selten, erst recht keine größeren szenischen Zusammenhänge. Bei diesem zierlichen, sehr dünnwandigen Trinkbecher sitzt zwischen den üblichen Reben mit Weinblättern und Trauben eine Strahlenscheibe mit dem Kopf des Sonnengottes Helios, des Sohnes der Theia und des Hyperion. W.H.

35

36

36 Muskelpanzer. Unteritalien, spätes 4.Jahrhundert v.Chr. Bronze; Brustschale H. 49, Br. 38,1. Aus einem Kammergrab bei Canosa. Inv. Nr. 1910.448.

Die Stadt Canusium (heute Canosa) in Apulien, etwa 20 km vom Adriatischen Meer entfernt gelegen, hat als Zentrum der Wollverarbeitung im 4. und 3.Jahrhundert eine bedeutende Rolle gespielt. Von ihrem Reichtum zeugen etwa die architektonisch ausgebildeten Kammergräber mit ihren üppigen Beigaben, vor allem den apulischen Prachtvasen und den bizarren, mit Protomen und Figuren besetzten, großformatigen sog. Canosiner Gefäßen (vgl. Nr. 43). Zu einer solch reichhaltigen Ausstattung eines Kriegergrabes, das u.a. ein Kopfgefäß, Kantharoi, Loutrophoren, einen Skylla-Askos und einen keltischen Eisenhelm enthielt, gehört der Muskelpanzer; Brust- und Rückenschale, mit Hilfe von Eisenstiften und Röhrenscharnieren zusammengehalten, bilden die Rumpfmuskulatur plastisch nach. W.H.

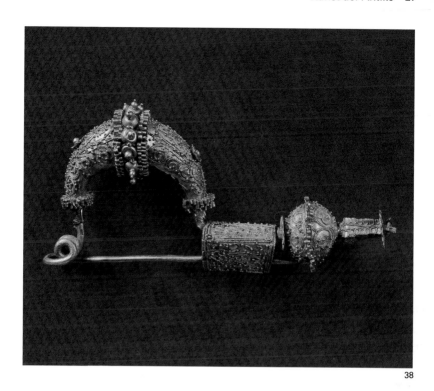

38

37 Becher. Griechenland, späteres 4. Jahrhundert v. Chr. Silber, teilvergoldet; H. 6,5, Dm. 9,3. Aus Makedonien. Inv. Nr. 1917.111.

Gemessen am ursprünglichen Bestand sind Edelmetallgefäße und -geräte aus dem Altertum nur in relativ bescheidener Zahl auf uns gekommen. Die Ausstattung des Bankettzeltes von Ptolemaios II. Philadelphos (283-246 v. Chr.), wie sie Athenaios überliefert, läßt die bedauerlichen Verluste ahnen. Dort ist von goldenen Speiselagern und Tischchen, silbernen Untersätzen, Becken und Kannen und goldenen Trinkgefäßen mit Edelsteinbesatz, alles in großer Fülle, die Rede. Die neuen, aufsehenerregenden Edelmetallfunde aus den Königsgräbern des Tumulus bei Vergina in Makedonien – und eben auch dieser elegante Becher mit seinen Parallelen aus makedonischen Gräbern – bezeugen den Ausstattungsluxus, wie er an den spätklassischen und frühhellenistischen Fürstenhöfen üblich gewesen ist.   W. H.

38 Fibel. Unteritalien-Campanien, späteres 4. bis frühes 3. Jahrhundert v. Chr. Gold; H. 3,5, L. 7,9. Inv. Nr. 1927.148.

Die schon frühzeitig erkennbare Tendenz, die Fibel über ihre Primärfunktion als Gewandsicherung hinaus als Träger figürlichen und ornamentalen Schmuckes zu nutzen, erreicht bei diesem Glanzstück künstlerischer und handwerklicher Perfektion einen Höhepunkt. Eine nüchterne Beschreibung von Wellenschlaufen, Palmetten und Rankengeschlingen aus einem Netzwerk von Filigrandrähten und Granulationskügelchen kann die Wirkung und das Raffinement im Dekor dieses Kleinods nur andeuten. Etruskische und unteritalisch-griechische Elemente vereinigen sich zu einem Werk, das in der Prunkhaftigkeit der Verzierung einen Geschmack reflektiert, als dessen Zentrum man sich gut die Weltstadt Tarent, das ›Paris Großgriechenlands‹ vorstellen kann.   W. H.

37

39

39 Frau mit Fächer. Boiotien, Tanagra, spätes 4. bis frühes 3. Jahrhundert v. Chr. Terrakotta; H. 33,5 Inv. Nr. 1896.465.

Seit vor etwa hundert Jahren die ersten Terrakotten dieser Art aus Gräbern einer Nekropole unweit der boiotischen Stadt Tanagra auftauchten, haben sie Sammler und Liebhaber in hohem Maße entzückt. Kein Wunder, daß die anmutigen ›Tanagräerinnen‹ – im französischen Sprachraum anschaulich ›promeneuses‹ genannt – schon bald nach ihrer

Entdeckung literarisch verarbeitet wurden: Ernst von Wildenbruchs Novelle ›Der Meister von Tanagra‹ hat verschiedene Auflagen erlebt. Die reizenden Gebilde in der Mode ihrer Zeit – hier mit Melonenfrisur, in den Mantel eingewickelten Händen und Fächer – spiegeln den verfeinerten Geschmack, der im gesamten griechischen Kulturraum seit Alexander dem Großen zu beobachten ist. W. H.

40 Alexander der Große. Kaiserzeitliche Kopie nach einem frühhellenistischen Vorbild um 300 v. Chr. Marmor; H. 136. Aus Ägypten. Inv. Nr. 1963.74. Campe-Stiftung.

Mit der Eroberung Ägyptens durch Alexander (332 v. Chr.), seiner Krönung im Ptah-Tempel zu Memphis und der Gründung der künftigen Metropole Alexandria beginnt ein neuer Abschnitt in der langen Geschichte des Nillandes. Dabei knüpfen der ›neue Pharao‹ und seine Nachfolger an alte ägyptische Vorstellungen und Traditionen an. Die offenbar für eine Nischenaufstellung bestimmte Skulptur im Zeus Aigiochos-Typus geht wahrscheinlich auf ein Kultbild zurück, das Alexander als Gründer der nach ihm benannten Stadt darstellte. Der König trägt eine makedonische Chlamys, die in der Art einer Aigis geschuppt und mit Schlangenrand und Gorgoneion versehen ist. Die Attribute – wohl Szepter und Blitzbündel – sind verloren. Kleinformatige Wiederholungen überliefern den statuarischen Typus in vollständigeren Fassungen. W. H.

40

41

41 Menander. Römische Kopie (tiberisch-claudisch) nach einem griechischen Original des frühen 3. Jahrhunderts v. Chr. Marmor; H. 38,5. Inv. Nr. 1964. 327/St. 207. Kunst-Stiftung.

Den ›griechischen Molière‹ hat man Menander genannt, den Begründer und berühmtesten Vertreter der Neuen Komödie, der – 342/1 v. Chr. geboren – 293/2 beim Schwimmen im Piräus ertrank. Von seinen 108 oder 109 Komödien sind 96 Titel überliefert, wobei neben dem Diskolos, dem Menschenfeind, und den Epitrepontes, dem Schiedsgericht, größere Partien nur von wenigen Stük-

42

ken erhalten sind. Das geistreiche Porträt mit der ein wenig mokant wirkenden Mundpartie zeigt Menander als einen unbärtigen Mann in vorgeschrittenem Alter. Es ist eines der 62 bekannten rundplastischen Wiederholungen, die wohl auf die nach Menanders Tod im athenischen Dionysostheater aufgestellte Sitzstatue der Praxitelessöhne Kephisodot und Timarchos zurückgehen.   W. H.

42 Ephedrismos-Gruppe. Boiotien oder Megara (?), Anfang 3. Jahrhundert v. Chr. Terrakotta; H. 22,3. Inv. Nr. 1927.40.

Ephedrismos und Enkotyle waren, den antiken Quellen nach zu urteilen, sehr beliebte Spiele bzw. ein und dasselbe Spiel. Es handelt sich um eine Art Huckepack, das die Schlußphase eines Spieles bildet, bei dem der Sieger bis zum Zielstein getragen werden mußte. Vor allem Terrakottagruppen überliefern allerlei Varianten, so z. B. das Zuhalten der Augen des Trägers durch den Getragenen. In der Regel wird der Ephedrismos von Kindern gespielt. Hier ist es ein schlankes, locker bekleidetes und schüchtern lächelndes Mädchen, das auf der Schulter eines bärtig-struppigen und dickbäuchigen Papposilen sitzt. Der reizvolle Kontrast zwischen beiden Figuren zielt auf das »uralte Motiv von der Schönen mit dem lieben Ungeheuer – la belle et la bête« ab.   W. H.

43

43 Großer Askos (Ausschnitt). Canosa, Apulien, 1. Hälfte 3. Jahrhundert v. Chr. Ton mit polychromer Bemalung; H. 45. Inv. Nr. 1917.971.

Zum charakteristischen Inventar eines Canosiner Kammergrabes (vgl. Nr. 36) gehört der mächtige Askos, ein Gefäßtypus, der als Umsetzung eines gefüllten Weinschlauches aus Tierfell in Ton zu verstehen ist. Bekannt und in der Hamburger Sammlung gut vertreten sind die mit freiplastischen Terrakottastatuetten und Reliefappliken z. T. überreich besetzten Canosiner Figurenaskoi, prunkvolle Scheingefäße, die aufgrund ihrer geringen Handlichkeit von vornherein ausschließlich für eine Verwendung im Grabkult vorgesehen waren. Die polychrome Bemalung spielte bei allen Canosiner Gefäßen eine wichtige Rolle. Bei diesem sitzen die mehrfarbigen Medusenappliken auf der kräftig rosafarbenen Gefäßwand. W.H.

44 Buckliger Bettler. Griechisch, wohl Alexandria, Mitte 3. Jahrhundert v. Chr. Bronze mit Silbereinlagen; H. 6,7. Inv. Nr. 1949.40.

Die meisterhaft modellierte Kleinbronze mit den in Silber eingelegten Augen und Zähnen gehört zur Gruppe von Schauspielern, Akrobaten, Zwergen und Straßentypen, die in der hellenistischen Kleinkunst so beliebt waren. In diesem Fall ist die Schilderung einer »menschlichen Randexistenz am Abgrund des gesellschaftlichen Nichts« bis an die Grenze des Ertragbaren getrieben. Der gewaltige Buckel, der ausgezehrte Körper mit dem ehemals wohl bittend vorgestreckten rechten Arm, die Trostlosigkeit des Gesichtsausdrucks, kurz: die »Verwüstung des Leiblichen« geht entschieden über das hinaus, was im Rahmen einer karikaturhaft-grotesken Darstellung üblicherweise zu erwarten ist. Gleichwohl kommt der Statuette eine amuletthafte Funktion zu: Buckel und Phallos sind als Ausdruck glückbringender und übelabwehrender Eigenschaften zu verstehen. W.H.

44

45

45 Hellenistischer Grabfund. Vermutlich Alexandria, Ende 3. bis Anfang 2. Jahrhundert v. Chr. Glas und Stein. Teller Dm. 28,4. Fadenschale H. 9. Inv. Nr. 1975.63/St. 326. Kunst-Stiftung.

Klares, das kostbare Bergkristall imitierendes Glas wurde seit dem 8. Jahrhundert v. Chr. im Vorderen Orient als Luxusware gebräuchlich. Im 3. Jahrhundert scheinen insbesondere in Alexandria die leistungsfähigsten Betriebe gelegen zu haben, in einer Weltstadt, die schon bald nach ihrer Gründung als Zentrum der Luxusindustrie galt. Während Einzelstücke gelegentlich auftauchen, sind größere Grabfunde hellenistischer Glasgefäße von höchster Seltenheit. Innerhalb des elfteiligen Hamburger Komplexes sind speziell die tiefe Schale mit gelben, im klaren Material eingebetteten Spiralfäden und eine in der Form geschmolzene Schale mit profiliertem Fuß von besonderer Bedeutung. W.H.

46

46 Ohrring. Wohl griechisch-hellenistisch. Gold mit lapisblauem und hellblauem Glasfluß und Karneol; H. 3,36. Inv. Nr. 1906.173.

Die Bezeichnung Botrydia (Weintrauben) für Ohrgehänge überliefert der Lexikograph Pollux in der 2. Hälfte des 2. Jahrhunderts n. Chr. Welcher Typus innerhalb der reichen und verschiedenartigen Bestände an antiken Ohrringen bzw. -gehängen gemeint ist, veranschaulicht dieser virtuos gearbeitete und aus zwei Grundelementen gebildete Ohrring sehr gut: Oben eine goldene Schmuckscheibe mit einer fünfblättrigen Rosette, deren Blätter und Kern mit blauem Glasfluß gefüllt sind, und darunter die namengebende, aus Karneol geschnittene Traube. Ihr naturalistisches Blattwerk ist aus Formen geschlagen, während die Blattrippen aus feinem Spiraldraht aufgesetzt sind. Der lange Ohrhaken sitzt verdeckt auf der Rückseite der Schmuckscheibe. W. H.

47 Kammhelm. Italien, Villanova-Kultur, 8. Jahrhundert v. Chr. Bronze; H. 36,3, Br. 36. Inv. Nr. 1917.1228.

Der Helm mit seinem aus zwei Blechen hergestellten Kamm stammt »aus einem etruskischen Brandgrabe«; er war vermutlich als Deckel über einer handgeformten Impasto-Aschenurne mit *einem* Henkel und geometrischen Mustern gestülpt, wie wir es aus verschiedenen früheisenzeitlichen Gräbern Italiens kennen. Die Urnen wurden in einen Schacht gestellt, der in die Erde oder den Fels gegraben war. Hinter der Kombination von Urne, Helm, Gürtel und Waffen steht der Versuch einer Anthropomorphisierung. Der Dekor auf Kamm und Kalotte aus getriebenen Kreis-, Buckel-, Strich- und Punktornamenten ist reichhaltig; die jeweils drei spitzen Bolzen über Stirn und Nacken, eine Weiterbildung von lang ausgezogenen Nieten, sind charakteristisch für einen Helmtypus, der auf dem Nordbalkan und in Italien in den Villanova-Gebieten verbreitet war. W. H.

47

48

48 Kantharos. Faliskisch, 7. Jahrhundert v. Chr. Impasto; H. 25, Dm. 15,5. Inv. Nr. 1917.389.

Die Falisker bewohnten einen Teil des heutigen Latium. Ihr Gebiet mit der Hauptstadt Falerii Veteres lag im Einflußbereich der Etrusker, mit denen sie vieles verband. Typisch für ihre Keramik ist der dunkelbraune Ton. Das zweihenklige Trinkgefäß, Kantharos genannt, lehnt sich in der Form entfernt an griechische Vorbilder an; auch das Thema der Dekoration begegnet auf griechischen Gefäßen. Stil und Technik basieren dagegen auf einheimischen Traditionen. In die Oberfläche sind beiderseits chimäreartige Fabelwesen eingeschabt: Flügelpferde, denen ein Ziegenkopf aus dem Rücken wächst. Die vertieften Flächen waren ursprünglich rot gefüllt. Die Bandhenkel werden von Widderköpfen bekrönt. W. H.

49 Kanne. Etrurien, schwarzfigurig, ›pontische‹ Werkstatt, Mitte 6. Jahrhundert v. Chr. Ton; H. 27. Inv. Nr. 1970.105.

Bekanntlich haben die Etrusker griechische Keramik in großer Fülle importiert; ihre Gräber bieten dafür einen reichen Fundstoff. Dabei haben die griechischen Vorbilder durchaus auch anregend auf die eigene Produktion gewirkt. In frischer Malerei umzieht ein dichtes Dekorationsnetz in mehreren Registern die sogenannte pontische Kanne, deren Rufname auf einer falschen Lokalisierung am Schwarzen Meer im 19. Jahrhundert basiert. Das einzigartige kleine Jünglingsbild unter dem Ausguß unterstreicht die Feststellung, daß Etrurien in künstlerischer Hinsicht »ein Land der unbegrenzten Möglichkeiten« genannt werden darf.   W. H.

49

50

50 Sphinx. Etrurien, Vulci, 3. Viertel 6. Jahrhundert v. Chr. Nenfro-Tuffstein; H. 100, Br. 85. Inv. Nr. 1973.43. Erworben mit Hilfe von Herrn Wilhelm Huth, Hamburg.

Sphingen, jene der orientalischen Bildwelt entstammenden Mischwesen, dazu Löwen und andere Tiere standen vor den Eingängen etruskischer Gräber, um für den Schutz der Anlage zu sorgen. Freilich hat gegenüber früheren Vorstellungen vom Wesen der Sphinx ein Wandel stattgefunden. Nicht mehr ein Schrecken und Angst einflößendes dämonisches Wesen wird gezeigt, sondern eine gütige Wächterin. Die »Hamburger Sphinx« zählt zum besten, was an archaischer etruskischer Plastik erhalten ist. In einigen Details hat die griechische Kunst unverkennbar ihre Spuren hinterlassen. Der poröse Stein war ursprünglich mit einer dünnen Stuckschicht überzogen (in geringen Resten erhalten), die in lebhaften Farben bemalt war. W. H.

51 Bauchamphora. Etrurien, 1. Hälfte 5. Jahrhundert v. Chr. Bronze; H. 38. Inv. Nr. 1919.358.

Die eiförmige, smaragd-grün patinierte Bauchamphora gehört in ihrer vollständigen Erhaltung mit zu den herausragenden Werken etruskischer Gefäßtoreutik. Neben den großformatigen Terrakotten – erinnert sei an die lebensgroßen Figuren aus Veji in der Villa Giulia – sind es besonders die Bronzen aus den regional unterscheidbaren Werkstätten, die den Ruhm etruskischer Kunstfertigkeit ausmachen. Vom zierlichen Fuß aus entwickelt sich der getriebene Amphorenkörper in elegantem Schwung nach oben, um in der Entenbekrönung des Deckels seinen formalen Abschluß zu finden. Die Henkel sind – wie der Fuß – getrennt gegossen; sie enden oben in Pferdeköpfen und unten in gelagerten Löwen über einer Palmette. W. H.

51

52

52 Nymphe. Etrurien-Campanien, um 480-470 v. Chr. Bronze; H. 6,5. Inv. Nr. 1958.38.

Campanien, jene zwischen Etrurien und dem griechisch geprägten Unteritalien gelegene Landschaft, hat bei der Vermittlung künstlerischer Impulse zwischen dem Norden und Süden Italiens im 6. und 5. Jahrhundert v. Chr. eine gewichtige Rolle gespielt. Aus dem etruskisch-campanischen Grenzraum stammt die reizende kleine Nymphe, die ursprünglich auf der Schulter eines Silen saß. Das Spontane der Bewegung ist etruskisches Erbgut, während die Tracht mit dem feingefälteten Chiton und dem schrägen Mäntelchen typisch für den griechisch-ionischen Raum ist. Fast ein wenig kokett-theatralisch scheint sich das Mädchen gegen ihren Entführer, einen Unhold mit Roßschweif und Tierohren, zur Wehr zu setzen. Der Silen hat sich nicht erhalten, doch vermitteln attische Vasenbilder und eine vollständige etruskische Bronzegruppe in New York eine genaue Vorstellung. W. H.

53

53 Perseusstatuette. Etrurien, 1.Hälfte
4.Jahrhundert v.Chr. Bronze; H. 18,1. Inv.Nr.
1929.22.

Perseus, Sohn des unsterblichen Zeus und
der sterblichen Danae, holte für König Poly-
dektes von Seriphos den Kopf der Medusa,
dessen grauenerregender Anblick alle Betrachter versteinerte. Mit Hilfe der Götter gelang das gefährliche Unternehmen. Die einzigartige etruskische Kleinbronze zeigt den
Helden nach vollbrachter Tat. Auf dem Kopf
die tarnende Flügelkappe, hält er in der ge-
senkten Rechten seine Waffe, das Sichel-
schwert (Harpe), und in der Linken trium-
phierend das abgeschlagene Gorgonen-
haupt mit bleckender Zunge. Perseus hat seinen Kopf etwas zur Seite gewandt, um nicht
von dem versteinernden Blick getroffen zu
werden. Hier ist zum erstenmal ein statuari-
scher Typus greifbar, der es dann im
16.Jahrhundert in der Perseusstatue des
Benvenuto Cellini zu großer Berühmtheit gebracht hat. W.H.

54 Kopf eines jungen Mannes. Etrurien,
spätes 5. bis frühes 4. Jahrhundert v. Chr.
Terrakotta; H. 30. Inv.Nr. 1968.81.

Die außerordentlich umfangreiche Terrakot-
taproduktion etruskischer Künstler und
Werkstätten erklärt sich zu einem Teil daraus, daß Marmor und guter Stein im eigenen
Land nicht zur Verfügung standen. Handmo-
delliert oder aus Negativformen gepreßt
stammt die überwiegende Zahl etruskischer

Terrakotten aus Heiligtümern, Tempeln und
Gräbern. Zu einer Votiv- oder Grabstatue
wird auch der aus grobem Ton handmodel-
lierte Kopf gehört haben, der den Betrachter
mit seinem suggestiven, fast etwas starren-
den Blick fesselt. Die Haarkappe trägt poly-
kletische Züge, die mit zeitlicher Verzöge-
rung wohl über Tarent nach Etrurien vermittelt wurden. Dargestellt ist gewiß eine bestimmte Persönlichkeit, auch wenn der Indi-
vidualitätsgrad der Porträtzüge nicht sehr
hoch zu veranschlagen ist. W.H.

55 Trinkschale. Etrurien, rotfigurig, Gruppe
von Clusium, 1.Hälfte 4.Jahrhundert v.Chr.
Ton; H. 10,8, Dm 27,5. Inv.Nr. 1966.25.

Von der Eleganz der Form und der töpferischen Leistung her kaum von einer griechischen Schale zu unterscheiden, verraten die
Bilder dieser Kylix innen und außen doch
deutlich etruskische Handschrift und Vorstellungen. Im Innenmedaillon, von einem
Kreuzplatten-Mäander eingefaßt, ein griechischer Mythos in etruskischer Spiegelung:
Herakles (Hercle), der bei Griechen und
Etruskern gleichermaßen beliebte Held, wird
nach seinem mühevollen irdischen Dasein in
den Olymp aufgenommen, von Lasa oder
Aphrodite (Turan) begleitet. Beide stehen vor
Zeus und Hera (Tinia und Uni). Die Genauigkeit der Medaillonmalerei ist bei den Jüng-
lingen und Mädchen der Außenbilder – ›heroi-
sierte Verstorbene‹ – zugunsten starker Or-
namentalisierungstendenzen aufgegeben.
  W.H.

54

56 Spiegel (Ausschnitt). Etrurien, Praeneste,
3.Jahrhundert v.Chr. Bronze; L. 32,5,
Dm. Scheibe 17,6. Inv.Nr. 1977.194. Stiftung
der Firma Dralle, Hamburg.

Wohl mehr als 1500 dekorierte Handspiegel
aus Gräbern bezeugen die Vorliebe der
Etrusker für diese Denkmälergattung. Seit
Ende des 6. Jahrhunderts in Gebrauch, erleb-
ten die Spiegel im 5. und 4.Jahrhundert ihre
›klassische‹ Zeit. Die Rückseite der gegossenen Spiegelscheibe ist mit Ritzzeichnungen
oder bei besonderen Stücken mit flachem
Relief verziert. Die Darstellungen gewähren
einen tiefen Einblick in die religiöse Vorstel-

55

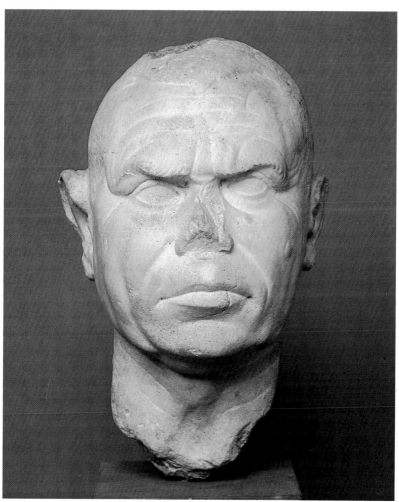

57

57 Porträtkopf eines Mannes. Römisch, 3. Viertel 1. Jahrhundert v. Chr. Marmor; H. 34. Inv. Nr. 1967.214/St. 254. Kunst-Stiftung.

lungswelt der Etrusker. Dieses Beispiel aus Praeneste, jener an frühen Fürstengräbern so reichen Stadt in Latium, zeigt links die gerüstete Minerva (Menrva) und rechts den thronenden Jupiter (Tinia) mit Adlerszepter, zwischen beiden eine noch nicht sicher benannte weibliche Gestalt mit Käuzchen, das zweifellos Minerva zuzuordnen ist.   W. H.

56

Geballte, fast brutale physische Kraft ist bestimmend für den Eindruck dieses Kopfes, der – in eine Togastatue eingesetzt – ursprünglich wohl zu einer Grabstatue gehörte. Die Porträtzüge und Zufälligkeiten des Erscheinungsbildes sind in schonungsloser Offenheit geschildert: die großen, abstehenden Ohren, der schiefe Mund, die ›Krähenfüße‹, die Wangenwarzen und der kurz geschorene Schädel. Die eng stehenden Augen mit den kräftigen Brauen und den Stirnrunzeln geben dem Gesicht seinen finsteren, entschlossenen Ausdruck. Der Kopf gehört zu jenen veristischen Porträts des 1. Jahrhunderts v. Chr., die wir vor allem von zahlreichen Grabreliefs kennen und die »in erster Linie als Selbstdarstellung der Mittelschicht und nicht als Eigenart des römischen Porträts schlechthin zu verstehen sind« (P. Zanker).   W. H.

58

58 Reliefkopf. Römisch, frühes 1. Jahrhundert n. Chr. Marmor; H. 37,4. Inv. Nr. 1960.57.

Empfindungen ganz anderer Art als bei dem Porträt Nr. 57 bewegen den Betrachter des Marmorkopfes griechischer Provenienz, der vermutlich zu einem mehrfigurigen Hochrelief gehörte. Auf den ersten Blick wie ein klassischer Idealkopf wirkend, handelt es sich gleichwohl um das Porträt eines Angehörigen des iulisch-claudischen Kaiserhauses in einer von griechischen Stilmerkmalen geprägten Version. Die typische Haaranordnung über der Stirn läßt daran keine Zweifel, auch wenn eine endgültige Benennung noch aussteht – vorgeschlagen wurden bislang Augustus, Gaius Caesar, Drusus Minor und Germanicus. Die physiognomischen Charakterisierungsmittel sind sehr sparsam eingesetzt, das Individuelle tritt hinter einer kühlen, distanzierenden Porträtstimmung zurück.

W. H.

59

59 Porträtbüste einer älteren Frau.
Römisch, um 80 n. Chr. Marmor; H. 38,5.
Inv. Nr. 1976.10.

Dargestellt ist der Porträtkopf einer älteren, mageren Frau mit hohen, ausgeprägten Wangenknochen. Die Alterscharakterisierung mit den etwas maskulinen Zügen wirkt treffend. In dem ›egozentrischen Verismus‹ eines solchen von Alter und Erfahrung geprägten Gesichts ist republikanisches Erbgut nicht zu übersehen. Der schmale, leicht vorstehende und fest geschlossene Mund drückt Energie und Resolutheit aus, der Blick ist selbstbewußt und fest auf die Umwelt gerichtet. Die einigen Aufwand erfordernde Löckchenfrisur orientiert sich an den modischen Damenfrisuren des flavischen Hofes, ohne daß auf eine übertriebene Repräsentationswirkung abgezielt wird. Von höfischer Bildniskunst ist diese Unbekannte um einiges entfernt; jeder Anschein einer überpersönlichen Idealisierung ist vermieden. W. H.

60 Spruchbecher. Rheinland, 3.-4. Jahrhundert n. Chr. Ton mit Weißbarbotine; H. 18,6.
Inv. Nr. 1906.65.

Es mag kein Zufall sein, daß gerade das 3. und 4. Jahrhundert den Typus des rheinischen Spruchbechers hervorgebracht hat. In einer Zeit drückender innerer und äußerer Not, schwerster Bedrückung durch Krieg und seine Folgen suchte der Mensch Trost und Besserung in »einer verstärkten Flucht in äußerliche Lebensfreude«. Die in weiß gefärbter Barbotine aufgetragenen Sprüche weisen die Becher unzweideutig als Trinkgeräte aus. Da lesen wir: »VIVAS MI« (Auf mein Wohl!), »DA MI« (Gib mir!) oder »INPLE« (Schenk ein!). Begrüßungs- und Abschiedsrufe begegnen ebenso wie das Geständnis »TE AMO« (Ich liebe Dich!). In fröhlicher Runde mögen die rheinischen Zecher jenen Trinkspruch ausgerufen haben, der auf unserem Becher festgehalten ist: »VIVAMUS« (Laßt uns leben!). W. H.

60

61

61 Kaiser Septimius Severus. Römisch, Nordafrika, um 200 n. Chr. Marmor; H. 27.
Inv. Nr. 1961.287.

Die Bildnisse des Septimius Severus (geb. 146 n. Chr. in Lepcis Magna), der 193 n. Chr. als erster Nordafrikaner den römischen Kaiserthron bestieg, markieren einen Wendepunkt innerhalb der römischen Porträtentwicklung. Sie stehen an der Schwelle von den philosophisch gestimmten und überfeinerten, künstlerisch und handwerklich virtuosen Porträts spätantoninischer Prägung zu den realistischen, ihre Herkunft in schonungsloser Offenheit präsentierenden Köpfen der Soldatenkaiser. Dieses weich modellierte Porträt aus einem nordafrikanischen Atelier gehört durch die vier Stirnlocken und den zweigeteilten Kinnbart zum sogenannten Sarapis-Typus (vgl. Nr. 3). In diesen Details lehnt sich das Bildnisprogramm an den großen alexandrinischen Gott Sarapis an, ohne daß eine absolute Identifikation von Gott und Kaiser beabsichtigt ist. W. H.

62

62 Flasche. Islamisch, vermutlich Iran, 9.-10. Jahrhundert. Glas mit Schnitt; H. 15,5. Inv. Nr. 1963.41/St. 186. Kunst-Stiftung.

Erzeugnisse islamischer Glasfabriken sind denen der spätrömischen Zeit in der Qualität des Materials und der handwerklichen Ausführung ebenbürtig. Vornehmlich in Nord- und Ostpersien, im Irak und in Ägypten erreichten die Glasschleifer und Graveure eine ausnehmend hohe Stufe technischer Perfektion. Die Funde von Nishapur, Ray und Samarra aus dem 9. und 10. Jahrhundert sind Zeugen dieser Kunst. Oft wurden die in relativ einfachen Formen gehaltenen Gefäße zum Teil mit aufwendigem Hoch- und Tiefschnitt verziert. Die glockenähnliche Flasche vertritt einen im Vorderen Orient beliebten Typus; ihr sorgfältig geschnittener Dekor – herzförmige Blätter und Voluten sowie der facettierte Hals – erscheint in mannigfaltig abgewandelter Form auf vielen, vorwiegend im Iran ausgegrabenen Gläsern.   A. S.

63 Krug. Vermutlich Irak oder Iran, 7.-8. Jahrhundert. Blaues Glas; H. 22. Inv. Nr. 1964.132.

Aus Silber und Bronze getriebene sassanidische Kannen des 6. und frühen 7. Jahrhunderts dienten als Vorbild für dieses Gefäß. Der Übergang von der sassanidischen zur islamischen Kunst ist auf vielen Gebieten unmerklich; immer wieder griffen die Kunsthandwerker im späten 1. Jahrtausend Formen und dekorative Muster der vorangegangenen Periode auf, um sie, unmerklich abgewandelt, mit neuem Leben zu erfüllen. Von der einzigartigen und schwer datierbaren Kanne – ein zweites Gefäß gleicher Art ist nicht bekannt – geht trotz starker Beschädigungen ein eigentümlicher Reiz aus. Der mit einem spitzen Werkzeug im heißen Zustand kräftig nach oben und unten gezogene Fadendekor und der schwere Halskragen geben dieser Kanne eine fast brutale Wucht, die sie gegen die anderen, eleganteren Gläser deutlich absetzt.   A. S.

63

64

65

64 Napf. Sassanidisch, vermutlich Irak, 6.-7. Jahrhundert. Glas mit Schliff; H. 8,3. Inv. Nr. 1963.39/St. 184. Kunst-Stiftung.

Die den sassanidischen Höfen zugehörigen Glasfabriken und Werkstätten hatten sich auf die Fertigung geschliffener Gefäße aus farblosem Glas spezialisiert. Spätrömische Gläser mit Schliff und Schnittdekor dienten ihnen als Vorbilder. Dieser mit Kugelschliff verzierte Napf gehört zu einer Gruppe von Arbeiten, deren heute bekannteste Vertreter bereits im Altertum als kostbare Geschenke nach Japan gekommen waren. Einer von ihnen wurde im Mausoleum des Kaisers Ankan (gest. 535) gefunden, der andere dem 756 versiegelten Schatzhaus (Shoso-in) des Todaiji-Tempels in Nara beigegeben. In Ausgrabungen der vergangenen Jahrzehnte im Iran und im Irak sind zahlreiche weitere Stücke dieses Typus entdeckt worden, zu denen auch Varianten facettierte Fußschalen und birnenförmige Flaschen zählen.   A. S.

66

65 Napf. Islamisch, vermutlich Iran,
8.-9. Jahrhundert. Glas mit Schliff; H. 9,8.
Inv. Nr. 1967.234.

Glas als Substitut für kostbares Bergkristall
und farbigen Halbedelstein gehörte bereits
in vorchristlicher Zeit zum Produktionspro-
gramm der Luxusindustrie. Auch die sassanidischen und islamischen Höfe des Vorderen Orients verfügten über Werkstätten, die
neben einfachem Gebrauchsgut hochwerti-
ge, glasierte Keramik, getriebene Edelmetall-
arbeiten und geschnittene und geschliffene
Gefäße aus klarem und farbigem Glas anfer-
tigten. Die berühmteste Gruppe derartiger
Werke aus Glas und Stein befindet sich seit
der Eroberung Konstantinopels im Jahre
1204 als Beutegut im Schatz von San Marco
in Venedig. Einige dieser Gefäße sind mit erhabenen geschliffenen Scheiben und knopfar-
tigen Erhebungen verziert in der Art, wie der
Napf sie trägt. Ursprünglich ein von sassanidischen Schleifern entwickeltes Motiv, blieb
es bis zum 10. Jahrhundert gebräuchlich. A. S.

66 Leuchter. Syrien oder Ägypten, um 1300.
Bronze mit Einlagen von Edelmetall; H. 25.
Inv. Nr. 1894.29.

In frühislamischer Zeit kam die Technik des
Tauschierens in Mode, die ermöglichte,
bronzenem Gerät durch das Einhämmern
von Edelmetallblättchen in Vertiefungen den
Schimmer und die Schönheit von Gold- und
Silbergerät zu geben, dessen Benutzung der
Koran verbot. Die künstlerische Ausgestaltung der Fläche mit elegantem Ornament
zählt zu den großen Leistungen der islamischen Kunst und wurde von Baukunst, Kalligraphie und Textilien auch auf die Geräte-
kunst übertragen. Die Oberfläche dieses
Leuchters ist mit schmalem Flechtwerk und
Mäanderbordüren wie mit einem Gespinst
überzogen. Da ähnlich tauschierte Bronzen
für den Sultan Mohammed Ben Qualoun
(1294-1309), Herrscher von Syrien und Ägypten, gearbeitet worden waren, kann man den
Leuchter diesem Zeitraum zuordnen.   R. H.

67

67 Mörser. Iran, Khorasan, Mitte 12. Jahrhundert. Bronze, graviert; Dm. 19. Inv. Nr. 1955.6.

Die Bronzekunst der Seldschuken umfaßt eine Gruppe von Mörsern, die als auffallendes Merkmal tropfenförmige Buckel auf der Wandung tragen. Unser Mörser hat einen achteckigen Umriß und ist am oberen Rande mit einer Segensinschrift in kufischer Schrift graviert, die die Worte »al-barak« (Segen) und »al-karm« (Adel) erkennen läßt. Entsprechend der Schriftborte umzieht den unteren Rand eine Bordüre mit einem Paar von gegenständigen Vögeln und einem laufenden Luchs. Die Buckel und der Haltering dienten zum Festhalten des Gefäßes beim Zerreiben.   R. H.

68 Schale. Irak oder Iran, 9. Jahrhundert. Fayence mit perlgrauer Glasur; H. 6, Dm. 23,3. Inv. Nr. 1963.3.

Die sanft geschwungene, blütenkelchartige Schale mit smaragdgrünen Glasurüberläufen vertritt die Keramikgattung, die als Neuschöpfung in der Kalifenresidenz Bagdad entstand. In Samarra, wo der Hof von 836 bis 883 seinen Sitz hatte, aber auch in Nishapur in Nordost-Persien wurden bei Grabungen Schalen dieser Art gefunden. Angeregt von chinesischer Keramik und nachsassanidischem Silbergerät entstanden solche erlesene Schalen, die häufig auch mit kobaltblauen Ornamenten geschmückt wurden. Bei unserer Schale finden sich zwei Inschriftzeilen in Blau im Spiegel, die als »baraka« (Segen) gelesen werden können. Die Kombination der frei verlaufenden grünen Überläufe mit dem strengen Duktus der Schriftzeilen prägt die vornehme Eleganz dieses wohl für den Hof bestimmten Gefäßes.   R. H.

68

69

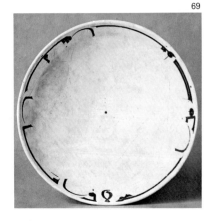

69 Große Schale. Iran, Nishapur, 10. Jahrhundert. Ton mit Schlickermalerei; Dm. 24,8. Inv. Nr. 1970.100.

Die gemessene Schönheit dieser Schale beruht auf der schmalen Inschriftzeile in kufischer Schrift, die den Rand harmonisch umzieht. Ein Punkt in der Mitte des Spiegels ersetzt das sonst häufig erscheinende Knotenornament. Die arabische Inschrift kann vielleicht so gelesen werden: »Vortrefflichkeit ist eine Eigenschaft der Menschen im Paradies.« Solche und ähnliche erbauliche oder dem Besitzer Segen verheißende Inschriften sind charakteristisch für diese kostbaren Schalen. Gerade hier kommt der hohe ästhetische Reiz islamischer Kalligraphie zum Ausdruck, auf den die Besteller, die in den Metropolen Samarkand und Nishapur zu finden waren, höchsten Wert legten.   R. H.

70

70 Schüssel. Iran, angeblich Nishapur, 9.-10. Jahrhundert. Irdenware mit Schlickermalerei; Dm. 26,2. Inv. Nr. 1969.20.

Die Schale gehört zu den vornehmen Geschirren, die mit Segensinschriften für den oft mit Namen genannten Besitzer oder aber mit Arabeskenmuster, Pflanzen- und Tiermotiven in kühner und höchst dekorativer Weise bemalt sind. Zumeist wurden sie in Samarkand und Nishapur, den neben der Hauptstadt Bukhara wichtigsten Städten des persischen Samanidenreiches, gefunden. Die Form der tiefen Schüssel mit schräger Wandung findet sich häufig unter dieser Keramik, wogegen eine manganbraune Grundierung, wie sie dieses Stück zeigt, selten ist. Auch hier ist die Wandung mit einer allerdings bisher noch nicht identifizierten Segensinschrift in weißer Schlickermalerei geschmückt, ein Vierpaßmotiv, umgeben von 3 Brandstütznarben, betont die Schalenmitte. R. H.

71 Fußschale. Iran, Kashan, Fundort Gurgan. Anfang 13. Jahrhundert. Ton mit Lüsterbemalung; Dm. 20,5. Inv. Nr. 1964.60/St. 201. Kunst-Stiftung.

Im Spiegel dieser gut erhaltenen Schale sitzen sich zwei Figuren gegenüber, rechts ein bärtiger Mann mit Kopfbedeckung, links eine weibliche Gestalt mit einem Diadem. Beide Figuren haben Heiligenscheine, die wie die Gesichter und Hände, aus dem reichen, Gewänder und Hintergrund überziehenden Rankengespinst ausgespart blieben. Zwei Inschriftbänder umranden die Darstellung. Lüsterbemalung, die im Irak und in Ägypten im 9. Jahrhundert aufkam, hat sich als eigenständige islamische Erfindung in verschiedenen Varianten weiterentwickelt. Im Iran wurde sie unter den Seldschuken wiederbelebt; Kashan und Rayy galten als die wesentlichen Zentren. Die in Gurgan ausgegrabenen Keramiken zeichnen sich durch eine besonders flotte Bemalung aus; sie blieben, verpackt in Transporttöpfe, häufig bis heute intakt. R. H.

71

72

72 Große Schale. Iran, Rayy (?), 12. Jahrhundert. Fayence mit Farbglasuren; Dm. 33. Inv. Nr. 1959.304.

Die Technik des in den Fritten-Scherben eingeschnittenen Ornaments, das, ähnlich wie bei Grubenschmelz in Metall, mit farbigen Glasuren gefüllt wurde, erhielt in Persien den Namen ›Laqabi‹. Vielleicht wurden die heraldischen Ornamente auf dieser Keramikgruppe von sassanidischen Silberschalen inspiriert. Der Dekor unserer Schale – hier ein Vogel, wohl das arabische Fixsternbild ›Das große Huhn‹ – ist mit altiranischen, kosmologischen Vorstellungen in Verbindung gebracht worden. Als Kolorit wurde Kobaltblau und Türkisgrün verwendet, die wesentlichen Glasurfarben jener Epoche; das Verlaufen beim Brennen sollte durch den Reliefschnitt verhindert werden. R. H.

73

73 Schale. Iran, Rayy, um 1200. Fayence mit
Überglasurmalerei; Dm. 15. Inv. Nr. 1961.13.

Das Innere der halbkugeligen Schale ist mit
zwei Figuren geschmückt, die in tänzerischer
Pose mit fliegendem Kopfschmuck neben einem schmalen Baum stehen. Den Schalen-
rand umzieht ein Band in stilisierter Kufi-
schrift. Diese höchst kunstvolle, mit Muffel-
farben und Gold über der Glasur bemalte
und oft mehrfach gebrannte Keramik wird
als ›Mina'i‹, Email, bezeichnet. Ihr Bilddekor
steht der Miniaturmalerei nahe und über-
nimmt die farbig-frohe Motivwelt höfischen
Lebens. Die Randinschriften – auf der Außenwandung in Nekshi geschrieben – entstammen der gleichzeitigen Dichtung; sie
sprechen von Liebe, Sehnsucht und Leid.
Manchmal wird auch hier am Innenrand ein
einzelnes Wort in Kufi-Schrift, vielleicht
›Treue‹, kontinuierlich wiederholt und verleiht dem Bild einen ornamentalen Abschluß. R. H.

74

75

75 Reiter. Iran, Kashan oder Rayy, um 1300. Glasiertes Frittenton; H. 20. Inv. Nr. 1973.22/ St. 307. Kunst-Stiftung.

Das vollplastische, geschirrte Tier trägt auf seinem Rücken einen Musikanten mit zwei großen Trommeln neben sich am Sattel. Die besonders reizvolle Statuette gehört zu den seldschukischen figürlichen Keramiken, die anscheinend profanem Zwecke dienten. Figuren von Menschen und Tieren erscheinen selten und nur während einer kurzen Epoche in der islamischen Keramikkunst. Sie wurden anscheinend für einen bestimmten Bestellerkreis geschaffen, denn das bildnerische Gestalten von Lebewesen war nach strenger islamischer Observanz verboten.   R. H.

74 Albarello. Iran, Kashan, 1. Viertel 13. Jahrhundert. Weiße Irdenware mit türkisfarbener Glasur; H. 18,5. Inv. Nr. 1958.36.

Walzenförmige Töpfe dieses Typs haben vermutlich als Behältnisse für Apothekersubstanzen gedient. Sie kamen über Damaskus und Sizilien nach Europa und haben die spanische Keramik stark beeinflußt. Die Bemalung in Schwarz unter türkisfarbener Glasur mit den lebendig bewegten Blattformen, die an Weidenzweige oder Wasserpflanzen erinnern, sowie die fischähnlichen Motive am Halse sind typische Leitmotive der Kashan-Keramik. An Hand von datierten Exemplaren läßt sich dieser Albarello ziemlich genau an den Beginn des 13. Jahrhunderts setzen.
    R. H.

76

76 Fliesenfeld. Zentralasien, Bukhara, Mitte 14. Jahrhundert. Ton mit Farbglasuren; 125 × 59. Inv. Nr. 1908.472.

Das monumentale Fliesenfeld stammt vom Mausoleum des Bûyan Quli Khan in Bukhara, der 1358 verstarb; sein ursprünglicher Platz an der Fassade ist bekannt. Das Museum besitzt weitere Fliesenfragmente dieses berühmten Mausoleums. In feinem Reliefschnitt überziehen große und dichte Palmett-Spiralen in übereinanderliegenden Rankensystemen das Feld. Türkisgrüne und weiße Glasuren betonen die Einzelformen. Die Mode dieser raffinierten Architekturkeramik breitete sich im 14. Jahrhundert im Osten der islamischen Welt aus; viele Gebäude in Bukhara und in Samarkand trugen einst ähnliche Wandverkleidungen. R. H.

77

77 Buchdeckel. Iran, Isfahan (?), 16. Jahrhundert. Leder mit Lackmalerei; 49 × 33. Inv. Nr. 1894.27.

Dieser große Ledereinband gehört zu den seltenen, mit Lack, Farben, Gold und Silber figürlich bemalten Bucheinbänden des 16. Jahrhunderts. Da ihre genaue Herkunft unbekannt ist, bezeichnet man sie meist als indo-persisch. Der Deckel zeigt 5 Blütenbäume mit prächtigen Vögeln und 3 Tierkampfgruppen, am Himmel fliegen zwischen Wolkengebilden Kraniche und Wildenten. Wie bei der gleichzeitigen Textilkunst sind auch hier chinesische Vorbilder in die persische Bilderwelt einbezogen. Die Malerei, bis ins kleinste Detail mit minuziöser Feinheit ausgeführt, ist mit der besten persischen Miniaturkunst vergleichbar. R. H.

78 Schüssel. Türkei, Iznik, um 1550.
Fayence mit farbiger Malerei; Dm. 38,5.
Inv. Nr. 1907.492.

Ein elegant geordneter Strauß von Blumen
aus der türkischen Ornamentwelt schmückt
den Spiegel dieses imposanten Tellers. Ro-
settblüten, Maiglöckchen und Tulpen ent-
springen symmetrisch aus einem Akanthus-
kelch. Die Vorbilder für die Keramik lieferten
die Dekorationsmaler im Serail, unter ihnen
sollen Perser, kleinasiatische Türken und
Turkmenen tätig gewesen sein. An chinesischen Elementen finden sich, abgesehen
vom schwellenden Duktus der Pinselfüh-
rung, zierliche Wolkenbänder und das Muster der Randbordüre, Schnörkel und Spiralen, die vom Motiv ›Fels und Wellen‹ des chinesischen Blau-Weiß-Porzellans abgeleitet
sind. R. H.

78

79 Vase. Türkei, Iznik. Anfang 16. Jahrhundert. Halbfayence mit Blaumalerei; H. 18.
Inv. Nr. 1959.101.

Körper und Hals der kugeligen Vase sind mit
einem Rankenornament überzogen, das aus
Palmetten und Lotosblüten gebildet ist. Die
Zeichnung in hellem und dunklem, präzis
aufgetragenem Kobaltblau ahmt den Dekor
auf chinesischem Blau-Weiß-Porzellan des
15. Jahrhunderts nach. Aus Keramikfunden
in Iznik kann geschlossen werden, daß bereits in der zweiten Hälfte des 15. Jahrhunderts dort, nach der Eroberung Konstantinopels 1453, Fayence im chinesischen Stil für
den osmanischen Hof hergestellt wurde. Da
man den Porzellanbrand nicht kannte, malte
man das Kobaltblau in die Glasur. Daß man
tatsächlich Chinaware, ›Cini‹ herstellen wollte, verrät die Imitation einer chinesischen
Marke an der Basis. R. H.

79

80 Schale. Iran, Yezd oder Meshed,
17. Jahrhundert. Halbfayence mit Blaumalerei; Dm. 44. Inv. Nr. 1877.431.

An den Herrscherhöfen des Nahen Ostens
waren seit der Mongolenzeit (1279-1368) chinesische Porzellane dermaßen beliebt, daß
China Exportwaren im islamischen Stil (vgl.
Nr. 514) herstellte. Im 16. und 17. Jahrhundert versuchten persische Keramikzentren
dann solche Porzellane für den Hof selbst
herzustellen. Allerdings konnte man nur
Halbfayence brennen, die in oder auf der
Glasur mit Kobaltblau und Schwarz bemalt
wurde. Dieser eindrucksvolle Teller kopiert
chinesisches Porzellan der Wan-Li-Zeit
(1573-1619). Obwohl die Randbordüre völlig
chinesisch wirkt, zeigt die Szene im Mittelfeld ein islamisches Motiv, einen Reiter, der
einen Panther mit einer Lanze ersticht. Die
Szenerie mit Vögeln, Terrasse und Felsgebil-
den betont das Phantastische des Bildes. Auf
der Rückseite ahmen 4 Strichzeichen eine
chinesische Marke nach. R. H.

80

81

81 Fragment eines Tierteppichs (Ausschnitt). Iran, Anfang 16. Jahrhundert. Kette: Seide, Schuß: Wolle und Baumwolle; 315 × 186. Inv. Nr. 1967.123. Campe-Stiftung.

Dieses Fragment ist die obere Hälfte eines ursprünglich etwa 6 m langen und 2,50 m breiten Teppichs, von dem rechts ein schmaler Streifen des Innenfeldes und die breite Bordüre fehlen. In feiner Ausgewogenheit erscheinen zwischen Ranken und großen Palmettblüten Wolkenbänder beinahe chinesischen Typus und eine Vielzahl lebensvoll erfaßter Tiere: ein Löwe, der einen Stier anspringt, ferner Tiger, Steinbock, Panther und das Fabeltier Kilin. Den Karton für einen solchen bis ins letzte Detail ausgewogenen Teppich konnte nur ein Künstler zeichnen, der, geschult an der höfischen Miniaturmalerei, eine großzügige Flächenkomposition ebenso beherrschte wie die lebendige Pflanzen- und Tierzeichnung. R.H.

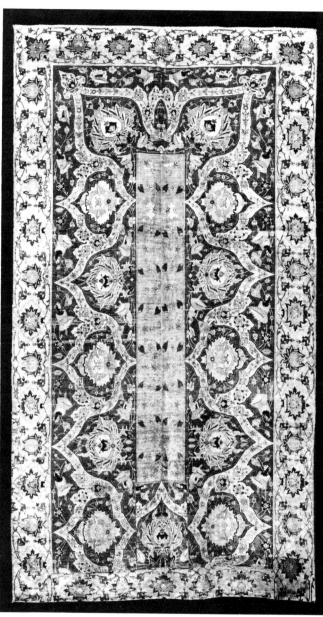

82

82 Fragmente eines Seidenteppichs.
Iran, Kashan, 16. Jahrhundert. Kette,
Schuß und Knüpfung: Seide; 256 × 140.
Inv. Nr. 1969.110/St. 269. Kunst-Stiftung.

Künstlerisch bedeutende Teppiche wie dieser können nur in Kashan produziert worden
sein. Wie bei dem Tierteppich ist auch hier
chinesischer Einfluß deutlich erkennbar, mit

der feinen Seidenknüpfung jedoch werden
zartere Farbnuancen gewonnen. Die rhyth-
misch schwingenden Arabeskenbänder sind
mit Palmettblüten gefüllt, die abwechselnd
mit Fischen oder Drachen kombiniert sind.
Auf dem feineren Rankengespinst erscheinen seltene Vögel vor dem Karminrot des
Grundes. Auch die farbig abgesetzten Be-
gleitstreifen zeigen in minuziöser Ausführung Rankenwerk mit reichen Blüten.   R.H.

83

83 Medaillon-Teppich. Anatolien, Gebiet von Ushak, Ende 16. Jahrhundert. Kette und Schuß: Wolle; 503 × 250. Inv. Nr. 1958.43.

Unter den verschiedenen Gattungen von Teppichen, die im 16. Jahrhundert in Anatolien, vermutlich im Gebiet von Ushak, geknüpft wurden, zählen die Medaillon-Ushaks wegen der Größe, der Monumentalität des Musters und der Dichte der Knüpfung zu den großartigsten Werken. Viele wurden anscheinend auf Bestellung für Europa angefertigt. Nach Ernst Kühnel haben sich die meisten Exemplare im Besitz südeuropäischer Kirchen befunden. Die türkischen Medaillon-Teppiche unterscheiden sich grundlegend von der persischen Gruppe gleichen Namens: Bei den türkischen Exemplaren ist die Medaillon-Musterung in unendlichem Rapport zu denken und nicht auf die Mitte hin komponiert. R.H.

84 Blüten-Teppich. Indien, 17. Jahrhundert. Kette und Schuß: Seide, Knüpfung: Kaschmir-Wolle; 188 × 114. Inv. Nr. 1961.27.

Den kirschroten Grund überzieht eine rautenförmige Gitterung von feingeschlungenen Ranken, die wechselweise mit Mohn- und Sternblütenstauden gefüllt sind. Der Hauptstreifen der Bordüre zeigt auf grünem Grund eine mit roten Blüten dicht besetzte blaue Ranke, die weißgrundigen Nebenstreifen tragen blaue Ranken mit Blüten. Eine Reihe von Teppichen ähnlicher Musterung und von oft unregelmäßiger Form findet sich in der Sammlung des Maharadscha von Jaipur, andere werden in amerikanischen und englischen Museen und Privatsammlungen aufbewahrt. Unser ungewöhnlich fein geknüpfter Teppich mit seiner samtartigen Struktur – 15600 Persische Knoten auf 1 qdm – gehört zu den besten Exemplaren dieser Gruppe. R.H.

85 Arabesken-Teppich (Ausschnitt).
Indien (?), Anfang 17. Jahrhundert.
Baumwolle und Wolle; 360 × 223.
Inv. Nr. 1959.90/St. 132. Kunst-Stiftung.

Tiefblaue Arabeskenranken schwingen zu Blüten und werden durch helle Konturierung markant von dem bordeauxroten Grunde abgehoben. Überlappende, gepunktete Blattbildungen setzen kräftige Farbakzente; gegenüber diesen treten die pastellfarbenen, fein detaillierten Binnenmuster mit Palmett- und Lotusblüten, Blättern und Wolkenbändern optisch zurück. Der Karton für diesen künstlerisch hervorragenden Teppich stammt zweifellos aus einer der führenden höfischen Werkstätten. Die Knüpfung in Wolle ist mit 2116 Persischen Knoten auf 1 qdm. ausgeführt. R. H.

85

84

86

86 Zierstück einer Tunika. Koptisch, 4. bis 5. Jahrhundert. Wolle und Leinen; 30 × 32. Ägyptischer Gräberfund. Inv. Nr. 1889.44.

Die erstaunliche Farbigkeit einiger textiler Grabfunde in Ägypten betrifft vorwiegend die eingewebten oder aufgesetzten Zierstükke der hemdartigen Tunika, dem wichtigsten Kleidungsstück der Spätantike. Meist sind es schmale Streifen (clavi), die von den Schultern herablaufen und in runden oder blattförmigen Gebilden (sigilla) enden, sowie Kreisformen (orbiculi) und Vierecke, die an den Schultern oder in Kniehöhe – zuweilen auch als Winkelmotive – am Gewand angebracht sind. Das fast quadratische Zierstück mit purpurner Kette ist in Technik und Muster bisher einzigartig. Ein bunter Akanthusfries umgibt das Innenfeld, in dem vier Blattringe mit Jäger oder Krieger, Pantherweibchen und Hirsch eine Maske des Okeanos – eines Titanen aus dem Geschlecht des Uranos – rahmen.   M. P.

87 Polykandilon. Frühbyzantinisch (Konstantinopel?), 6. Jahrhundert. Bronze; H. (mit Ketten) 52,8, Dm. 29,6. Inv. Nr. 1968.24.

Bronze ist bruchfest und witterungsbeständig. Sie läßt sich dünnwandig gießen, detailliert ausarbeiten und vergolden, auch läßt ihr Guß extreme Formüberschneidungen zu. Solche Eigenschaften machten sie zum bevorzugten mittelalterlichen Werkstoff für Taufbecken, Lesepulte und andere großformatige Werke, besonders aber auch für Kleingeräte. Das Polykandilon, eine mehrflammige Hängelampe, hing gewöhnlich über dem Hauptaltar einer Kirche oder vor der unterirdischen Grabstätte des Titelheiligen oder Kirchengründers. Erhalten blieben meist nur die an Ketten befestigten, reich mit stilisiertem Blumen- und Rankendekor geschmückten, bronzenen Lampenträger. Dagegen gingen die gläsernen Öllampen, die in gleichmäßig aus dem Scheibenrund ausgesparte Halteringe eingesteckt waren, fast immer verloren.   W. E.

87

88 Räuchergefäß. Frühbyzantinisch, Syrien/Palästina, 6./7. Jahrhundert. Bronze; Dm. 15. Inv. Nr. 1921.98. Geschenk eines Anonymus.

Das Weihrauchfaß hing ursprünglich an drei Ketten. Seine bauchige Wandung umziehen friesartig, aber durch Bäumchen voneinander getrennt, vier in Hochrelief gegossene christologische Darstellungen: die Verkündigung an Maria, die Geburt und die Kreuzigung Christi sowie der Besuch der Frauen an seinem Grabe. Da die meisten Räuchergefäße dieses Typs im syro-palästinensischen Raum – einige als Grabbeigaben – aufgefunden wurden, gilt heute als sicher, daß sie dort auch in großer Zahl gegossen wurden. Offenbar bediente man sich bei der Herstellung der für jeden Gußvorgang neuerlich anzufertigenden Gußform oftmals der gleichen Bild- und Formmodel, variierte aber deren Zusammensetzung und somit auch die Abfolge der Szenen.   W. E.

88

89 Seidengewebe (Samit). Byzanz, 8. Jahrhundert. 21,5 × 16. Inv. Nr. 1888.194.

Wie andere byzantinische Gewebe ist auch der sogenannte Hahnenstoff vom altorientalischen Formenschatz geprägt. Seine Färbung auf Basis von Purpur und der stark gedrehte Kettfaden sind für Seidengewebe der kaiserlichen Werkstätten dieser Zeit typisch. Charakteristisch ist auch die Farbgebung: goldfarbenes Muster mit Details in Grün und Gelb auf dunkelblauem Grund. In der schachbrettartigen Aufteilung bilden Sternrosetten durch Versatz Oktogone, in deren Mitte ovale Medaillons mit Palmettbäumchen und mit einem Hahn gefüllt sind. Dieser Hahn, der dem Stoff den Namen gab, galt im alten Persien als ein Waffengefährte Sraohas im Kampf gegen die Dämonen der Nacht und als Helfer der Gläubigen auf dem Weg zum Paradies.   M. P.

89

Flügelaltärchens gebildet haben wird. Sicherlich hatte das Ganze Schaden gelitten, als die Figur im 16. Jahrhundert ausgeschnitten und, mit einem Sockel versehen, zu einem Kunstkammerstück umgearbeitet wurde. Dargestellt ist Maria in dem in der byzantinischen Kunst gängigen Typus der Hodegetria, das heißt der ›Wegführerin‹, die das Christkind auf dem linken Arm trägt und mit der Rechten auf es hinweist. Haltung und Faltenstil verbinden sie wie auch das Kind mit einigen ähnlichen Muttergottes-Darstellungen, aber auch mit einem Relief, das die Kaiserkrönung Romanos II. und seiner Gemahlin zeigt. Nach ihm faßt man diese ganze Gruppe von Elfenbeinreliefs unter dem Namen »Romanos-Gruppe« zusammen.   W. E.

90

90 Siegel des Erzbischofs Radpod von Trier. Lothringen (Trier oder Metz?), zwischen 883 und 915. Bergkristall; Silberfassung 16./17. Jahrhundert; H. 3,5. Inv. Nr. 1956.6. Campe-Stiftung.

Wie schon in der Antike, fanden Gemmen auch in karolingischer Zeit als Siegelstempel Verwendung. Bevorzugtes Material für solche kostbaren Steinschnitte mit vertieften Darstellungen war Bergkristall, ein reiner, wasserheller Quarz. Die Verarbeitung erfolgte offenbar in lothringischen Hofwerkstätten. Wann Radpod, dessen idealisiertes Profilbildnis im Typus antiker Münzporträts die Gemme zeigt, sein Siegel schneiden ließ, ist ungewiß. Da die Umschrift ihn als Archiepiscopus, d. h. Erzbischof, bezeichnet, bot sowohl seine Einsetzung in die Trierer Erzdiözese (883), als auch die spätere Ernennung bzw. Bestätigung als lothringischer Erzkanzler (895 und 900) Anlaß dafür. Im Jahre 915 starb Radpod.   W. E.

91 Muttergottes. Byzanz, 1. Hälfte 11. Jahrhundert. Elfenbein; H. mit Holzsockel 23,6. Inv. Nr. 1898.118.

Die heute freistehende Muttergottes war Teil einer Reliefplatte, die das Mittelstück eines

91

92 Christus. Fragment. Süditalien, um 1084(?). Elfenbein; H. 11,7. Inv. Nr. 1924.138. Stiftung der Justus Brinckmann Gesellschaft.

Das Christus-Fragment ist der linke Teil einer annähernd quadratischen Reliefplatte, deren größeres Teilstück sich im Dom zu Salerno erhalten hat. Auf ihm sind in demütig gebeugter Haltung die zwölf Jünger dargestellt, denen Christus mit ausgestrecktem rechten Arm den Lehrauftrag erteilt. Ob die Platte zusammen mit anderen Szenen aus dem Alten und Neuen Testament ursprünglich zur Verkleidung des Domaltars – dem sogenannten ›paliotto‹ – oder eher zu einer Kathedra gehörte, ist unklar. Werden in der Gestalt Christi byzantinische Einwirkungen deutlich, so weisen die Jünger daneben auch ägyptisch-arabische Einflüsse auf, wie sie für die süditalienische Elfenbeinschnitzerei der Zeit gleichfalls charakteristisch sind. W. E.

92

93

93 Kopf eines Geistlichen (Hl. Godehard?). Hildesheim, um 1040/50 (?). Sandstein; H. 26,2. Inv. Nr. 1971.38. Erworben mit Hilfe von Stiftungen des Otto-Versandes, Hamburg, und von Herrn Ilas Neufert, München, sowie einer Spende von Frau Elsa Essberger, Hamburg.

Zusammen mit Teilen einer Grabplatte wurde der Kopf bei Grabungen im Hildesheimer Dom aufgefunden. Die Tonsur kennzeichnet ihn als Haupt eines Geistlichen, doch fehlen, dem Zeitstil entsprechend, individuelle Züge. Den Fundumständen nach wird es sich um das Idealbildnis des 1038 verstorbenen Bischofs Godehard von Hildesheim von dessen Grabtumba handeln. Das weich modellierte, eindrucksvolle Relief ist demnach für die Geschichte der mittelalterlichen Grabplastik wie auch für die Kirchengeschichte bedeutend. Ob es bald nach dem Tode Godehards oder erst nach der Hebung seiner Gebeine anläßlich der Heiligsprechung (1133) entstand, ist ungewiß. W. E.

94 Schale. Mittelbyzantinisch, Kleinasien, Mitte 12. Jahrhundert. Ton mit heller, teilweise verfärbter Engobe, Sgraffito und Bleiglasur; Dm. 23,1. Inv. Nr. 1974.5.

In das Innenfeld des flachen Gefäßes ist mit sicherem Strich ein springender Löwe eingeritzt, den frei schwingende Ranken mit palmettenartigen Blättern umspielen. Mähne und Fell des Tieres sind sorgfältig charakterisiert. Die mit Kalkablagerungen und versinterten Meerestieren überzogene Außenwandung der Schale zeigt noch heute den Zustand, in dem solche mittelbyzantinische Gebrauchskeramik vor einigen Jahren im östlichen Mittelmeer aus den Ladungen versunkener Schiffe geborgen werden konnte. Offenbar hat man im 12. Jahrhundert das in nicht genauer zu bestimmenden kleinasiatischen Brennereien hergestellte Geschirr in größeren Mengen und in unterschiedlicher Qualität zum Versand gebracht. W. E.

94

95

95 Reliquienbehälter. Deutschland, Werkstatt des Meisters der ältesten Teile der Bronzetür von San Zeno in Verona, Anfang 12. Jahrhundert. Bronze; L. 27. Inv. Nr. 1957.71/St. 95. Kunst-Stiftung.

Im Jahr 1855 wurde der hausartig geformte, mit Türmchen besetzte und von vier knienden Männern getragene, rechteckige Kasten noch als ›Reliquienschrein‹ in Koblenz verwahrt. Er besaß wahrscheinlich ursprünglich einen hölzernen Einsatz. Stilistisch stehen die Trägerfiguren wie auch die das Reliquiar auf allen Seiten überziehenden verschlungenen Rankenbänder Teilen der berühmten Bronzetür an San Zeno in Verona nahe. Da diese auch zu anderen deutschen Bronzen in Beziehung stehen und die Tür von einem Herzog von Cleve gestiftet worden sein soll, werden auch die älteren Teile der Veroneser Tür wohl Arbeiten aus Deutschland eingewanderter Werkleute sein.   W. E.

96 Emailplatte mit der Investitur Erzbischof Annos von Köln durch Heinrich III. Köln, um 1160/70 oder um 1185/90. Kupfer, vergoldet, mit Grubenschmelz; 10,2 × 7,8. Inv. Nr. 1877.155.

Die Grubenschmelztechnik, bei der farbige Glasflüsse in die Vertiefungen von Kupferplatten eingeschmolzen werden, erreichte im 12. Jahrhundert im Rhein-Maas-Gebiet einen künstlerischen Höhepunkt. Zu Zyklen zusammengesetzt, schmücken solche Platten kostbare Goldschmiedearbeiten. Daß auch die Investiturplatte Teil einer Folge war, ergibt sich aus ihren Schriftzeilen. Nur die obere, »E(PISCO)P(US) FIT« (er wird Bischof), bezieht sich auf die Darstellung; die untere, »PUEROS DOCET« (er lehrt die Kinder), bedingt ein darunter anschließendes Bild. Da Annos Heiligsprechung erst 1183 erfolgte, setzt die übliche Identifizierung der Dargestellten mit Kaiser Heinrich III. und Anno wohl voraus, daß eine um 1160/70 in Köln nachweisbare Stilrichtung bis in die 80er Jahre Bestand hatte.
   W. E.

96

97 Löwenaquamanile. Norddeutschland (Lübeck?), um 1200. Bronze; H. 20. Inv. Nr. 1898.176.

Unter den mittelalterlichen Bronzegeräten bilden die Gießgefäße in Gestalt von Löwen und anderen Tieren, gelegentlich auch in Menschengestalt, einen künstlerischen Höhepunkt. Angeregt durch orientalische Vorbilder, entstanden sie seit dem 12. Jahrhundert in größerer Zahl, insbesondere in Zentren des Bronzegusses wie Niedersachsen und dem Rhein-Maasgebiet. Im profanen Bereich wurden diese Aquamanilien beim Händewaschen am Eßtisch benutzt; ob sie auch bei liturgischen Handwaschungen im kirchlichen Bereich Verwendung fanden, ist unklar. Gerade ein Gießgefäß wie den mit versammelter Kraft sitzenden Löwen, der, Psalm 91 (90), 13 variierend, zwei gegen seine Brust züngelnde Drachen niedergetreten hat, mag man sich eher bei liturgischem als bei profanem Gebrauch vorstellen.   W.E.

97

98

98 Samsonleuchter. Norddeutschland (Lübeck?), Anfang 13. Jahrhundert. Bronze; H. 20. Inv. Nr. 1958.10/St. 118. Kunst-Stiftung.

Außer der etwas geduckten Haltung des Tieres und dem Schwung des linken Beines Samsons erinnert wenig an den Kampf des alttestamentarischen Helden mit einem wilden Löwen, wie er im Buch der Richter beschrieben und bei älteren romanischen Leuchtern dargestellt wurde. Nun reitet Samson ruhig und hoch aufgerichtet auf der von ihm mit Gottes Hilfe überwundenen Bestie; mit seiner Rechten hält er einen Leuchterschaft, auf dem ehemals ein Kerzendorn mit zugehöriger Tropfschale befestigt war. Stilistisch steht der ursprünglich sicherlich zum festlichen Tafelschmuck eines ritterlichen Haushalts gehörende Leuchter dem aus Schleswig-Holstein stammenden Gießlöwen Nr. 97 nahe. Wahrscheinlich wurden beide Stücke in der gleichen, vielleicht Lübecker Werkstatt gegossen. W.E.

99 Löwenaquamanile. Niedersachsen, 1. Hälfte 13. Jahrhundert. Bronze, schwarzgrün patiniert; H. 29,5, L. 29. Inv. Nr. 1912.94.

Trotz seiner geringen Maße steht der schlanke, in federnd-gespannter Haltung verharrende Löwe dem berühmten, 1166 errichteten Braunschweiger Löwendenkmal an Monumentalität wenig nach. Eine Einfüllöffnung auf dem Kopf des Tieres und das Ausgußrohr auf seiner Stirn weisen es als ein für Handwaschungen benutztes Gießgefäß für Wasser aus (vgl. Nr. 97). Wie bei anderen Aquamanilien diente dabei als Griff ein Drache, der sich in die Mähne des Löwen verbissen hat und den schlanken Leib über den Rücken des Tieres wölbt. Daß der Gießlöwe in der Nähe von Reval aus dem Moor ausgegraben worden sein soll, mag die ausgezeichnete Erhaltung seiner reizvollen Patina erklären. W.E.

99

100 Türzieher. Westdeutschland, 2. Hälfte
13. Jahrhundert. Bronze; Dm. 16,6. Inv. Nr.
1924.151.

Der ungewöhnlich ausdrucksvolle, von einem
Blattkranz gerahmte Löwenkopf schmückte
ursprünglich den Türflügel eines Portals der
Stiftskirche St. Peter zu Wimpfen im Tal. Der
dazugehörige Ring fehlt ihm heute ebenso
wie seinem in Wimpfen verbliebenen Gegenstück. So ist die Frage, ob es einfache Türzieher oder – mit Dorn und Widerlager versehe-
ne – Türklopfer waren, nicht zu beantworten.
Da diesen Löwenringen magische Kräfte zugeschrieben wurden, gaben gerade sie den
Türziehern an mittelalterlichen Kirchenporta-
len in dreifacher Hinsicht rechtliche Bedeutung: Ihr Berühren sollte bei Eidesleistungen
deren Wahrheitsgehalt unterstreichen oder
die Besitzergreifung des Kirchenbaues anzeigen; vor allem aber stellte sich ein Verfolgter
durch Ergreifen des Löwenringes unter den
Schutz der Kirche.   W. E.

100

101 Kopfreliquiar. Limoges, letztes Viertel
13. Jahrhundert. Kupfer, vergoldet; H. 15.
Inv. Nr. 1958.19/St. 120. Kunst-Stiftung.

Im 12. und 13. Jahrhundert erlebte die west-
französische Stadt Limoges eine erste Blütezeit als Zentrum metallverarbeitenden Kunsthandwerks, berühmt vor allem durch Gru-
benschmelzarbeiten. Von der Masse liturgi-
scher Gebrauchsgeräte, mit denen die Li-
mousiner Werkstätten damals alle Teile des
Abendlandes belieferten, hebt sich das Kopfreliquiar durch seine Größe und die Qualität
der Treibarbeit wirkungsvoll ab. Eine vier-
paßförmige Schau-Öffnung auf dem Scheitel
macht deutlich, daß die Höhlung des Kopfes
zur Aufbewahrung von Reliquien gedient haben muß. Da man solche Behältnisse im Mittelalter gern formal dem Inhalt anglich, waren in diesem Reliquiar sicherlich Schädeltei-
le geborgen – vielleicht solche vom Haupte
eines unschuldigen Kindes.   W. E.

101

102

102 Zwei Hl. Ritter. Westfalen, um 1250/70.
Eichenholz, alt gefaßt; H. je 24,5. Inv. Nr.
1899.179-180.

Nur in Teilen erhalten, befindet sich der älteste Altaraufsatz des Mindener Domes heute
in Ostberlin. In ihm hatten die beiden Ritter,
umgeben von anderen Heiligenfiguren, ihre
Plätze unmittelbar zu seiten der zentralen
Marienkrönung. Wegen solch bevorzugter
Aufstellung vermutet man in ihnen Schutz-
patrone des Domes oder der Diözese, kann
aber nur den mit einem Adlerschild bewaffneten als Hl. Gorgonius namhaft machen.
Traditionelle und fortschrittliche Züge bestimmen ihr Erscheinungsbild gleichermaßen. So tragen beide über der Tunika antikisierende Schuppenpanzer, dazu aber über-
große Schwerter in einer für die Stauferzeit
charakteristischen Form. Gegensätzlich wirken auch die konventionelle Geschlossenheit
der gedrungenen Gestalten und die von gotischen Locken eingefaßten, jugendlichen Gesichter.   W. E.

103 Weiblicher Kopf. Süditalien (Campanien?), 2. Viertel 13. Jahrhundert. Sandstein; H. 33. Inv. Nr. 1960.35. Campe-Stiftung.

Trotz ungewöhnlich starker antikisierender Tendenzen zeigt der Kopf viel an mittelalterlichem Formgefühl; das machen sein Volumen und die Augenpartien besonders deutlich. Solche Merkmale, wie auch seine angebliche Herkunft aus Priverno bei Capua, setzen ihn mit der Antikenrezeption Kaiser Friedrichs II. in Süditalien in Verbindung. Für die bauplastische Ausstattung vornehmlich seiner Kastellbauten ließ der Staufer eine Fülle von Bildwerken anfertigen, die zu einem guten Teil deutlich an antike Vorbilder anknüpfen; wobei offen bleibt, wo persönlicher Geschmack und wo imperiale Ideen diesen Rückgriff veranlaßt haben. Die zum Teil beträchtlichen Stilunterschiede zwischen den erhaltenen Beispielen solcher Stauferplastik erklären sich unter anderem sicherlich durch die Zahl der an diesen Unternehmungen Mitwirkenden. W. E.

103

104

104 Cruzifixus aus Klein Escherde. Niedersachsen (Hildesheim?), um 1240/50. Eichenholz mit Fassungsresten; H. 63. Inv. Nr. 1971.15. Campe-Stiftung.

Schon im 12. Jahrhundert entstanden die ältesten Kruzifixe, bei denen Christus mit drei Nägeln, davon einem durch die übereinander gelegten Füße, an das Kreuz geheftet ist. Gegenüber dem älteren Vier-Nagel-Typus – in unserer Sammlung nur in Form von Kleinbronzen vertreten – bot die neue Art der Befestigung dem gotischen Bildschnitzer erwünschte Möglichkeiten, das Leiden und Sterben Christi zu verlebendigen. Nun erst machen das mit der Neigung des Hauptes korrespondierende Ausschwingen der Hüfte und das nach vorn geschobene Knie das Lasten des Leibes ganz anschaulich. Obwohl dieser Corpus sehr viel kleiner ist als vergleichbare, meist überlebensgroße Gekreuzigte an sächsischen Triumphkreuzen, geht von ihm eine ähnlich monumentale Wirkung aus. W. E.

105 Adlerpult (Ausschnitt). Italien (?), 2. Viertel 13. Jahrhundert und 14./15. Jahrhundert. Bronze, patiniert; H. 259. Lg. 216. Leihgabe der Bundesrepublik Deutschland aus ehemaligem Reichsbesitz.

Spätestens seit der Gotik, wahrscheinlich aber schon früher wurden solche liturgischen Pulte bei Evangelien- und Epistellesungen benutzt. Deshalb deutet man den bekrönenden Adler, dessen Flügel das aufgelegte Buch stützen, als das Symbol des Evangelisten Johannes. Die Höhe dieses Pultes spricht eher dafür, daß es – gleich anderen frei im Chor einer Kirche aufgestellten Adlerpulten – als Auflage für Chorgesangbücher diente. Auffällig sind die stilistischen Unterschiede zwischen des Adlers Flügeln und Schwanz sowie der Buchstütze einerseits und den übrigen Teilen andererseits. Es bleibt unklar, ob Teile des in staufischer Zeit entstandenen Pultes erst in der Spätgotik fertiggestellt, repariert oder aus anderen Gründen verändert wurden. W. E.

105

106

106 Thronende Muttergottes. Sachsen oder
Rhein-Maas-Gebiet, um 1220/30. Elfenbein;
H. 11,6. Inv. Nr. 1893.199. Geschenk von Frau
Margarethe Gaiser, Hamburg.

Elfenbein war schon im frühen Mittelalter ein
bevorzugter Werkstoff für Reliefplatten und
ähnliche Schnitzarbeiten; doch nahm seine
Bedeutung seit dem 13. Jahrhundert noch
wesentlich zu. Das intime, durch Umfang
und Krümmung des Elefantenzahns vorbe-
stimmte Format kam dem Zeitgeschmack
ebenso entgegen wie die Feinheit und Polier-
fähigkeit des Materials. Auch ließ sich erst
durch verbesserte Handelsverbindungen eine gesteigerte Nachfrage befriedigen, die außer von kirchlicher Seite zunehmend auch
von Adel und Bürgertum ausging. Ein frühes
Beispiel für Einzelbildwerke, wie sie nun in
immer größerer Zahl entstanden (vgl. Nr.
107), ist diese frühgotische Muttergottes.
Ihre Vorbilder hatte sie offenbar vornehmlich
in der zeitgenössischen Großplastik im Norden und Westen des damaligen Reiches.
W. E.

107 Thronende Muttergottes. Frankreich,
um 1270. Elfenbein mit Spuren alter Fassung; H. 18,4. Inv. Nr. 1893.198.

Trotz der jugendlichen Züge Mariens und
fließender Gewandfalten verbindet die ältere
Muttergottes Nr. 106 noch vieles mit den
feierlich-strengen Madonnen-Typen aus ro-
manischer Zeit. Dagegen verkörpert diese

107

mädchenhaft zarte Maria ganz das höfische Idealbild der französischen Hochgotik. Nur mit sich selbst beschäftigt, wenden sich weder Mutter noch Sohn dem Betrachter zu. Wie die ganze Szene dem menschlichen Bereich nahegerückt erscheint, so auch die Kleidung: anstelle des nach antiker Weise über den Kopf gezogenen Mantels trägt Maria nun zu gotischer Zeittracht ein modisches Schleiertuch, das Kind – statt römischer Tunika und Toga – ein schlichtes Hemd. Sicherlich unterstrich die heute verlorene Farbigkeit – mit Ausnahme des Inkarnats waren alle Teile in Gold, Rot und Blau gefaßt – noch die Intimität der Szene. W. E.

108 Antependium (Ausschnitt). Venedig, 13. Jahrhundert. Halbseidengewebe; 279,5 × 101,5. Inv. Nr. 1949.74.

Das Aufblühen seiner Seidenwebereien im 13. Jahrhundert verdankte Venedig vor allem seiner wachsenden Vormachtstellung im Mittelmeerhandel. Neben Seidenstoffen entstanden dort auch Halbseidengewebe, bei denen die Kettfäden durch füllende Leinenfäden verstärkt wurden. Hauptstück unter den erhaltenen Beispielen ist dieser in Kloster Lüne als Altarbehang verwandte Stoff, dem man seitlich den Stamm eines spätgotischniedersächsischen Kaselkreuzes und Borten anfügte. Solche Kreiskompositionen mit spiegelbildlich angeordneten Tierpaaren – hier sind es Löwen und Greife – wurden in Italien besonders durch byzantinische Stoffe bekannt. Doch geht das Muster in seiner zeichnerischen Bestimmtheit und dem Verzicht auf ornamentale Details weit über alle Vorlagen hinaus. W. E.

109 Seidendecke (Ausschnitt). Italien (Lucca?), Ende 14. Jahrhundert. Seidengewebe; 172 × 124. Inv. Nr. 1949.75.

Daß kostbare italienische Seidenstoffe im ganzen Abendland häufig zu liturgischen Gewändern verarbeitet wurden, zeigen zahllose Beispiele in der spätgotischen Malerei. So wurde auch die Decke, die in Kloster Lüne zuletzt als Bahrtuch Verwendung fand, aus den Teilen einer früheren Glockenkasel zusammengesetzt. Die unsymmetrische Musterung ist direkt durch chinesische Importware oder aber durch vermittelnde orientalische Stoffe angeregt. Der in Gegenbewegung aus einem Rapport auf den Bären der nächsten Reihe niederstoßende Vogel oder die Stilisierung der Baumkrone, in der ein Hund kauert, machen solche östlichen Einflüsse ebenso deutlich wie etwa das zu einer Palmette umgeformte Lotosmotiv. Da ähnliche Stoffe außer in Lucca wohl auch andernorts in Italien gewebt wurden, ist seine luccchesische Herkunft nicht gesichert. W. E.

108

110

110 Triptychon. Frankreich, um 1330. Elfenbein mit Resten alter Fassung; 24 × 21. Inv. Nr. 1893.202. Geschenk von Frau Margarete Gaiser, Hamburg.

Mit der zentralen Verherrlichung Mariens und der Kreuzigung Christi sowie Szenen aus der Jugend- und Leidensgeschichte Christi auf den Flügeln zeigt das Altärchen ein Darstellungsprogramm, wie es sich ähnlich – mit wechselnder Qualität – an zahllosen Elfenbeinarbeiten aus dem 14. und frühen 15. Jahrhundert wiederholt. Die steigende Nachfrage nach solchen häuslichen Andachtsbildern wie auch nach Kämmen, Spiegelkapseln, Kästchen und anderen profanen Gerätschaften hatte zwei Folgen: Zum einen stieg die Zahl der überwiegend in Frankreich und dort vornehmlich in Paris tätigen Schnitzwerkstätten immer weiter an; zum anderen war bei solcher Massenproduktion, die individuell gestaltete Einzelbildwerke kaum noch zuließ, eine gewisse Gleichförmigkeit und Nivellierung unvermeidlich. W. E.

111 Mörser. Sächsisch-böhmisch, 1. Hälfte 14. Jahrhundert. Bronze; H. 20,5 Inv. Nr. 1959.154.

In Apotheken und Kaufläden, aber auch in privaten Haushaltungen waren Mörser jahrhundertelang gleichbleibend wichtige Gebrauchsgeräte. Da über ihre Herkunft meist nur die formale Gestaltung und der Dekor der Wandung Auskunft geben können, ist gerade dieses überaus stattliche Exemplar für die Geschichte des mittelalterlichen Mörsers von Bedeutung. Es zeigt eine für die Zeit der Hochgotik charakteristische straffe Form und streng tektonische Gliederung. Eine noch genauere Bestimmung aber machen die am oberen Rand zwischen gotische Wimperge gesetzten böhmischen Löwenwappen mit ihren zugehörigen Helmen möglich, da beide die in der ersten Hälfte des 14. Jahrhunderts übliche heraldische Formgebung zeigen. W. E.

111

112

112 Vortragekreuz aus Kloster Herwardeshude. Venedig und Lübeck, 1. Hälfte 14. Jahrhundert. Bergkristall; Fassung Silber, vergoldet; 31,5 × 27,5. Inv. Nr. 1879.321.

Kaum mehr als einige Straßennamen im Stadtteil Harvestehude erinnern noch an das einst blühende Zisterzienserinnen-Kloster vor den Toren Hamburgs, das gegen 1247 bei Herwardeshude gegründet, 1295 in das Frauental an der Oberalster verlegt und 1530 niedergerissen wurde. 1787 wurde auch der in das St. Johanniskloster übergeführte Klosterschatz verschleudert. So zeugen heute außer dem Vortragekreuz nur noch die daneben ausgestellte Krümme eines Äbtissinnenstabes und ein Plenarreliquiar vom Reichtum der mittelalterlichen Ausstattung. Wahrscheinlich wurden die fünf Kristallstücke, aus denen das Kreuz zusammengesetzt ist, in Venedig geschnitten, aber in Lübeck montiert. Dorthin verweist jedenfalls der Stil der die Fassung schmückenden Kruzifixe und Evangelistensymbole. W. E.

113

113 Tasche mit Minneszenen. Frankreich
(Paris?), um 1340. Leinen mit Gold- und
Seidenstickerei; 15,8 × 14,5.
Inv. Nr. 1956.137/St. 21. Kunst-Stiftung.

Die französische Bezeichnung ›Aumônière‹
(Almosentasche) verdeutlicht den ursprünglichen Zweck solcher Beutel: Von Damen wie
Herren am Gürtel getragen, dienten sie – etwa beim Kirchgang – zur Verwahrung milder
Gaben. Daß sie darüber hinaus offenbar beliebte Geschenke von Herren an ihre umwor-
benen Damen abgaben, erklärt, weshalb
Minneszenen das häufigste Schmuckmotiv
waren. Hier neckt sich ein jugendliches Paar,
während auf der Gegenseite ein reiferes in
eher züchtiger Haltung Liebespfänder aus-
tauscht. Der Charme dieser Darstellungen
wie die Feinheit der Stickerei und der vorzügliche Erhaltungszustand machen die Tasche
zu einem Kleinod unter den profanen Sticke-
reien aus der ausgehenden Zeit des Minne-
sanges. Sicherlich ist sie eine Arbeit von Be-
rufsstickern. W.E.

114

114 Dreibeinkanne. Norddeutschland oder Niederlande, vermutlich Anfang 15. Jahrhundert. Bronze; H. 34. Inv. Nr. 1959.255.

Der Form der gotischen Blattknospe nach, die den Deckel ziert, entstand die Kanne wohl zu Beginn des 15. Jahrhunderts. Deckelkannen mit solchem schnabelförmigen Ausguß sind sehr viel seltener als die mit einem Ausgußrohr versehenen deckellosen. Gleich den Aquamanilien in Tiergestalt (vgl. Nr. 97 und 99) dienten auch Bronzekannen dieser Art, »Handfaß« genannt, als Gießgefäße für Handwaschwasser. Ihre mitgegossenen Beine erlaubten, daß man sie direkt auf eine Feuerstelle setzen und somit das eingefüllte Wasser erwärmen konnte. Sicherlich gehörte zu jeder solchen Kanne ein Becken, das man zum Auffangen des Gießwassers benötigte. Doch wurden die Teile später fast immer auseinandergerissen.   W. E.

115 Die Servatius-Platten. Maastricht, 1403. Silber, vergoldet; ca. 10,7 × 13,8-16,2. Inv. Nr. 1885.1195. Erworben mit Mitteln des Vermächtnisses von Herrn Johann Jacob David Neddermann, Hamburg.

Aus Dankbarkeit für eine Heilung stiftete Herzog Heinrich von Bayern im Jahre 1403 der St. Servatiuskirche zu Maastricht eine Reliquienbüste ihres Titelheiligen, der dort im Jahre 384 als Bischof von Tongern starb und seither hohe Verehrung genoß. Wahrscheinlich zierten die insgesamt acht Reliefplatten den ursprünglich vorhandenen, polygonalen Sockel der Büste. Mit der Erzählfreude und realistischen Präzision, die auch die zeitgenössische niederländische Malerei auszeichnet, sind in den Reliefs Begebenheiten aus der Legende des Heiligen zur Darstellung gebracht. So kehren auf fast allen Platten zwei noch heute in Maastricht verwahrte Realien wieder – die elfenbeinerne Krücke seines Pilgerstabes und ein großer Schlüssel, den Servatius der Legende nach vom Hl. Petrus, in Wirklichkeit aber vom Papst erhalten hatte. Eines der ausgewählten Reliefs zeigt den auf der Rückreise von Rom in die Gefangenschaft des Hunnenkönigs geratenen Heiligen. Ein Adler schützt den Schlafenden vor der Sonnenglut, indem er ihm mit einem Flügel Schatten spendet und mit dem anderen Luft zufächelt. Das andere Relief schildert, wie der Bischof aus Empörung über die Verdorbenheit der Einwohner Tongerns unter Mitnahme der Reliquienschreine nach Maastricht übersiedelt.   W. E.

115a

115b

116

116 Muttergottes. Burgund (Dijon?),
1. Viertel 15. Jahrhundert. Kalksandstein;
H. 91,8. Inv. Nr. 1954.108. Campe-Stiftung.

Obwohl das Bildwerk annähernd gleichzeitig
mit der Magdalenenfigur Nr. 117 entstand
und gleich ihr Merkmale des »Internationalen Stiles« zeigt, unterscheidet es sich deutlich von dieser. Es verdankt dies der außerordentlichen Wirkung der Künstlerpersönlich-
keit eines Claus Sluter, dessen Arbeiten für
den Herzogshof in Dijon über seinen Tod hinaus vor allem die burgundische Plastik beeinflußt haben. Das massive Volumen und
schwere Stoffmassen sind dafür ebenso charakteristisch wie die tiefen Schattenzonen
zwischen den wulstigen, wie aufgeblähten
Falten. Starken Schäden zum Trotz, erweisen
einige Details auch heute noch den bildhaue-
rischen Rang der Skulptur – so etwa die
schwellenden Formen des schwermütig-lieb-
reizenden Gesichtes und die feinnervige linke
Hand Mariens oder das Pelzfutter ihres weiten Mantels. W. E.

117

119

118

117 Hl. Maria Magdalena (?). Mittelrhein, wohl Mainz oder Frankfurt, um 1410/20. Sandstein mit Resten alter Fassung; H. 51,1. Inv. Nr. 1973.109/St. 312. Kunst-Stiftung.

Mit ihrer üppigen Gewandung, weich schwingenden Stoffmassen und fein ausgearbeiteten Kleinodien trägt die zierliche Heiligenfigur charakteristische Züge des internationalen »Schönen Stiles« der Zeit um 1400. Daß der ursprüngliche Standort der jungen Frau unbekannt ist und mit ihren Händen auch das persönliche Attribut verlorenging, erschwert jedoch ihre genauere Bestimmung. Immerhin lassen die verbliebenen Merkmale – das offen getragene Haar einer Jungfrau, Haltung, Kostüm und Schmuck sowie einige Bruchstellen an Brust und Mantel – die Vermutung zu, bei der Dargestellten werde es sich um die Hl. Maria Magdalena handeln. In den Händen hätte sie dann jenes Salbgefäß gehalten, mit dessen Inhalt sie einst im Hause ihres Bruders Lazarus in Bethanien die Füße Christi salbte.   W. E.

118 Frontstollentruhe. Lüneburg, um 1410 und um 1498. Eichenholz; 176 × 88, H. 102. Inv. Nr. 1891.411.

Die Wappen der Lüneburger Ratsfamilien Brömsen und Schomaker auf den vorderen Stollen machen wahrscheinlich, daß dies die Brauttruhe der Ilsabe Schomaker bei ihrer Vermählung mit Herman Brömsen im Jahre 1498 oder kurz zuvor war. Sicherlich wurde in ihr, wie üblich, die Mitgift der Braut feierlich in die Wohnung des jungen Paares verbracht. Ob im Mittelfeld ein Brautpaar mit seinen Eltern oder, allgemeiner, drei Lebensalter dargestellt sind, ist ungewiß. Ihre altertümlichen Trachten wie auch der Reliefstil zeigen jedenfalls, daß hier ein knapp hundert Jahre älteres Teilstück wiederverwendet wurde. Durch Weiterführung des Tierfrieses verstand es der Schnitzer dennoch geschickt, die unterschiedlichen Teile zu einer einheitlichen Fassade zusammenzufassen.   W. E.

120

120 Sakristeischrank (Ausschnitt). Norddeutschland, 1424/25. Eichenholz mit Teilen alter Fassung; H. 143, B. 76. Inv. Nr. 1895.189.

Daß der zweitürige Schrank als sakrales Möbelstück diente, machen die Reliefdarstellungen wie auch die ausführlichen Inschriften deutlich. Trüge er nicht das ungewöhnlich genaue Übernahmedatum durch den Auftraggeber »datum domini MCCCCXXV in vigilia purificationis« (d. h. 1. Februar 1425), spräche manches für ein noch höheres Alter des Schrankes. Denn sowohl die Gliederung seiner Fassade, als auch die geschlängelten Weinranken und der Darstellungsstil der beiden Marienszenen auf den übereinander geordneten Türen weisen auf ältere Vorbilder zurück. Seine norddeutsche Herkunft – angeblich stammt er aus der Gegend von Osnabrück – unterstreicht auch die niederdeutsche Fassung des englischen Grußes auf dem Spruchband zu Häupten der thronenden Gottesmutter: »grot sist du mari«. W. E.

119 Die Verkündigung an Maria. Niederösterreich, 1. Viertel 15. Jahrhundert. Glasmalerei; Dm. 52. Inv. Nr. 1953.37.

Die leuchtende Farbenpracht ihrer Glasgemälde bestimmt das Erscheinungsbild mittelalterlicher Kirchenräume in besonderer Weise. Mittels Bleiruten sind dabei gefärbte Glasstücke so zusammengesetzt, daß die Ruten zugleich die wesentlichen Konturen der Darstellungen abgeben. Die erst nachträglich zu einer Rundscheibe veränderte ›Verkündigung‹ war ursprünglich Teil der Fensterverglasung von St. Wolfgang bei Weitra in Niederösterreich. Reste der zugehörigen Marienfolge sind heute in der Stiftskirche von Zwettl eingebaut. Die verhaltene Anmut und Behutsamkeit der Gebärden, mit denen sich Gabriel und die Jungfrau grüßen, sind für solche Glasmalereien im »Weichen Stil« der Zeit um 1400 ebenso kennzeichnend wie etwa der Linienfluß, die Haarnadelfalten, die jugendlichen Gesichtszüge oder die besondere Art der Farbigkeit. W. E.

121

121 Schenkkanne. Wohl Norddeutschland, um 1450. Serpentin; Henkel: Silber, vergoldet; H. 24. Inv. Nr. 1957.49/St. 73. Kunst-Stiftung.

Zwar war der für das späte Mittelalter charakteristische Typus dieser Kanne über ganz Deutschland verbreitet, doch lassen formale Einzelheiten es wahrscheinlich erscheinen, daß sie in Norddeutschland entstand. Dort war sicher auch der Goldschmied zu Hause, der, angeregt durch Vorlageblätter aus dem Kreis des Israel van Meckenem, den mit Ranken und figürlichen Darstellungen reich gravierten Henkel schuf. Gelänge die Bestimmung des bislang unbekannten Wappens am Griffende, wäre vielleicht eine genauere Lokalisierung der Werkstätten möglich. Der für die Gesamtform der Kanne wichtige, zur Mitte hin ansteigende Klappdeckel aus Stein oder Silber fehlt heute. W. E.

122

122 Tranchiermesser. Norditalien
oder Frankreich, 15. Jahrhundert.
Griff Gelbguß mit Perlmuttereinlagen;
L. 40,7. Inv. Nr. 1882.158.

Die Kunst, gebratenes Wild oder Geflügel vor
den Augen der Gäste durch geschicktes Vor-
schneiden mundgerecht zu zerlegen, hat in
einigen Mittelmeerländern eine lange Tradition. Zusammen mit anderen Tischsitten
fand solches auch der Unterhaltung der Gäste dienende Zeremoniell seit dem Mittelalter an europäischen Höfen weite Verbreitung
und wurde immer mehr verfeinert. Entsprechend groß war der bei den Gerätschaften
des Vorschneiders betriebene Aufwand, er-
forderte das kunstgerechte Ausüben des
Tranchierens doch ganze Sätze verschieden
großer Messer und Gabeln. Ihre reich verzierten Griffe tragen häufig das Wappen des
Hausherrn; vermutlich war der in Perlmutter
geschnittene, flammenspeiende Drache, der
dieses Tranchiermesser gleich viermal
schmückt, das Wappentier des Besitzers.
W.E.

123

123 Millefleurs-Teppich. Tournai (?),
um 1460. Wirkerei in Wolle; 141 × 78,5.
Inv. Nr. 1961.5.

Der Wandbehang mit dem verschränkten
Wappen einer Dame blieb nur fragmenta-
risch erhalten. Trotzdem läßt sich die ursprüngliche Komposition aufgrund verwandter Teppiche leicht ergänzen. Die Mitte bildete der von Rosenranken umschlungene rautenförmige Damenschild, dessen heraldisch
linke Hälfte die Embleme der bretonischen
Familie Turquault zeigt (die andere ist unauf-
gelöst). In die Ecken waren die durch Liebes-
knoten verknüpften Initialen N und M gleich
vierfach auf den von einer Vielzahl verschie-
denartiger Blumen übersäten Grund gesetzt.
Behänge dieser Art, bei denen perspektivi-
sche Raumdarstellungen bewußt vermieden
wurden, waren im ausgehenden Mittelalter
eine Spezialität franco-flämischer und französischer Werkstätten.   W.E.

124

124 Muttergottes. Nicolaus Gerhaert von Leiden zugeschrieben (1420/30-1473 oder bald danach), Oberrhein, um 1462/64. Sandstein; H. 137. Inv. Nr. 1950.54.

Wie kein anderer Bildhauer seiner Zeit diesseits der Alpen hat es Nicolaus Gerhaert verstanden, die intime Wechselbeziehung zwischen der Gottesmutter und dem sich quirlig in ihren Armen windenden Kind derart lebendig zu gestalten. Besonders originell ist, wie das Kind sich mit seinem rechten Händchen an den Haaren der Mutter festhält, während das linke mit ihrem Schleiertuch spielt. Das gleiche bildhauerische Temperament zeigt sich auch bei der raumhaltig-großzügigen Modellierung der Mantelfalten vor dem Leib Mariens. Wenn andere Teile der Komposition heute eher etwas starr und konventionell wirken, so liegt dies an allzu braven Ergänzungen, die Mutter und Kind nach Witterungsschäden in neuerer Zeit erfahren haben. Offenbar hatte die Gruppe lange Zeit ihren Platz an einem Außenbau.   W. E.

125

125 Weihrauchfaß. Martin Schongauer (†1491), Kolmar, 2. Hälfte 15. Jahrhundert. Kupferstich; 25,5 × 20,7. Inv. Nr. O.1912.586.

Druckgraphisch vervielfältigte Vorlageblätter, insbesondere Ornamentstiche, wie sie seit dem 15. Jahrhundert in wachsender Zahl Verbreitung fanden, hatten einen kaum zu überschätzenden Einfluß auf die künstlerische Entwicklung in vielen Bereichen des älteren Kunsthandwerks. Zu den frühen Vorlagen dieser Art gehört Schongauers ›Rauchfaß‹, dessen genauere zeitliche Einordnung ebenso umstritten ist wie die aller 116 erhaltenen Kupferstiche des berühmten Malers und Stechers. Gleich Dürer war er der Sohn eines Goldschmiedes und erhielt in jungen Jahren selbst eine Goldschmiedeausbildung. Das erklärt seine stecherischen Fähigkeiten, aber auch das ungewöhnliche Einfühlungsvermögen in die Gestaltungsmöglichkeiten eines Goldschmiedes, das in dem stark beschnittenen Blatt deutlich wird.   W. E.

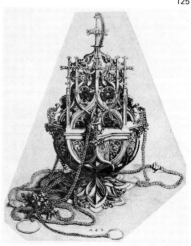

126

126 St. Georgsreliquiar aus Elbing.
Lübeck, um 1480. Silber, teilvergoldet,
Korallen, Amethyste und Rubine; H. 46.
Inv. Nr. 1950.31. Geschenk von
Herrn Philipp F. Reemtsma, Hamburg.

Das aufwendige, durch kunstfertige Metall-
verarbeitung überaus ›farbig‹ gestaltete Fi-
gurenreliquiar zeigt den legendären Kampf
des Hl. Georg mit einem Drachen. Wilde
Männer stützen den umfriedeten Hügel, der,
mit einem winzigen Jäger und vielerlei Tieren belebt, der Szene als Sockel dient und
zugleich die Reliquiendose trägt. Zuletzt befand sich das Stück im Besitz der Elbinger
St. Georgen-Bruderschaft. Ob es aber auch
für sie gefertigt wurde, ist eine ebenso offene
Frage wie die Zuschreibung an eine bestimmte Werkstatt. Daß Bernt Notke, der führende Lübecker Bildschnitzer der Spätgotik,
zumindest am Entwurf der Heiligenfigur beteiligt war, ist möglich, aber kaum zu beweisen. Doch auch ohne solche Belege bleibt
das Reliquiar eine herausragende Arbeit der
spätgotischen Goldschmiedekunst in Norddeutschland.   W.E.

127 Ofenkachel mit dem Hl. Georg zu Pferde. Harzgebiet (Halberstadt oder Goslar?), 2. Hälfte 15. Jahrhundert. Ton, bunt glasiert; 31,5 × 20 cm. Inv. Nr. 1927.215.

Turmartig den Raum beherrschende, repräsentative Kachelöfen boten mit ihrem reichen, seit dem 15. Jahrhundert auch mehrfarbigen Figuren- und Ornamentschmuck dem Betrachter ganze Schauseiten dar. Erhalten haben sich davon aber überwiegend nur einzelne Kacheln. Ihr farbiger Reliefdekor und manchmal auch das erstaunliche Format (vgl. Nr. 129) legen beredtes Zeugnis von dem handwerklichen Können spätgotischer Hafner ab, auch wenn ihnen bei der Reliefgestaltung sicher graphische Vorlagen hilfreich waren. Die durch die Feinheit von Relief und Glasur ausgezeichnete Georgs- wie die zugehörige Marienkachel gehören zu einer Gruppe von Nischenkacheln, die in Halberstadt und Goslar, aber auch andernorts gefunden wurden. Offenbar herrschte größere Nachfrage nach diesen besonders bunten Kacheln. W. E.

127

128 Bucheinband mit der Hasenjagd. Nürnberg, um 1475. Leder auf Holz; 42,5 × 28,6. Inv. Nr. 1879.208.

In Lederschnitt mit gepunztem Grund ist auf dem vorderen Buchdeckel inmitten von Blattranken eine Jagdszene dargestellt. Oben reitet, eine Jagdeule auf der Faust, ein Jäger, während unten Hunde einen Hasen packen. Der hintere Deckel ist in ähnlicher Weise mit Fabelwesen geschmückt. Die zum Schutze des Einbandes an den Ecken und im Zentrum angebrachten Metallbeschläge fehlen heute. Eingebunden wurde das 1475 in Nürnberg bei J. Sensenschmid und A. Frisner de Bunsidel erschienene »Supplementum« des Nicolaus de Ausno. Die Technik des Lederschnitts, bei der mit dreikantigem Messer in angefeuchtetes Leder geschnitten wurde, war bereits im 14. Jahrhundert entwickelt. Klafften die Schnittstellen nicht ausreichend, so zog man sie mit einem heißen Eisen nach. W. E.

128

129

129 Ofenkachel mit dem Hl. Christophorus. Oberösterreich oder Wien (?), Ende 15. Jahrhundert. Ton, bunt glasiert; 37,5 × 27. Inv. Nr. 1911.24. Geschenk von Herrn Julius Wernher, London.

Daß Nischenkacheln dieser Art häufig auch als Zylinderkacheln bezeichnet werden, hängt mit dem Herstellungsprozeß zusammen – Ausgangsform war ein auf der Drehscheibe hochgezogener, anschließend halbierter und mit Tonplatten eingefaßter Zylinder. Das Ganze wurde vor dem Brand mit farbigen Bleiglasuren begossen. Ob die ungewöhnlich große Christophoruskachel, wie die Überlieferung besagt, von einem Ofen in der Sakristei des Wiener Stephansdomes stammt, ist unsicher. Zumindest soll er ursprünglich in Waldhausen/Oberösterreich gestanden haben. Die ganz andere, Grüntöne bevorzugende Farbigkeit wie auch die Modellierung unterscheiden diese und einige zugehörige Kacheln mit biblischen Szenen und Heiligen deutlich von Nr. 127. W. E.

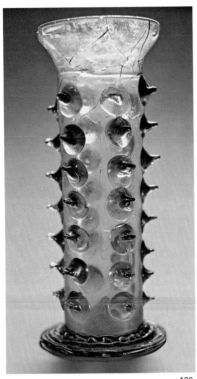

130

130 Stangenglas. Vermutlich Deutschland, Ende 15. bis Anfang 16. Jahrhundert. Grünes Glas; H. 19,6. Inv. Nr. 1919.216.

Die Einführung des Christentums im 8. Jahrhundert in Westeuropa setzte der Tradition, den Toten Grabbeilagen mitzugeben, ein Ende. Daher ist uns das Hohlglas des frühen Mittelalters nur durch Zufallsfunde bekannt. Erst aus dem späten 14. und dem 15. Jahrhundert sind Glasgefäße in größerer Zahl erhalten. Sie stammen fast ausschließlich aus in zumeist abgelegenen Waldgebieten eingerichteten Glashütten und erhielten daher die volkstümliche Bezeichnung »Waldglas«. Die grüne Farbe bekam das Glas durch die Verunreinigungen im Rohmaterial – zumeist Eisenoxyd –, die nur schwer durch die sogenannte Glasseife zu neutralisieren waren. Im Laufe des 15. Jahrhunderts scheint aber das Grün, wie in diesem Beispiel, einen Eigenwert erlangt zu haben. Der hohe Becher, mit aufgelegten, stacheligen Nuppen besetzt, gehört zu der kleinen Gruppe gut erhaltener Stangengläser, die nach Aussage der zeitgenössischen Tafelmalerei im 15. Jahrhundert sehr verbreitet waren.   A.S.

131

131 Krautstrunk. Vermutlich Österreich, vor 1514. Grünes Glas; H. 8. Inv. Nr. 1921.77.

Viele der erhaltenen mittelalterlichen Gläser verdanken wir allein ihrer Nutzung als Reliquiare. Dieser mit aufgelegten Nuppen besetzte Becher gehört zu der historisch ungemein wichtigen Gruppe von Gefäßen, die ihren Inhalt und Wachsverschluß noch besitzen. Er trägt das Siegel des aus Salzburg stammenden Bischofs einer syrischen Stadt sowie das Datum 1514. Anläßlich der Kirchen- und Altarweihe gestiftet, birgt er in seinem Innern einen Pergamentstreifen, der die Reliquien der Kirche aufzählt. Zumeist dienten derartige Becher jedoch als Trinkgefäße. Der schlesische Pfarrer Matthesius schreibt in seiner »Predigt vom Glasmachen« 1562: »… daher man allerley Knöpff, steyn und ringlein an die gleser gesetztet, damit die gleser etwas fester … und von vollen und ungeschickten leuten dest leychter köndten ihn feusten behalten werden.«   A.S.

132

132 Weinkühler. Salzachtal (Hallein?), Anfang 16. Jahrhundert. Ton, bunt glasiert; H. 42. Inv. Nr. 1909.544. Erworben mit Hilfe einer Spende Justus Brinckmanns.

Die Buchstaben A und V an den getrennten Auslauföffnungen der beiden Kammern des doppelwandigen Gefäßes verdeutlichen dessen Verwendungszweck – in den Mittelteil eingefüllter Wein (Vinum) wurde mit Hilfe von Wasser (Aqua) gekühlt. Diesen Gebrauch illustriert auch die riesige Weintrau-

be, mit der Josua und Kaleb in das israelitische Lager zurückkehren, nachdem sie die Fruchtbarkeit des Landes Kanaan ausgekundschaftet haben. Leider reichen die unscharfen Farbangaben auf den beiden Wappenschilden der Griffe nicht aus, den zweifellos wohlhabenden Auftraggeber einer so ungewöhnlich stattlichen Hafnerkeramik zu bestimmen. Da Hallein bereits im Spätmittelalter wichtige, über das Salzkammergut hinauswirkende Hafnereien besaß, kann eine solche Bestellung durchaus von auswärts erfolgt sein. W. E.

133

133 Christkind. Gregor Erhart
(um 1465-1540), Augsburg, gegen 1500.
Lindenholz, alt gefaßt; H. 56,5.
Inv. Nr. 1953.35. Campe-Stiftung.

Mit dem Abschluß seiner Arbeiten am Blau-
beurer Hochaltar und der Übernahme einer
Werkstatt in Augsburg (1494) begann Gregor
Erharts Aufstieg zum führenden Bildschnitzer in Oberschwaben. Deshalb ließen die
Heggbacher Zisterzienserinnen auch wohl
gerade ihn das stattlichste aller erhaltenen
spätgotischen Christkinder als Andachtsbild
für ihr Kloster schnitzen. Daß es, in kostbare
Kleider gehüllt, zu allen Zeiten hochverehrt
und gehütet wurde, erweist der außerge-
wöhnliche Erhaltungszustand. So blieb auch
der emailartige Schmelz der überaus feinen
Fassung erhalten, von der man annimmt, sie
sei in der Werkstatt Hans Holbeins des Älteren entstanden. Trotz aller liebevoll durch-
modellierten Details machen Motive wie der
gotische Körperschwung oder das unsichere
Stehen noch die mittelalterliche Grundhal-
tung des Künstlers deutlich. W.E.

134 Johannesschüssel-Relief. Niederrhein, um 1500. Eichenholz; 102,5 × 76. Inv. Nr. 1908.525. Geschenk von Herrn Martin Bromberg und Frau Laura, geb. Kann, zum Gedächtnis an Rudolph Kann, Paris.

Isolierte plastische Darstellungen des in einer Schüssel ruhenden abgeschlagenen Hauptes Johannes des Täufers sind seit dem 13. Jahrhundert nachweisbar. Vorbilder waren sicherlich die Kopfreliquie des Täufers wie auch ältere Malereien. Indem der Schüssel hier aber die Evangelistensymbole zugeordnet wurden, erhielt sie einen ganz außergewöhnlichen, sonst nur bestimmten christologischen Themen eigenen Rang. Zu ihrer einzigartigen Stellung tragen auch das große Format, die Qualität der Bildschnitzerei und nicht zuletzt die aus Bibelzitaten zusammengesetzte, ergreifende Inschrift auf dem Schüsselrand bei: »Siehe, auf welche Weise stirbt ein Gerechter, als wäre er nicht ein vom Herrn Geliebter, obgleich sein Tod kostbar ist vor dem Angesicht des Herrn«. W. E.

134

135

135 Betnuß mit Kreuzigung Christi und Gregorsmesse. Adam Dirksz, Flandern, um 1500. Buchsbaumholz; Dm. 4,1. Fassung Kupfer, vergoldet, 16. Jahrhundert. Inv. Nr. 1878.134. Vermächtnis von Herrn F. G. J. Forsmann, Hamburg.

Vom ausgehenden 15. Jahrhundert an waren solche aufklappbaren Kapseln, im Inneren mit minuziösen Reliefdarstellungen versehen, vor allem als Anhänger an Rosenkränzen beliebt. Besonders die Andachtsbilder mit ihren umlaufenden Texten – hier aus den Klageliedern Jeremiä – sind Kabinettstückchen der Miniaturschnitzerei, zumal jedes der beiden Bildwerke aus einem Stück gearbeitet wurde. Im vielfigurigen Kalvarienberg-Relief brilliert Dirksz mit seiner Fähigkeit, Pferde von vier Seiten darzustellen; mit Papst Gregors legendärer Messe von Bolzena gestaltete er ein erst im 15. Jahrhundert aufgekommenes Bildthema, durch das den Gläubigen die Gegenwart Christi beim Meßopfer vor Augen geführt wurde. W. E.

136 Der Hl. Sebastian. Norddeutschland oder Niederrhein, um 1500/10. Buchsbaumholz (?), farbig gefaßt; H. 9,8. Inv. Nr. 1978.41.

Der Legende nach ließ Kaiser Diokletian den Offizier seiner Leibwache mit Pfeilen erschießen, als er von dessen Hinwendung zum Christentum erfuhr. Der Baum, an den der

Märtyrer hier mit seinem Lendentuch gefesselt wurde, wächst aus einem hohen, nach norddeutschem Geschmack mit allerlei Getier besetzten Sockel. Schlange und Kröte ruhen zu seiten des Baumes, während ein Hund in eine Erdhöhle eindringt, aus deren anderer Öffnung ein fuchsartiges Tier zu entweichen sucht. Das Format und die schnitzerische Feinheit der Statuette wie auch die reiche Vergoldung an Haaren, Lendentuch, Stamm und Sockelteilen lassen an ein Modell für eine Goldschmiedewerkstatt denken; doch könnte die Figur auch zu einem Hausaltärchen gehört haben. W. E.

136

137

137 Der Osterteppich aus Kloster Lüne.
Niedersachsen, Kloster Lüne, 1504/05. Viel-
farbige Wollstickerei auf Leinen; 475 × 420.
Inv. Nr. 1949.73.

Das Wirken oder Sticken großer Bildteppiche
nahm in mittelalterlichen Frauenklöstern
breiten Raum ein. Allein zwischen 1492 und
1508 stickten Nonnen des Heideklosters Lüne zehn solcher Behänge im traditionellen,
flächenfüllenden Klosterstich für den Gebrauch in der eigenen Kirche. Unter ihnen
nimmt der für die Osterliturgie bestimmte
Teppich nach Komposition und Inhalt eine
Sonderstellung ein. In einer für das Spätmittelalter ungewöhnlichen, geometrischen
Komposition zeigt er die Ordnung des Jahres, in deren Mittelpunkt der auferstandene
Erlöser als Morgenstern eines ewig währen-
den Tages steht. Symbole der Verjüngung
und Wiedererweckung vom Tode, jubilieren-
de Engel und Tiere vervollständigen die mit
den Wappen der amtierenden Äbtissinnen
und Pröpste geschmückte Darstellung. W. E.

138 Der Pelikan und seine Jungen.
Norddeutschland (Kloster Lüne?), um 1500.
Wirkerei in Wolle; 54 × 56. Inv. Nr. 1952.142.

Nach alter Vorstellung riß sich der Vogel in
aufopfernder Liebe zu seinen Jungen die eigene Brust auf, um sie mit seinem leben-
spendenden Blute zu nähren. In der christlichen Kunst wurde er deshalb häufig als Symbol für den Opfertod Christi dargestellt – so
etwa auch auf dem Osterteppich aus Lüne
(Nr. 137). Hier wird die Gleichsetzung noch
dadurch verdeutlicht, daß Jesu Name abge-
kürzt über der kraftvoll stilisierten Pelikan-
gruppe steht. Mit zahlreichen gleichen Exemplaren zusammengenäht, von denen mehre-
re noch am Ort verwahrt werden, fand die
Wirkerei ehedem in dem Heidekloster Lüne
als Banklaken Verwendung. Daß die Bene-
diktinerinnen, die sonst vornehmlich für ihre
Weißstickereien und großen, gestickten Bildteppiche berühmt sind, die Wirkerei selbst
ausgeführt haben, kann nur vermutet werden. W. E.

139

139 Das Gebet Christi am Ölberg. Brüssel,
um 1505. Wirkerei in Wolle und Seide; 290 ×
210. Inv. Nr. 1960.107/St. 150. Kunst-Stiftung.

Der Teppich mit dem betenden Christus und
den schlafenden Jüngern gehört zu einer
Folge von Wandbehängen mit Passionssze-
nen, die für die spanische Adelsfamilie Uce-
da gewirkt wurde. Er entstand etwa gleichzeitig mit dem Osterteppich (Nr. 138). Indes
stickten die Lüner Klosterfrauen mit ihren
einfachen Mitteln ein einmaliges, nach Form
und Inhalt noch ganz mittelalterliches Stück
für den Eigenbedarf; der Ölbergteppich hin-
gegen ist die handwerklich perfekte Arbeit einer für einen internationalen Abnehmerkreis
tätigen Manufaktur, die vorhandene Entwürfe auf Bestellung auch mehrfach ausführte.
Mit seiner Tiefenraum schaffenden Bildge-
staltung, die den Einfluß des Ölberg-Holz-
schnittes aus Dürers Großer Passion verrät,
weist der Teppich über das Mittelalter hinaus. W. E.

138

140

140 Die Rosenkranzspende. Ivo und
Bernhard Strigel zugeschrieben (1430–1516
und 1460/61–1528), Memmingen, um 1500.
Pappelholzrelief auf bemalter Holztafel;
59,5 × 46,8. Inv. Nr. 1899.101.

Der Legende nach überreichte die Jungfrau
Maria dem Hl. Dominikus einen Rosenkranz.
Nachdem 1474 die erste Rosenkranz-Bruder-
schaft auf deutschem Boden gegründet worden war, entstanden rasch gleiche Gebetsge-
meinschaften in allen Teilen des Reiches.
Wie auf dem Relief, wo Papst und Kaiser die
geistlichen und weltlichen Stände anführen,
umfaßten sie bald Vertreter vieler Schichten
und Berufe. Daß die Tafel mit der Kranzspen-
de und den Evangelistensymbolen in
solchem Zusammenhang als Andachtsbild
diente, beweist die Anrufung Mariä auf dem
aufgeleimten Pergamentstreifen. Gleich einigen Flügelaltären, ist das Bildwerk wohl die
Gemeinschaftsarbeit des Schnitzers Ivo Strigel und seines als Maler bekannten Sohnes
oder Neffen Bernhard. W. E.

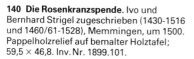

141 Muttergottes auf der Mondsichel.
Tilman Riemenschneider (um 1460-1531),
Würzburg, um 1503/05. Lindenholz mit
Spuren alter Fassung; H. 139.
Inv. Nr. 1950.55.

Wie kaum ein anderer Bildschnitzer hat Riemenschneider in fast vier Jahrzehnten das
Thema der stehenden, sich dem Gläubigen
frontal zuwendenden Muttergottes in immer
neuen Abwandlungen behandelt. Eines der
frühesten Marienbilder aus seinen reifen
Jahren ist dieses Bildwerk, das zuletzt in einer Feldkapelle bei St. Leon nahe Heidelberg
stand und vielleicht von Anfang an für eine
Kirche in diesem Bereich geschnitzt wurde.
In ihm verbindet sich die Frische der Erfindung mit jenem verhaltenen, lyrisch gestimmten Ausdruck, der auf die Ergriffenheit
moderner Betrachter nicht ohne Einfluß
blieb. Die in der Spätgotik beliebte Darstellung der auf einer Mondsichel stehenden
Gottesmutter geht auf die Schilderung des
Apokalyptischen Weibes in den Offenbarungen des Johannes (12,1 ff.) zurück.   W. E.

**142 Die Apostel Simon, Philippus und
Jakobus der Jüngere.** Hamburg (?), um
1515/25. Eichenholz, alt gefaßt; H. ca. 54.
Inv. Nr. 1886.206/7, 1887.92. Geschenke von
Herrn Martin Gensler, Hamburg.

Die drei Jünger Jesu gehören zu einem Apostelzyklus, der die Flügel des Kreuzaltars der
Lüneburger Johanniskirche schmückt. Offenbar schon im 18. Jahrhundert von ihren Plätzen entfernt, gelangten sie später aus dem
Besitz der Hamburger Maler Otto Speckter
und Martin Gensler in das Museum. Nicht so
leicht zu entscheiden ist, wo die Werkstatt, in
der die Bildwerke entstanden, ihren Sitz hatte. Motive wie das überdrehte Stehen, die
geschraubten Bewegungen oder die schweren Augenlider verbinden sie über allgemeinere Bezüge hinaus mit Arbeiten einer anonymen Hamburger Werkstatt, die dort für
St. Jacobi etwa das Retabel des Fischeramtes schuf. Doch gibt es, wie bei den engen
künstlerischen Kontakten unter den Hansestädten naheliegend, auch Beziehungen zu
Lübecker Altären.   W. E.

141

142

143 Hl. Jakobus der Jüngere. Benedikt-
Meister (tätig ca. 1510-1525), Hildesheim,
um 1520/25. Lindenholz, alt gefaßt; H. 136.
Inv. Nr. 1972.33. Campe-Stiftung.

Der aus dem Zusammenhang eines Altarschreins gerissene Jakobus trägt Reste seines Namens auf dem Mantelsaum und, als
Zeichen für den Lehrauftrag der Apostel, einen Buchbeutel. Sein persönliches Attribut,
die Walkerstange, hielt er offenbar mit dem
rechten Arm. Seit langem gilt die Figur als
Spätwerk eines unbekannten Meisters, der
mit seinen zahlreichen Arbeiten wesentlich
den Charakter der Hildesheimer Bildschnitzerei nach 1510 bestimmt hat. Auch sein Verhältnis zu Riemenschneider, der diesen Jakobus-Typ vorgeprägt hat, ist unklar. Die sehr
persönliche Menschenauffassung des Meisters zeigen aber der vergeistigte, fast seherische Kopf mit dem wie zum Reden geöffneten Mund und den flockigen Haaren wie auch
die überlängte, in der Bewegung erstarrte
Gestalt des Heiligen.   W. E.

144

144 Vorderplatte eines Blasebalgs. Meister des Utrechter steinernen Frauenkopfes (tätig Ende 15. Jahrhundert bis ca. 1530), Utrecht, um 1520. Eichenholz mit Spuren alter Fassung; H. 29, Br. 20,1. Inv. Nr. 1883.81.

Mit den Wappen der Besitzer geschmückte Blasebälge, aus bemaltem Holz, aber auch aus Metall, dienten an den Kaminen vornehmer Haushaltungen gleichermaßen als technische Geräte wie als Zierstücke. Erhalten hat sich davon aus mittelalterlicher Zeit wenig – hier nur die mit einem Marienrelief geschmückte vordere der beiden Preßplatten, zwischen denen früher der lederne Balg befestigt war. Charakteristische Details wie die viel zu weite Krone, das eiförmig gerundete, dralle Gesicht Mariens über schlankem Hals oder die zwischen schweren Lidern und Falten tief eingeschnittenen ›Papageienaugen‹ verbinden das Relief mit einer ganzen Reihe von Arbeiten des anonymen Utrechter Meisters.   W. E.

143

145

145 Mörser. Hamburg, 1522. Bronze; H. 32,3, Dm. 31. Inv. Nr. 1876.263. Geschenk von M. P. und A. C. Schümann, Hamburg.

Bronze-Mörser von solcher Größe waren zu allen Zeiten allein schon wegen ihres hohen Materialwertes Kostbarkeiten. Das erklärt den anspruchsvollen Dekor, mit dem der Besteller, Jochim Nygel, die steile Wandung seines zweigriffigen Mörsers schmücken ließ: einer lateinischen Inschrift, die ihn als Rathmann in Hamburg bezeichnet und das Entstehungsjahr festhält, sowie seinem Familienwappen und einer Apostel-Darstellung in Hochrelief. Da aber im späten Mittelalter außer dem hl. Matthias auch Matthäus gelegentlich mit einer zum Beil verkümmerten Hellebarde abgebildet wurde, ist unsicher, welchen der beiden Apostel Nygels Mörser zeigt. Erhalten hat sich auch der zugehörige eiserne Stößel.   W. E.

146 Maria mit dem Kind. Agostino di Duccio
(1418 bis nach 1481) zugeschrieben, Florenz,
um 1465/70. Marmor mit Resten von Bemalung; H. 78, Br. 67. Inv. Nr. 1965.90/St. 212.
Kunst-Stiftung.

Das Rundrelief (›Tondo‹) befand sich früher
wohl im Zusammenhang eines großen
Wandgrabmals; der gesenkte Blick der Muttergottes mag auf das darunter liegende Abbild eines Verstorbenen gerichtet gewesen
sein. Agostino di Duccio, dem der Tondo zugeschrieben wird, hat in seinen Skulpturen-
zyklen von Rimini und Perugia einen sehr eigentümlichen, flächig und ornamental bestimmten Stil entwickelt, der bei diesem, vermutlich in Florenz entstandenen, Werk etwas
gemildert erscheint. Von stilisierter, fast
überzüchteter Anmut im damenhaften Zu-
schnitt des Gesichts, bewahrt die Muttergottes doch eine ernste und feierliche Würde,
die der ursprünglichen Situation des Grab-
monuments angemessen ist. J. R.

146

148 Vase. Faenza (?), um 1480. Majolika;
H. 35,1. Inv. Nr. 1878.577.

Die birnförmige Gestalt der großen Vase
scheint auf das Vorbild persischer oder chinesischer Keramiken zurückzugehen. Ungewöhnlich wie die Form ist auch die Bemalung des Gefäßes in klaren und kühlen
Scharffeuerfarben, die fast bis zur Überfül-
lung getrieben wurde: eine wahre Muster-
karte von Ornamentmotiven des späten
15. Jahrhunderts, des ›stile floreale gotico‹,
so genannt nach den abstrahierten Blättern,
wie sie auch hier, in breitem, mächtigem Zug
auf- und abrollend, vorkommen. Bezeich-
nend sind außerdem die als Schmuck sehr
beliebten ›San Bernardino-Strahlen‹ am Hals
und oberhalb des Fußes. Diese von einer
Schlangenlinie durchzogenen Flammen-
strahlen umgaben das Christus-Mono-
gramm IHS auf der gemalten Tafel, die der
heilige Bußprediger Bernardin von Siena
(1380-1440) nach jeder Predigt zum Zeichen
der Versöhnung herumreichen und von allen
küssen ließ. J. R.

148

149 Entwurf für eine Ziervase. Oberitalien,
um 1500. Kupferstich; Plattengröße
40,6 × 28,1.

Die Ziervase auf diesem sehr seltenen Orna-
mentstich eines unbekannten italienischen
Kupferstechers der Zeit um 1500 dürfte kaum
im Hinblick auf eine getreue Ausführung in
Metall, Keramik oder gar Marmor entworfen
sein; sie mag wohl nur einer an römischer
Kunst begeisterten Phantasie als non plus ul-
tra ›antikischer‹ Pracht erschienen sein. Die
einzelnen Elemente des wohlausgewogenen
und schwungvoll konturierten Gebildes –
Masken, Akanthusblätter, Trophäen, Fabelwesen, Tierköpfe, Delphine etc. – konnten
dann allerdings vielfach verwertet werden.
Besonders die Goldschmiede im nördlichen
Europa, aber auch Maler wie Altdorfer, die
Entwürfe für Goldschmiede lieferten, zogen
für ihr eigenes Formenrepertoire willkomme-
nen Nutzen aus derartigen ornamentalen
Vorlage-Blättern. J. R.

149

147

147 Maria mit dem Kind. Andrea della
Robbia (1435-1525), Florenz, um 1470/80.
Glasierte Terracotta; H. 70, Br. 50.
Inv. Nr. 1894.50.

Die mit einer weißen Zinnglasur überzogenen Terracotta-Bildwerke vor blau glasier-
tem Grund hatte bereits Luca della Robbia
populär gemacht, bevor sein Neffe Andrea
für noch weitere Verbreitung sorgte. Das
Halbfigurenbild der Muttergottes mit dem
Jesusknaben stand im Mittelpunkt von beider Tätigkeit: von liebenswürdiger Natürlichkeit – damit volkstümlich begreifbar – in der
Ausdeutung des Verhältnisses von Mutter
und Kind. Bei dem jüngeren Robbia ist allerdings, entsprechend der allgemeinen Entwicklung der Florentiner Kunst im Quattro-
cento, eine Neigung zu gesteigerter Eleganz
wahrzunehmen; seine Bildwerke sind weniger schlicht, ›aristokratischer‹, als die des Luca. Das gilt auch von unserer ›Madonna mit
dem Kissen‹ aus einer Kirche bei Pesaro. J. R.

150

150 Schüssel. Toskana, um 1490/1500.
Majolika; Dm. 39,5. Inv. Nr. 1882.205.

Die Schüssel ist ein – rechts ergänztes –
Fragment: Ursprünglich rahmte noch eine
breite Fahne das gemuldete Rundbild. Sie
war also früher von enormer Größe; vielleicht war sie in eine Wand eingelassen, als
keramischer Ersatz für ein reliefiertes Medaillon antikisch-heroischen Charakters. Nach einem antiken Vorbild sind jedenfalls die Bü-
sten eines idealisierten herrscherlichen Paares gestaltet. Ein Büstenpaar ›all'antica‹ in
dieser Größe gibt es zumindest bei den Faentiner Majoliken des späten 15. Jahrhunderts
nicht; der Anspruch, der hier gestellt ist,
weist auf die Toskana. Möglicherweise ist
das Stück eine der ältesten Majoliken aus
dem Ort Caffaggiolo, wo im Anfang des
16. Jahrhunderts luxuriöse Majoliken für die
Medici hergestellt wurden.   J. R.

151 Teller (piattino). Italien, Faenza, um
1510. Majolika; Dm. 24,6. Inv. Nr. 1975.44.
Campe-Stiftung.

Die Darstellung des kleinen Knaben, der versucht, eine mit den Flügeln schlagende Gans
an sich zu halten, zitiert vielleicht die von
dem römischen Schriftsteller Plinius erwähn-
te hellenistische Skulptur des ›Knaben mit
der Gans‹. Das in weichen, pastellartigen
Farbtönen gemalte Bild des ›Spiegels‹ ist in
die leuchtenden Farbfelder der ›Fahne‹ mit
ihren Grottesken wie eine Preziose eingesetzt. Der Teller kann unbedenklich zu den
schönsten Erzeugnissen der Faentiner Majo-
likakunst auf der Höhe ihres technischen und
künstlerischen Vermögens gerechnet werden. Kaum zehn weitere Arbeiten des Malers
– man nennt ihn, wohl irrtümlich, den Meister C. I. – sind bekannt.   J. R.

151

152

153

152 Zwei Fliesen. Siena, 1509. Majolika; H. 19,2, Br. 19,2. Inv. Nr. 1876.78 und 79.

Der besondere Reiz der Sieneser Majoliken liegt in der tiefen und satten Farbigkeit mit den sonst kaum vorkommenden schwarzen und rotbraunen Tönen; hinzu kommt, daß nirgendwo die ›Grotteske‹ mit vergleichbarer Phantasie und Grazie behandelt wurde. Wohl das größte – und am großartigsten ausgeführte – Unternehmen für die Sieneser Majolikamaler im Beginn des 16. Jahrhunderts war der Fliesenfußboden für den Palazzo Petrucci (Palazzo del Magnifico), Sitz des damaligen Tyrannen der Stadt, Pandolfo Petrucci. Etwa 400 einzelne Fliesen in verschiedenen Größen und Formen, verteilt auf viele Museen, haben sich erhalten. »Unter allen italienischen Majoliken unerreicht« ist das Muster der schwarzgrundigen quadratischen Fliesen aus der Borte: gegenständige Sphingen im Mittelpunkt einer kapriziös arrangierten Szenerie ›grottesker‹ Elemente.   J. R.

153 Prunkschüssel. Nicolò da Urbino (tätig von ca. 1515 bis ca. 1535), Castel Durante, um 1519. Majolika; Dm. 51,5. Inv. Nr. 1906.420. Geschenk von Alfred Beit, London.

Das Hauptstück der Majolika-Sammlung ist die in leuchtenden Farben erstrahlende große Schüssel aus dem Prunkservice, das die Markgräfin von Mantua, Isabella d'Este, wahrscheinlich im Jahre 1519 bei Nicolò da Urbino bestellt hatte. Wenig mehr als zwanzig Stücke – heute über die Museen der ganzen Welt verstreut – sind davon noch erhalten. Das Bild der »Mannahlese« folgt einer Erfindung von Raphael; im Spiegel ist Platz ausgespart für das große Allianzwappen der Gonzaga und Este, umrahmt von einer breiten Zone mit zarter, weißer Palmettenmalerei auf grauweißem Grund (›bianco sopra bianco‹). Wie auf allen Schalen und Tellern des Service hatte der Künstler – wohl der bedeutendste Majolikamaler der italienischen Renaissance – auch hier die rätselhaft verschlüsselten, persönlichen Embleme und Devisen der Fürstin einzusetzen.   J. R.

154

154 Schüssel. Venedig, um 1526. Majolika; Dm. ca. 47,5. Inv. Nr. 1889.323.

In Venedig fand man zunächst wenig Geschmack an den bunten Majoliken, wie sie andernorts üblich waren, sondern bevorzugte einen Dekor ›alla porcellana‹, der chinesischen Ming-Porzellanen und türkischen Isnik-Fayencen nachempfunden war. Besonders scheinen aber die süddeutschen Kaufleute, die in Venedig im Fondaco dei Tedeschi ihr Kontor hatten, diese noblen und exquisiten Geschirre geschätzt zu haben: Fast alle Stücke dieser Art tragen die Wappen von Nürnberger und Augsburger Patrizier-Familien. Die große, von einer hell türkisblauen Glasur überzogene Schüssel mit orientalisierenden Ranken und Lotosblüten wurde wahrscheinlich aus Anlaß der Hochzeit des Augsburger Patriziers Hans Hörlin mit Sabina von Stetten (1526) in Auftrag gegeben. J. R.

155 Schüssel. Deruta, um 1530/40. Majolika; Dm. 42,4. Inv. Nr. 1899.295.

Große Schüsseln mit Mädchenbildnissen sind in der umbrischen Stadt Deruta in kaum zu überblickender Menge hergestellt worden; kaum ein Exemplar hat aber den frischen und naiven Reiz dieser – zu Recht berühmten – Majolika. Der hochmoralische lateinische Spruch, der dem anmutigen und keineswegs zugeknöpften Mädchen beigegeben ist, lautet übersetzt: »Nicht gut ist's, für noch so viel Geld die Freiheit zu verkaufen« – eine Sentenz, die einem Lehrgedicht nach einer Fabel von Äsop entnommen wurde. Charakteristisch für die stets sehr schweren und robusten Schüsseln aus Deruta ist die Unterteilung der Fahne in sechs ›quartieri‹, hier im Wechsel von Schuppenfeldern und schwungvoll bewegten Blütenranken. J. R.

155

156

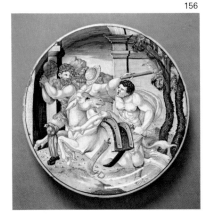

156 Schale. Francesco Xanto Avelli (um 1500 bis nach 1542), Urbino, 1533. Majolika; Dm. 26,5. Inv. Nr. 1907.138. Vermächtnis von Alfred Beit, London.

Unter den zahllosen Majoliken von Xanto nimmt diese bedeutende Schale eine Sonderstellung ein. Die Figuren ihrer Darstellung sind nicht verschiedenen graphischen Vorlagen entnommen und neu arrangiert, sondern sie mußten vom Maler erfunden werden, wohl weil für die derbe und burleske Totschlageszene keine Bildformeln zur Hand waren. Das Bild gehört auch nicht zu den von Xanto unerschöpflich ausgebeuteten Themenkreisen von Mythologie, Historie oder Allegorie, sondern illustriert eine Fabel des Äsop: Der mit seinem Schicksal ewig unzufriedene Esel, den Jupiter einen Herrn nach dem anderen hatte ausprobieren lassen, wird von dem letzten, einem Gerber, erschlagen, seine Haut zu Schuhen verarbeitet. J. R.

157 Augenamulett. Mailand, um 1530.
Achat, in Gold gefaßt; Dm. 5. Inv. Nr. 1958.26.

Den Amuletten in Form eines menschlichen
Auges wurde (und wird zum Teil auch heute
noch) ›apotropäische‹, also abwehrende Wirkung zugeschrieben, insbesondere gegen
den ›Bösen Blick‹. Sind die Amulette dieser
Funktion in der Mehrzahl volkstümlich-an-
spruchslos, so fällt unser Stück durch die
Kostbarkeit der Materialien und die Feinheit
der Verarbeitung auf. Offenbar diente es einem hochgestellten Träger nicht nur zur Ab-
wehr schädlicher Einflüsse, sondern auch als
schmückende Preziose. Goldschmiedearbeiten mit ähnlich angeordnetem Blütenfiligran
gingen aus Mailänder Werkstätten hervor; in
den meisten Fällen waren derartig verzierte
Medaillons als Hutagraffen bestimmt. J. R.

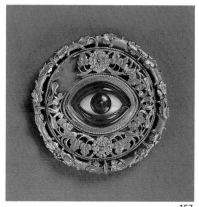

157

158 Grottesken-Teppich ›Minerva‹. Brüssel,
2. Viertel 16. Jahrhundert. Wirkerei, Wolle
und Seide; H. 349, Br. 534. Inv. Nr. 1959.274/
St. 145. Kunst-Stiftung.

Das Dekorations-System der ›Grotteske‹, so
genannt nach den antiken Wandmalereien,
die man in den ›Grotten‹ von Rom fand, wurde im 16. Jahrhundert in ganz Europa aufgegriffen: Exerzierplatz einer bizarren Phantasie, die sich an der unbegrenzt kombinierba-
ren Menge der Bildelemente menschlicher,
tierischer, pflanzlicher und künstlicher Form
entzündete. Der große Prunkteppich, nach
Entwürfen eines italienischen Malers (Amico
Aspertini?) in Brüssel gewirkt, gehört zu einer mehrmals ausgeführten Folge, deren
Entwürfe wohl von dem genuesischen Admi-
ral Andrea Doria (1468-1560) in Auftrag gegeben worden waren. Götter- oder Helden-
figuren – bei unserem Behang Minerva – stehen im Mittelpunkt eines gänzlich unwirklichen, scheinbar schwerelosen Arrange-
ments grotesker ›Lebewesen‹ und Gerätschaften. J. R.

158

159

159 Dalmatik. Spanien, Escorial, um 1580
bis 1600. Samt mit Lasur-, Gold- und Silberstickerei; 121,5 × 97. Inv. Nr. 1961.19/St. 163.
Kunst-Stiftung.

Die Dalmatik gehört als Obergewand des
Diakons zu den liturgischen Gewändern und
wurde vormals auch vom Bischof zum Ponti-
fikalamt unter der Kasel getragen. Sie hat
sich aus der römischen Kleidung entwickelt
und zeigt hier die um 1500 zumeist übliche
Form; nur die Ärmelteile fehlen. Die reiche
Gold- und Silberstickerei ergibt ein Spitz-
ovalmuster nach Vorbild italienischer und
spanischer Gewebe. Besatzstreifen (aurifri-
sia) setzen vertikale Akzente und rahmen
Halsausschnitt und Zierstücke, die sogenannten Paruren, mit der ›Geburt Christi‹ und
der ›Anbetung der Könige‹. Beeinflußt von
oberitalienischen Vorlagen sind sie, wie auch
die Borten, in Lasurstickerei ausgeführt. Diese Technik, die vor allem in figürlichen Darstellungen angewandt wurde, erlebte seit
den achtziger Jahren in der von Philipp II.
1567 gegründeten Werkstatt auf dem Escorial ihre große Blüte.   M. P.

160 Kanne. Venedig, 2. Hälfte 16. Jahrhundert. Glas; H. 25,1. Inv. Nr. 1893.436. Geschenk von Frau Gerda Warburg, Hamburg.

Die überaus zierliche Kanne aus Fadenglas, nach Vorbildern der Antike mit einer Kleeblattmündung und einem schlangenförmigen Griff versehen, ist technisch und formal gleichermaßen perfekt – und dabei doch nur eines von den unzähligen Produkten der hochentwickelten Venezianer Glaskunst im 16. Jahrhundert. Die Herstellung von Fadenglas war kompliziert: Dünn ausgezogene Milchglasfäden (die die weiße Farbe durch Zinnoxyd erhielten) wurden auf der Innenseite einer Form ausgelegt, in die eine Blase aus farblosem Glas geblasen wurde. Wandung und Fäden verschmolzen, und das Gefäß konnte nun seine endgültige Gestalt erhalten. Auf diese Weise wurden die aufschwellenden oder kontrahierenden ›Bewegungen‹ des Gefäßkörpers von dem Fadenmuster mitvollzogen.   J. R.

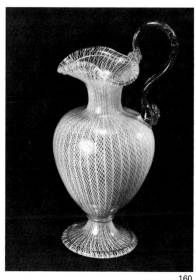

160

161

161 Bildnisbüste Papst Pauls III. Farnese. Guglielmo della Porta (um 1515-1577), Rom, um 1544/45. Bronze; H. 30,8. Inv. Nr. 1957.50/St. 74. Kunst-Stiftung.

Die nur äußerlich kleine Bronzebüste muß als Ausguß eines Wachsmodells gelten, das Guglielmo della Porta als vorbereitende Studie für eine große Marmorbüste des Papstes von 1546/47 (Neapel, Museo Nazionale) hergestellt hatte. Das Individuelle des klugen und verschlagenen Greises – Tizian hat ihn in einem Bildnis, das Guglielmo gekannt haben wird, sehr ähnlich charakterisiert – erscheint ganz in den politischen Anspruch und die geistliche Verantwortung des Pontifex Maximus eingebunden. Mit den allegorischen Darstellungen auf dem Pluviale, die Gerechtigkeit, Sieg, Frieden und die Fülle der irdischen Güter als Errungenschaften des Papstes zitieren, wird die Büste mehr als ein bloßes Portrait: bildhafte ›summa‹ eines Pontifikats und rühmendes Denkmal.   J. R.

162

162 Tanzender Satyr. Italien, 3. Viertel 16. Jahrhundert. Bronze; H. 9,5. Inv. Nr. 1956.133/St. 16. Kunst-Stiftung.

Die nackte menschliche Figur in einem Zustand, der sich der Schwerelosigkeit nähert, war das Ideal der Manieristen. Meist verband es sich mit dem Bestreben, die Gestalt in vielen, einander gleichwertigen Ansichten zu bilden, so daß sie sich dem Beschauer erst im Umschreiten oder – bei einer kleinen Statuette – langsam um ihre Achse gedreht erschließt. Die zierliche Figur eines im Tanz ›außer sich seienden‹ Satyrs, von einem unbekannten italienischen »Meister der gesuchten Bewegung«, gibt dieses Verlangen mustergültig zu erkennen. Äußerst fein ziseliert, bildet sie die durchwegs angespannte Muskulatur des hageren Körpers in einer Weise ab, die an anatomische Lehrmodelle, sog. ›Muskelmänner‹, erinnert.   J. R.

163

163 Tischglocke. Florenz, um 1570/80. Bronze, vergoldet; H. 17. Inv. Nr. 1878.195. Geschenk von Emil Genzsch.

Die hochentwickelte Bronzekunst der Florentiner zur Zeit des Giambologna bewährte sich auch an einem so kleinen Gerät wie der Tischglocke mit dem als Griff dienenden, tambourinschlagenden Putto. Zwei der ›amorini‹, die auf der Wandung der Glocke einen Reigen bilden, halten die großherzogliche Krone über das Wappen der Medici: Das Stück war also vermutlich für die Hofhaltung des ersten Großherzogs von Toskana, Cosimo I. (seit 1569), bestimmt. Der anonyme Meister hat in der Statuette des Putto zwar das manieristische Kunstprinzip der ›figura serpentinata‹ aufgegriffen, es aber auch ganz zwanglos dem Ausdruck kindlicher-heiterer Lebendigkeit dienstbar gemacht. J.R.

164a, b Die hll. Johannes d.T. und Hieronymus. Tiziano Aspetti (um 1565-1607) zugeschrieben, Venedig, um 1590/1600. Bronze; H. 45 und 43,5. Inv. Nr. 1956. 117a und b.

Von den beiden asketischen Wüstenheiligen wurden im späten 16. Jahrhundert womöglich noch mehr Bildwerke geschaffen als früher. Die hageren, ausgezehrten Gestalten in jenen überlängten Proportionen, wie sie der Manierismus bevorzugte, waren hier schon

164a

164b

vom Thema gegeben. Das Tänzelnde, unfest
Schwankende der Bewegung wirkt genauso
›naturfern‹ und künstlich wie die metallisch-
dünnfältigen, gleichsam scheppernden Ge-
wandstücke. Daß die Oberfläche der beiden
Statuetten nicht geglättet und ziseliert, sondern skizzenhaft rauh belassen wurde, ließ in
den Augen der Zeitgenossen die ›invenzione‹
nur um so frischer und unmittelbarer auf-
scheinen. Von den Künstlern, die als Urheber
der Figuren genannt wurden, kommt wohl
der gebürtige Paduaner Tiziano Aspetti am
ehesten in Frage.   J.R.

165

165 Kabinettschrank (Ausschnitt). Neapel,
gegen 1600, wahrscheinlich aus der Werkstatt des Giacomo Fiammingo, die Elfenbein-
gravierungen von Giovanni Battista de Curtis
und Januarius Picicaro. Palisander-, Eben-
und Macassaholz, Elfenbein; H. 109,6,
Br. 101,1, T. 60,9. Inv. Nr. 1977.20/St. 330.
Kunst-Stiftung und Sonderzuwendungen von
Herrn Kurt A. Körber und Herrn Axel Springer.

Der Kabinettschrank ist im geschlossenen
Zustand relativ streng und zurückhaltend,
um nach Öffnung der Türen einen geradezu
verwirrenden Reichtum der Struktur und der
Verzierung zu entfalten. Öffnet man dann die
im Inneren sichtbaren Türen, so tut sich ein
schier unendlicher Mikrokosmos von immer
weiteren, immer kleineren Fächern und Gelassen auf. Gleichermaßen komplex ist die
thematische Verflechtung der Darstellungen
auf den gravierten Elfenbeintafeln im Äußeren und Inneren. Aus der Kombination der
antiken Weltreiche, der römischen Imperato-
ren, der Szenen aus dem Leben des Stadt-
gründers Romulus und der Arbeiten des Herkules kann geschlossen werden, daß das
Möbel im Auftrag eines Herrschers von uni-
versalem Anspruch – wahrscheinlich Phi-
lipps II. von Spanien, der auch König von
Neapel war – hergestellt wurde.   J.R.

166

166 Orpheus und Eurydike. Peter Vischer d. J.
(1487-1528), Nürnberg, gegen 1520. Bronze;
H. 16,2, Br. 11,3. Inv. Nr. 1877.265.

Diese berühmte Plakette ist die letzte und
reifste Fassung des Orpheus und Eurydike-
Themas, das den jüngeren Peter Vischer
nachhaltig beschäftigt hat. Unter Verzicht auf
Nebenszenen ist allein der ›fruchtbare‹ Moment der Geschichte herausgebildet – Orpheus wendet sich auf dem Weg aus der Unterwelt heraus gegen das Geheiß der Götter
zu Eurydike um und verliert sie ein zweites
Mal, nun unwiderruflich. Die sensible Modellierung der beiden Körper vor dem glatten
Grund ist ohne die Kenntnis der zeitgenössischen italienischen Plastik ebensowenig
denkbar wie die Komposition ohne Dürers
Kupferstich von ›Adam und Eva‹ (1504); und
wenn der Humanismus in dem fehlerhaft
übertragenen lateinischen Epigramm voll-
ends geborgt ist, so hat doch kein anderer
deutscher Künstler dieser Zeit dermaßen
selbstverständlich ›antikisch‹ formulieren
können.   J.R.

167

169 Kaiser Karl V., Kaiserin Isabella, König Ferdinand I., Königin Anna. Hans Kels
d. J. (um 1510-1565/66), Kaufbeuren, 1537. Buchsbaumholz; Dm. 8. Inv. Nr. 1891.280.

Die kaiserlich-königlichen Brüder aus dem Hause Habsburg mit ihren Frauen sitzen einander gegenüber – steif und feierlich wie wohlhabende Bürger im Sonntagsstaat. Das von Greifen gehaltene Wappen mit dem Habsburger Doppeladler und dem Orden des Goldenen Vlieses flankieren die Säulen des Herkules in Gades (Cadiz); sie verkünden Macht und Würde des Königs von Spanien, in diesem Fall des Kaisers Karl, in dessen Reich »die Sonne nicht unterging«. Das Medaillon, eines der prächtigsten der deutschen Renaissance, entstand im gleichen Jahr wie das berühmte Spielbrett König Ferdinands I. in Wien, das Hauptwerk des Kleinmeisters Hans Kels d. J. Auftraggeber scheint in beiden Fällen der Kaufbeurener Großkaufmann, Humanist und treue Anhänger der Habsburger, Georg Hörmann, gewesen zu sein.   J. R.

167 Gliedermann. Meister I. P., Salzburg oder Passau (?), um 1520/30. Buchsbaumholz; H. 24. Inv. Nr. 1960.58.

Das subtil geschnittene ›mannequin‹ (so der früher gebräuchliche Name) ist vermittels der Katzendarmsehnen im Inneren in allen Gelenken, bis hinein in die Zehen und die einzelnen Fingerglieder, beweglich. Der mit Akribie wiedergegebene hagere Körper und der Kopf mit den scharfblickenden Augen und dem Ausdruck kühler Beherrschtheit geben die individuellen Stilmerkmale des wohl in Salzburg oder Passau, vielleicht auch in Prag, tätigen Meisters I. P. zu erkennen. Mit dem im Leipziger Museum befindlichen weiblichen Gegenstück zusammen dürfte die Statuette als Kabinettstücke und galantes Spielzeug bestimmt gewesen sein; als Werkstatt-Utensil eignete sie sich, ihrer Zerbrechlichkeit wegen, wohl kaum.   J. R.

168 Ate und die Litai. Peter Flötner (um 1485-1546), Nürnberg, um 1535/40. Blei; Dm. ca. 15,6. Inv. Nr. 1951.59.

In dem umfangreichen Plakettenwerk des Kleinmeisters Flötner nimmt diese Plakette den ersten Rang ein – ein Paradestück an miniaturhafter Feinheit in der Wiedergabe des Gegenständlichen. Die Szenerie mit Fluß, Wassermühle, Stadt, Burgen, tempelartigem Gebäude, Wäldern und fernem Gebirge ist eine bizarr romantische ›Weltlandschaft‹ im Sinne der Donauschule. Dargestellt ist eine auf die Antike zurückgehende Allegorie: Der Göttervater Zeus in den Wolken verjagt die geflügelte Ate (Verblendung), während unten auf der Erde die Litai (Abbitten) zu all dem Unglück, das die Verblendung bereits angerichtet hat, nur noch zu spät kommen können. Vielleicht enthält diese recht ausgefallene und selten herangezogene Allegorie eine autobiographische Anspielung.   J. R.

169

168

170

171

170 Bildnis des Werner Rolefinck. Meister M. V. A. (nachweisbar um 1540/50), Hamburg, 1548. Buchsbaumholz; Dm. 6,3. Inv. Nr. 1874.22.

Werner Rolefinck (um 1509-1563) war ein humanistisch gebildeter Kaufmann und Buchhändler in Hamburg und nahm als Freund des Hamburger Reformators und ersten Superintendenten Johannes Aepin energischen Anteil an den religiösen Umwälzungen seiner Zeit. Das Medaillon gibt die Erscheinung des 39jährigen Mannes mit einer präzisen Sachlichkeit wieder, die dem Stofflichen ebenso gilt wie der kraftvollen Physiognomie. Ausgehend von diesem Buchsbaum-Medaillon, das die Signatur trägt, wurden die Werke des Monogrammisten zusammengestellt: fast ausnahmslos ›Schaumünzen‹ mit Portraits. Der Meister, einer der bedeutendsten ›Kontrafetter‹ des 16. Jahrhunderts, konnte bisher nicht identifiziert werden.
    J. R.

171 Modell für das Zifferblatt einer Planetenuhr. Vitus Kels (gest. 1594/95), Augsburg, 1547. Buchsbaumholz; Dm. 6,3. Inv. Nr. 1975.84.

Zwischen sieben kandelaberartigen Säulchen erscheinen die sieben Planetengötter Luna, Mars, Merkur, Jupiter, Venus, Saturn und Sol mit den ihnen zugeordneten Tierkreiszeichen; die Gottheiten sind in der Reihenfolge der Wochentage aufgeführt, die sie in der Meinung der Astrologie ›regieren‹. Als Vorlagen für die Götterfiguren dienten zeitgenössische graphische Vorlagen von Nürnberger und Augsburger Malern. Die Schnitzereien auf der dünnen Buchsbaumscheibe, die mehrfach als Goldschmiedemodell verwendet wurde, dürften an kleinmeisterlich virtuoser Feinheit selbst im 16. Jahrhundert wenig ihresgleichen finden. Dabei sind die abwechslungsreich inszenierten Figuren auch noch in den winzigsten Details mit verblüffender Sicherheit gestaltet.   J. R.

172 Wandschrank. Buxtehude, 1544.
Eichenholz; H. 236, Br. 211. Inv. Nr. 1891.29.

Bei dem 1544 datierten Aktenschrank aus dem Buxtehuder Rathaus blieb die mittelalterliche Grundform der Schenkschieve (-scheibe), mit der waagerecht herausfallenden Mittelklappe, zwar gewahrt, erhielt aber den neuen ›welschen‹ Zierat der Renaissance aufgelegt: Büsten-Medaillons und symmetrisch geordnete Blattranken nach Vorbildern des westfälischen Kupferstechers H. Aldegrever. Auch das irrationale Gefüge der verschiedenen Felder und Geschosse wurde durch die ›klassischen‹ Rahmenprofile in architektonischem Sinne geordnet. In Buxtehude diente der Schrank, eines der ersten norddeutschen Renaissancemöbel, zur Aufbewahrung von Geld und Urkunden milder Stiftungen; die zum Teil mit Doppelschlössern versehenen Türen konnten nur von den zwei ehrenamtlichen Verwaltern gemeinsam geöffnet werden.   J. R.

173

172

173 Truhe. (Ausschnitt). Dithmarschen, um 1560/70. Eichenholz; H. 109, Br. 201. Inv. Nr. 1889.551. Vermächtnis Eduard Hallier.

Während der berühmte ›Bunte Pesel‹, das holzvertäfelte Prunkzimmer des Landvogtes Marcus Swyn, aus Lehe in Dithmarschen im 2. Weltkrieg verlorenging, hat sich die mächtige Truhe aus Swyns Haus, wenn auch zu Teilen im 18. Jahrhundert ergänzt, erhalten. Die Vorderwand ist durch vier Füllungsfelder gegliedert; ihre Schnitzereien zeigen die Geschichte vom Verlorenen Sohn nach graphischen Vorlagen des Niederländers Maerten von Heemskerck. Verglichen mit anderen norddeutschen Truhen der gleichen Zeit, wirkt die des Marcus Swyn bei allem Reichtum fast zurückhaltend. Die Dekoration könnte zu dieser Zeit in Antwerpen schon ›moderner‹ sein; nur an der altertümlichen Schnitzerei in massivem Eichenholz hielt man in Norddeutschland immer noch fest, als im Süden längst Furnier- und Intarsientechnik im Schwange waren.   J. R.

174 Truhe. Lüneburg, 1545. Eichenholz, teilweise bemalt; H. 102, Br. 220. Inv. Nr. 1898.209. Vermächtnis C. G. Sohst.

Die spezifisch norddeutsche Neigung zu behäbiger Schwere zeigt sich am deutlichsten an den Truhen. Prächtig geschnitzte Eichenholz-Truhen wurden zur Hochzeiten hergestellt und dienten im Haushalt des Paares fortan als wichtigstes Möbelstück. Dem Anlaß entsprechend wählte man für die reliefierte Vorderseite gern Liebes- und Ehegeschichten aus dem Alten Testament. Bei dieser zur Hochzeit des Lüneburger Bürgermeisters und Sülfmeisters Georg von Töbing mit Anna Semmelbecker angefertigten Truhe ist es die in reizvoller Naivität ausgemalte Tobias-Geschichte, vorgetragen natürlich im zeitgenössischen Gewand. Wie bei den Lüneburger Truhen dieser Zeit üblich, sondern kräftige Renaissance-Arkaden mit ›antikischen‹ Bildnismedaillons in den Zwickeln die einzelnen Szenen voneinander ab.   J. R.

175

175 Bacchus. Johann Gregor von der Schardt (um 1530- um 1581), Süddeutschland (?), nach 1569. Bronze; H. 47,7. Inv. Nr. 1963.38/St. 183. Kunst-Stiftung.

J. G. von der Schardt, aus Nymwegen in Holland gebürtig, war wie viele seiner Landsleute im 16. Jahrhundert in verschiedenen europäischen Ländern tätig: Nach einem längeren Aufenthalt in Italien arbeitete er später vor allem in Wien, Nürnberg und Kopenhagen. Italienische Erfahrungen hat er in dieser Statuette des Weingottes Bacchus verwertet, mit der er den thematisch entsprechenden Werken von Michelangelo, Sansovino und Giambologna eine weitere, recht eigenständige Figuration anfügte. Offenbar beeindruckt von der kompliziert erdachten Dynamik manieristischer Bildwerke, setzte er doch der etwas unwirklichen Eleganz der Florentiner Manieristen den nüchtern beobachtenden Realismus des Niederländers entgegen.   J. R.

174

176

177

176 Schüssel. Schlesien (Neiße?), um
1550/70. Hafnerkeramik; Dm. 52,3.
Inv. Nr. 1890.193.

Die seltenen Schüsseln, bei denen die Ritzlinien der Zeichnung die einzelnen Farbfelder
scharf voneinander trennen, wurden wahrscheinlich in Neiße hergestellt. Eigenwillig
ist die Farbigkeit der durch Beifügung von
Zinnoxyden undurchsichtigen Glasuren: in
diesem Fall zweierlei Blau, Apfelgrün, Türkis,
Ockergelb, Manganviolett, Braun und vor allem Weiß. Die Darstellung der großen
Schüssel ist einem älteren Holzschnitt entlehnt: Das auf einen (aus dem Bild herausschielenden!) Totenschädel gelehnte schlafende Kind ist eine ›mortis imago‹, ein Bild
des im Schlaf geträumten Todes. Die vergängliche Blume, die ablaufende Sanduhr,
der Apfel, Symbol des Sündenfalls von
Adam und Eva und damit der Sterblichkeit
des Menschengeschlechts, bekräftigen die
Sentenz der am Baum aufgehängten Tafel:
»HEITE MIR/MORGEN DIR«.   J.R.

178

177 Schüssel. Wohl Nürnberg, um 1535.
Fayence; Dm. 35,7. Inv. Nr. 1896.39.
Legat H. D. Hanstedt.

Die ersten in Deutschland hergestellten
Fayencen können es, was die Brillanz der
Zinnglasur und die Variationsbreite der Farben angeht, mit den Vorbildern, den italienischen Majoliken, nicht aufnehmen; um so
reizvoller ist die unmittelbar ansprechende,
naive Frische der Bemalung. Das gilt in besonderem Maße von der in Blau und etwas
Mangan und Gelb gemalten Schüssel mit
dem prächtig geschmückten jungen Mädchen, gewiß dem schönsten Stück aus der
kleinen Gruppe früher deutscher Fayencen.
Daß der Maler der Schüssel sich an den großen Majoliken von Deruta orientierte (vgl.
Nr. 155), ist leicht zu erkennen. »Alen Ding
ain Weil aber nit alweg 32« lautet die Inschrift auf dem Spruchband: womit wohl gemeint ist, daß ein so hübsches Mädchen
nicht 32 Jahre alt werden dürfe, um unter die
Haube zu kommen.   J.R.

178 Kurfürsten-Eule. Süddeutschland,
um 1540. Fayence; H. 27,5. Inv. Nr. 1921.163.
Geschenk der Justus Brinckmann Gesellschaft.

Die kleine Gruppe von insgesamt wohl sieb-
zehn Gefäßen in Eulen- oder Adlerform mit
abnehmbarem Kopf steht am Anfang der
Fayence-Herstellung in Deutschland. Das Ge-
fieder ist in Kobaltblau, einer Scharffeuerfar-
be, gemalt, Augen und Schnabel dagegen
und die Wappen des Heiligen Römischen
Reiches Deutscher Nation – mit dem öster-
reichischen Bindenschild – und der Sieben
Kurfürsten in ›kalten‹, also nicht schon beim
Brand mit der Glasur verschmolzenen Farben. Die in diesem Fall ausnehmend prächtige ›Kurfürsten-Eule‹ war vielleicht ein fürstli-
ches Ehrengeschenk. Ob die Eule hier als hei-
liger Vogel der Weisheitsgöttin Athena/Mi-
nerva präsent war oder aber – des mißver-
standenen Gewölles wegen – als Warnung
vor Unmaß und Trunksucht, wissen wir
nicht.   J.R.

179

180 Ofenkachel. Süddeutschland, wohl Nürnberg, um 1545/50. Hafnerkeramik; H. 64, Br. 20. Inv. Nr. 1959.152. Campe-Stiftung.

Der Ofen, von dem noch neun weitere Kacheln in deutschen und amerikanischen Museen erhalten sind – alle geschmückt mit Reliefbildern stehender Fürsten und Fürstinnen –, muß eines der aufwendigsten Werke der süddeutschen Hafnerkeramik gewesen sein. Vielleicht stand er ursprünglich in der Nürnberger Burg. Außergewöhnlich ist nicht nur die Größe der Kacheln sondern auch ihre Farbenpracht, Ergebnis einer Kombination von transparenten Blei- und opaken Zinnglasuren. Das Model für die Figur des breitspurig auftretenden Herrn mit dem Federbarett und der vierfachen Ehrenkette wurde wohl nach der Vorlage eines Holzschnittes von dem Regensburger Maler Michael Ostendorfer (1545) hergestellt; demnach könnte es sich bei dem Fürsten um den Landgrafen Georg von Leuchtenberg handeln.   J.R.

181

180

179 Stangenglas. Süddeutschland oder Schweiz, um 1530/40. Grünes Glas mit Emailmalerei; H. 24,7. Inv. Nr. 1936.127.

Das grüne Stangenglas, in der unteren Hälfte mit den seit dem Spätmittelalter üblichen Nuppen besetzt, ist zunächst noch ein typisches ›Waldglas‹ aus einer der deutschen Glashütten, die sich nicht, wie die der Venezianer, auf die Entfärbung der Glasmasse verstanden. Es ist aber auch das älteste deutsche Emailglas, von dem wir Kenntnis haben: Die glatte obere Zone des Gefäßes trägt in bunten Schmelzfarben eine mehr schwung- als kunstvolle Darstellung mit der Geschichte von König David und Bathseba. Über den Entstehungsort dieser kostbaren Inkunabel können nur Mutmaßungen angestellt werden; vermutlich ist das Glas süddeutscher oder schweizerischer Herkunft. J.R.

181 Banklaken. Mitteldeutschland (Frankfurt?), 1554. Wirkerei, Wolle und Seide auf Leinenkette; H. 84, Br. 540. Inv. Nr. 1956.149/St. 45. Kunst-Stiftung.

Der Name Banklaken kommt von der ursprünglichen Verwendung der Wirkerei als Behang über einer langgestreckten Wandbank, anstelle der Rückenlehne. Erzählt wird in fünfzehn einzelnen Szenen von rechts nach links, gewissermaßen rückwärts, der mittelalterliche Roman von der Königin von Frankreich: Von dem ihr nachstellenden Marschall verleumdet, muß sie in die Einöde fliehen, um nach allerlei ›unglaublichen‹ Zufällen und einem Gottesurteil als unschuldig erkannt und von ihrem Gemahl, dem König, zurückgeholt zu werden. Das glückliche Ende fehlt bei unserem Stück. Naive Verse am oberen und unteren Rand erläutern das in behaglicher Ausführlichkeit vorgeführte Geschehen, dessen Akteure genauso selbstverständlich nach der Mode der Zeit gekleidet sind, wie für die Kulisse Motive einer deutschen Kleinstadt des 16. Jahrhunderts verwendet wurden.   J.R.

182

182 Interims-Schnelle. Siegburg, 3. Viertel 16. Jahrhundert. Steinzeug, mit späterem Zinndeckel; H. 27. Inv. Nr. 1876.104.

Drei hohe Bildfelder mit Reliefauflagen schmücken die Kanne. Christus stößt den Teufel von sich, wobei die Inschrift »PACK DICH TEUFEL IN INTRVM« sich auf das den Protestanten verhaßte Interims (Inzwischen)-Edikt Kaiser Karls V. von 1548 bezieht. Der Antichrist erscheint als Drache mit drei Köpfen, denen des Sultans, des Papstes und eines Putto (für den heidnischer Neigungen verdächtigten Humanismus). Schließlich ist ein mit allerlei Geräten des katholischen Kultus behangener Baum dargestellt, den Prälaten zu stützen suchen, während Christus bereits die Axt an ihn legt. Die durch Inschriften bekräftigte Drastik kennzeichnet die Bildpropaganda der Reformationszeit. Von den vielen Siegburger Schnellen – so der Name dieses schlanken Kannentypus – ist die selten vorkommende Interims-Schnelle die ›aktuellste‹. J. R.

183 Pokal. Nürnberg, 1574. Glas, vergoldete Silberfassung, zum Teil farbig emailliert; H. 21,5. Inv. Nr. 1961.60/St. 161. Kunst-Stiftung.

Zehn Jahre nach der Eheschließung von Albrecht Scheurl (1525-1580) und Magdalena Imhoff (1526-1598) wurde der glockenförmige Glaspokal – vielleicht aus Anlaß dieses Jahrestages – in eine mit reichen Schmelzfarben überzogene Silberfassung eingesetzt. Derartige Ehrengeschenke für die Nürnberger Patrizier herzustellen, war eines der Hauptaufgabengebiete der Nürnberger Goldschmiede. Der unbekannte Meister unseres Pokals stand offenbar unter dem Einfluß des berühmtesten deutschen Goldschmieds jener Zeit, Wenzel Jamnitzer; die Grottesk-Hermen, die das Glas einfassen (auf der Rückseite sind sie graviert), entstammen dem Formenrepertoire der Jamnitzer Werkstatt. Ungewöhnlich und wirkungsvoll ist der flache Deckel mit einem Jagdrelief. Bizarr im manieristischen Sinne sind nur die Einzelheiten der Fassung, die Form des Gefäßes im ganzen bleibt dagegen klar und harmonisch. J. R.

183

184

184 Deckelgefäß. Keltische Tonurne (›terra nigra‹) aus dem 1. Jahrhundert n. Chr., die Silberfassung von 1563 mittelrheinisch; H. 39,5. Inv. Nr. 1924.155.

Die tönerne Urne wurde zusammen mit einigen anderen Gegenständen 1563 in einem Weinberg in Bassenheim bei Koblenz gefunden. Der Besitzer des Weinbergs, Anton Waldpot zu Bassenheim, ließ »DIS.ANTICKIS.GEFESZ« mit einer Silberfassung versehen, die das ›Thema‹ der vorgegebenen Form in anderem Material variiert und damit überzeugend interpretiert; als Deckelbekrönung dient ein auf zwei römische Münzen gestütztes Knäblein. Die ausführliche Inschrift am Rande des Deckels kann als einer der ältesten archäologischen Fundberichte gelten: Zeugnis des Interesses an einer Vergangenheit, die als eine eigene, deutsche Antike verstanden und dem humanistischen Anspruch dienstbar gemacht wurde. J. R.

185

186 Zunftkanne des Hamburger Böttcher-amtes. Hamburg, 1588. Silber, vergoldet; H. 38,7. Inv. Nr. 1968.80. Campe-Stiftung.

Jede Zunft hatte früher ihr ›Zunftsilber‹, worunter die repräsentative Kanne, ›Willkomm‹ genannt, den ersten Platz einnahm. Sie vor allem hatte Ansehen, Bedeutung und Reichtum der Zunft – und damit der Stadt – zu dokumentieren. Die Darstellungen auf der Kanne des Hamburger Böttcheramtes unterliegen einem allegorischen Konzept, das die Tugenden der Stärke, Liebe, Gerechtigkeit und des Friedens als Grundlagen des ›Guten Regiments‹ herbeizitiert. Für Norddeutschland, besonders für die Hansestädte, ist die zylindrische Form der Kanne charakteristisch; man nennt die Gefäße daher auch ›Hansekannen‹. Die Pracht und gleichzeitig die wohlbedachte Differenzierung in der Verteilung der Schmuckelemente geben der Böttcher-Kanne ihren besonderen Platz unter den selten gewordenen Beispielen der Hamburger Goldschmiedekunst im späten 16. Jahrhundert. J. R.

185 Doppelpokal der Holzschuher-Stiftung. Elias Lencker (Meister 1562-1591), Nürnberg, 1575. Silber, vergoldet, teilweise emailliert; H. 51. Inv. Nr. 1960.48/St. 148. Kunst-Stiftung.

Der Nürnberger Patrizier Veit Holzschuher ließ den Doppelpokal »den Voreltern zu Lob vnnd ehrn« und den Nachkommen zur Mahnung, »Daß sie dise Stifftungh mheren vnnd erhalten sollen«, anfertigen. Das Werk ist eine höchst originelle Variante des seit der Spätgotik in Nürnberg besonders beliebten Buckelpokals. Die zu Teilen farbig emaillierten ›Stand-Bilder‹ der Vorfahren und Stiftungspfleger erscheinen im Relief auf den großen, gequetschten Buckeln der Hauptzone; nur die kleineren Buckel, die zu den Schäften anschließen, sind nach alter Weise glatt und kugelig belassen. Die Schäfte selbst sind aus dem ›sprechenden‹ Wappenkleinod der Holzschuher gebildet. In den Fuß eines jeden der beiden Pokale ist eine ›Schaumünze‹ mit dem Bildnis des Auftraggebers eingelassen. J. R.

186

187 Deckelhumpen. Süddeutschland (?), 16. Jahrhundert; die Fassung Nürnberg, um 1600. Glas, mit Gold staffiert; Silber, teilweise vergoldet und kalt bemalt; H. 40. Inv. Nr. 1878.731.

Wie eine Anzahl anderer Kunstgegenstände des Museums kommt auch der Humpen aus dem Schatz des Klosters St. Johannis in Herwardeshude (heute Harvestehude) bei Hamburg. Er mag dort als Willkomm gedient haben. Die weich verfließenden, wie große Tropfen ablaufenden Nuppen geben der Oberfläche des zart rauchtopasfarbenen Glases vielfältig lebendigen Glanz. In Gold aufgemalte Blattkränze unterteilen den zylindrischen Leib. Wo das Gefäß hergestellt wurde, ist nicht festzustellen; der kalt emaillierte Blumenstrauß (›streußlein‹) aus Silber, der den Deckel bekrönt, ist jedenfalls durch die Marken als Arbeit des Nürnberger Goldschmieds Hieronymus Bang (1553-1630) ausgewiesen. J. R.

188

188 Sol und Phaethon. Christoph Jamnitzer (1563-1618), Nürnberg, um 1600. Silber; H. 8,7. Inv. Nr. 1972.41. Campe-Stiftung.

Vermutlich von der Seitenwandung einer kleinen Kassette stammt das winzige und unerhört feine Relief mit der Darstellung des jungen Phaethon, der seinen Vater, den Sonnengott, um die Gunst bittet, ein einziges Mal den Sonnenwagen lenken zu dürfen. Die beiden Gestalten, üppig aufgeputzt mit Ketten, Tuchgehängen, Voluten und Mascarons, führen sich höchst exzentrisch auf: Ausgeburten einer im Seltsamen schwelgenden Phantasie. Christoph Jamnitzer, der Enkel des ›deutschen Cellini‹ Wenzel Jamnitzer, war nicht nur virtuoser Goldschmied, sondern auch Kleinplastiker, konnte also auf die Zuhilfenahme von Modellen, die ein Bildschnitzer lieferte, ganz verzichten. J. R.

189 Türklopfer. Hubert Gerhard (1540/50-1622/23), Augsburg oder München, um 1585/90. Bronze; H. 27,6, Br. 21,5. Inv. Nr. 1878.584. Geschenk der Averhoff'schen Stiftung.

Der Türklopfer aus dem Fugger-Schloß Kirchheim an der Mindel ist ein Meisterwerk manieristischer Grotteskenkunst in der Verschmelzung von Figur und Ornament. Zwei symmetrisch in Form einer Leier geschweifte Akanthusranken, von der geflügelten Löwenmaske oben zusammengehalten, vereinen sich unten in der Halbfigur eines Knabenputto, der seine Arme über die blütenförmigen Enden der Pflanze legt. Die schlanken Gestalten von Ceres und Bacchus lehnen sich, halb liegend, halb sitzend, in die Kurvatur der Ranke. Der Bronzebildner Hubert Gerhard, der seine ersten wichtigen Werke in Deutschland für die Fugger schuf, hat hier mannigfache italienische Eindrücke sehr selbständig verarbeitet. J. R.

189

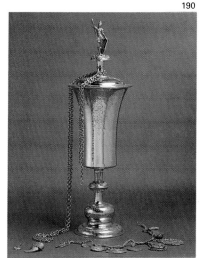

190

190 Pfreimder Schatzfund. Überwiegend süddeutsche Arbeiten um 1600. Inv. Nr. 1929.36-99.

Im Jahre 1906 in einer vermauerten Nische in einem Haus in Pfreimd (Oberpfalz) gefunden, kam der Schatz 1929 nach langen Irrwegen in den Besitz unseres Museums. Ursprünglich Besitz eines Dr. Georg Federl von Pürckh, Kanzlers und Präsidenten der Landgrafen von Leuchtenberg, und wohl im Dreißigjährigen Kriege versteckt, umfaßt der Schatz kostbare Goldschmiedearbeiten ebenso wie Utensilien eines volkstümlichen Aberglaubens. Die Abbildung zeigt: einen süddeutschen silbernen Deckelpokal mit dem Wappen der Grafen von Ortenburg, von 1602; eine Amulettkette mit Kreuzen, Münzen, einer Taufmedaille, Korallenkugeln, einem Malachit, zwei Silbermedaillons und einer Hochzeitsmedaille des Markgrafen von Brandenburg-Ansbach (1527); eine Maulwurfspfote und eine Luchskralle, beide als Anhänger gefaßt; schließlich eine goldene Halskette. J. R.

192

191 Klapptisch (Ausschnitt). Süddeutschland (Ulm?), um 1570/90. Eichenholz mit Intarsien aus verschiedenen Hölzern; L. 90,2, Br. 64. Inv. Nr. 1956.122/St.5. Kunst-Stiftung.

Intarsien, Einlegearbeiten aus einheimischen und exotischen Hölzern (hier sind es Nußbaum-, Ahorn-, Eschen-, Birnen-, Pflaumen-, Knollen- und Ebenholz), waren in der 2. Hälfte des 16. Jahrhunderts ein Hauptartikel vor allem der Augsburger Möbelwerkstätten. Aber auch in Tirol und in Ulm, woher dieser Tisch stammen dürfte, stellte man die luxuriösen Möbel her. Das von wuchernden Blütenranken durchsetzte Rollwerk rahmt ein regelrechtes Landschaftsbild: Merkwürdig nimmt sich in ihm die höfische Jagdgesellschaft vor der Kulisse einer gespenstischen Ruinenlandschaft aus. Das ›zerbrochen gebäu‹, mit kahlen Bäumen, düsteren Wolken und wie im Sturm dahinziehenden Vögeln kombiniert, gehörte zum festen Repertoire der Intarsienmacher; die Zeitgenossen wurden damit angehalten, die Vergänglichkeit zu bedenken.   J. R.

192 Deckelpokal. Hans Petzoldt (Meister 1578-1633), Nürnberg, 1. Viertel 17. Jahrhundert. Silber, vergoldet; H. 73,7. Inv. Nr. 1959.150.

Charakteristisch für die meisten Arbeiten von Hans Petzoldt, einem der angesehensten Goldschmiede seiner Zeit, ist die Verbindung der bewußt wiederaufgenommenen spätgotischen Formen mit dem verschwenderisch aufgelegten Zierat der späten Renaissance. Gegen die pralle Glätte der apfel- und birnenförmigen Buckel setzen sich Masken, Rollwerk, Kartuschen, Akanthusblätter, Skorpionweibchen, Volutenschnörkel usw. wirkungsvoll ab. Die technische Virtuosität, seit jeher ein Ruhmestitel der Nürnberger Goldschmiede, feiert bei diesem Prunkpokal einen äußersten Triumph. Für wen er entstand, wissen wir nicht, können aber vermuten, daß er, wie andere Arbeiten Petzoldts, als Ehrengabe des Nürnberger Rats für einen Fürsten bestimmt war.   J. R.

193 Tür. Königsberg, um 1600. Eichen-, Eschen-, Buchsbaum-, Ahorn-, Mooreichen- und Zedernholz; H. 277. Br. 225. Inv. Nr. 1937.58.

Die auf die Spitze getriebene Virtuosität der süddeutschen Möbelwerkstätten mit ihren komplizierten Einlegearbeiten aus verschiedenfarbigen, teils exotischen Hölzern findet man in der robusteren und derberen Sphäre des norddeutschen Bürgertums nur selten. Wenn ein Werk wie die Tür aus Königsberg in der gedrängten Pracht ihrer Architektur, der reichen und feinen Schnitzerei und den kleinteiligen Intarsien aus dem Rahmen fällt, so können wir vermuten, daß es eine in höfischem Auftrag entstandene Arbeit ist. Die rundplastisch geschnitzten Maskenköpfe sind allerdings ein im Norden überaus beliebtes Motiv gewesen. Möglicherweise stammt die Tür aus dem Königsberger Schloß der prachtliebenden Herzöge von Preußen, die mit Vorliebe auswärtige Künstler beschäftigten.   J. R.

193

194

194 Schüssel. Von einem Nachfolger des Bernard Palissy, Frankreich, Ende 16. Jahrhundert. Fayence; Dm. 40,5. Inv. Nr. 1906.405. Geschenk von Alfred Beit, London.

Das abenteuerliche und von tragischen Ereignissen überschattete Leben des französischen Töpfers Bernard Palissy (1506-1590) hat die Nachwelt mindestens ebenso beschäftigt wie seine Kunst. Dabei dürften nur die wenigsten der zahllosen Keramiken des ›Palissy‹-Stils tatsächlich von ihm selbst herrühren. Es sind in der Mehrheit elegant geformte Gefäße mit durchsichtigen, ineinander verlaufenden und auf raffinierte Weise gemischten farbigen Bleiglasuren. Unsere Schüssel ist eine Abformung der berühmtesten Zinnarbeit des 16. Jahrhunderts, der oft nachgeahmten Temperantia-Schüssel von François Briot: Temperantia (die Personifikation der Mäßigkeit) umgeben von den Gestalten der Vier Elemente und, in den Kartuschen der Fahne, Minerva und den Figuren der Sieben Freien Künste.   J.R.

195 Decke mit Hamburger Allianzwappen. Joost II. van Herseele (tätig um 1589-1621), Hamburg, um 1603. Wirkerei aus Wolle, Seide und Leinen; 215 × 162. Inv. Nr. 1956.13. Campe-Stiftung.

Ob die Decke im Jahre 1603 zur Hochzeit des Hamburger Kaufmanns Cord Oldehorst mit Anna Kentzler, deren Wappen in der Mitte angebracht sind, gefertigt wurde oder erst in einem der folgenden Jahre, ist nicht überliefert. Daß sie bei dem berühmtesten Hamburger ›Tapitmaker‹ bestellt werden konnte, spricht für die Wohlhabenheit des Ehepaars. Das um 1589 gegründete Atelier des aus Flandern eingewanderten Joost van Herseele führte damals bereits Aufträge für den Herzog von Pommern und den Grafen von Schaumburg aus. In der Dichte und Vielfalt der Blüten- und Tiermotive setzt die Decke flämische Traditionen fort, bezieht mit dem akzentuierenden Knorpelwerk aber auch die neueste Ornamentik in die Komposition ein.   H.J.

195

196

196 Wandteppich ›Alexander der Große‹. Karel van Mander († 1623), Delft, 1617. Wirkerei aus Wolle, Seide und Leinen; 423 × 361. Inv. Nr. Lg. 203. Leihgabe der Bundesrepublik Deutschland.

In persischer Königstracht hat Alexander der Große auf dem Thron des geschlagenen und in der Schlacht gefallenen Perserkönigs Darius Platz genommen. Vor ihm kniet weinend sein Vertrauter Denaratus, der den Tod vieler griechischer Krieger beklagt. Hofleute und Pagen umstehen den Thron. Prunkvoll ist dieser Vorgang in Szene gesetzt. Die Komposition verrät einen geübten ›Patronenmaler‹, von denen Karel van Mander in seiner nur von 1615 bis 1622 existierenden Werkstatt mindestens vier beschäftigt haben soll. Sichtbarer wird die Feinheit der Zeichnung und Dichte der Schußfäden noch an der für Delfter Teppiche charakteristischen breiten, kleinteilig mit Ranken und Vögeln gefüllten Bordüre, die das großfigurige Bild wie ein Rahmen umfängt.   H.J.

197

197 Astrolabium des Alphanus Severus.
Piervincenzo Danti dei Rinaldi (gest. 1512),
Perugia, Ende 15. Jahrhundert. Bronze,
teilvergoldet; Dm. 27,6. Inv. Nr. 1893.243.
Geschenk von Frau Margarethe Gaiser,
Hamburg.

Astronomen wie Seefahrern, Geographen
und vielen anderen war das schon im 2. Jahrhundert v. Chr. erfundene Astrolabium lange
Zeit ein wichtiges Hilfsmittel bei der Lösung
kalendarischer Fragen, bei Himmelsbeob-
achtungen und Winkelmessungen. Augen-
fälligstes Teilstück ist das die Vorderseite füllende, reich ornamental ausgestaltete Gitterwerk, das in Wahrheit eine Flächenprojektion
des scheinbaren Himmelsgewölbes mit den
wichtigsten Sternen und der Bahn der Sonne
durch den Tierkreis (Ekliptik) ist. Nicht zuletzt
dieses mit feinziselierten Tierkörpern belebte
›rete‹ macht auch Dantis Astrolabium, das er
nach dessen eigenen Berechnungen für den
Peruginer Mathematiker Alfano Alfani schuf,
zugleich zu einem Meisterwerk der Renais-
sance-Goldschmiedekunst. W. E.

198

198 Büchsensonnenuhr. Hans Dorn um 1430/35-1509), Ungarn oder Wien (?), um 1480/1500. Kupfer und Messing, vergoldet, Holzkern; 8,3 × 8,5 × 2. Inv. Nr. 1893.2.

Ihrer reichen künstlerischen Gestaltung wegen waren Zeit- und Raummeßgeräte seit der Renaissance nicht nur wichtige technische Hilfsmittel der aufblühenden Naturwissenschaften, sondern von Anfang an auch geschätzte Sammelobjekte für Kunstliebhaber. Auf diese Weise haben sich auch wenige frühe Reisesonnenuhren erhalten, die Dorn, an Erfahrungen seines Wiener Lehrers Georg Peuerbach anknüpfend, in der zweiten Hälfte des 15. Jahrhunderts entwickelte. Gotische Zahlen und Spruchbänder bilden bei ihnen einen reizvollen Gegensatz zu fortschrittlichen Zügen wie dem auf den jeweiligen Breitengrad einstellbaren, äquatorialen Zifferblatt oder der Berücksichtigung der (wenig früher erst durch Peuerbach entdeckten) Mißweisung der Kompaßnadel. W. E.

199 Astronomicum Caesareum. Peter Apian (1495-1552), Ingolstadt, 1540. Papier, 60 Bll.; Ledereinband; 45,5 × 32. B.Z.V. 1905.58.

Apian lehrte lange Jahre als Professor der Mathematik an der Universität zu Ingolstadt, wo er auch eine eigene Druckerei unterhielt. Durch seine kartographischen Aufmessungen, aber auch durch astronomische Untersuchungen, Abhandlungen über wissenschaftliche Instrumente und Entwürfe für Sonnenuhren wurde er weit über seinen eigentlichen Wirkungskreis hinaus bekannt und geschätzt. Für sein wohl berühmtestes Werk, das ›Astronomicum Caesareum‹, übernahm Kaiser Karl V., dem er zeitweilig als Berater diente, die Druckkosten. Es enthält vornehmlich handkolorierte Astrolabien mit beweglichen Papierscheiben und Tabellen, mit deren Hilfe sich Planetenbahnen berechnen ließen sowie Anleitungen zum Gebrauch eines Quadranten und eines Torquetums. W. E.

199

200

200 Pulverflasche mit Sonnenuhr. Christoph Schißler (um 1531-1608), Augsburg, 1553. Messing, vergoldet; H. 10,5. Inv. Nr. 1894.6.

Wie andere Instrumentenmacher schon vor ihm (Nr. 198), hat Schißler sich vielfach bemüht, eine Sonnenuhr zu konstruieren, bei der sich die Stellung des schattenwerfenden Polos oder der Zifferblattebene so verändern ließ, daß sie als Reisesonnenuhr auf verschiedenen Breitengraden zu gebrauchen war. Mit der ›Pulverflaschenuhr‹, seiner ältesten bekannten Arbeit, kam er diesem Ziel nahe, indem er das Zifferblatt der eingefügten Horizontaluhr mittels einer Stütze anhebbar machte und für besondere Fälle zwei weitere Sonnenuhren beifügte. Den besonderen Charakter des Gerätes aber bestimmen außer der umgekehrten Herzform die Doppelfunktion als Uhr und Pulverflasche eines Jägers sowie die kunsthandwerkliche Verarbeitung, insbesondere die reichen, thema-bezogen figürlichen und ornamentalen Gravierungen und Ätzungen. W. E.

201

201 Geschützaufsatz. Ulrich Klieber (1529- um 1606), Augsburg, 1579. Messing, vergoldet; H. 19,5. Inv. Nr. 1915.225.

Trotz ihrer künstlerischen Ausgestaltung sind die reich ornamentierten und vergoldeten Geschützaufsätze der Renaissance- und Barockzeit Kriegsgeräte. Auf Rohre von ›Kartaunen‹, ›Schlangen‹, ›Mörsern‹ und anderen Geschützen gesetzt, dienten sie als Richtgeräte beim direkten oder indirekten Schießen. Klieber hat sein Instrument für diesen Zweck mit einer Lotwaage, einer in der Höhe verstellbaren Visiereinrichtung sowie einer ›Wurfleiter‹ versehen. Deren Senklot zeigte dem Richtkanonier den für bestimmte Entfernungen erforderlichen Neigungswinkel des Mörserrohres an. Angaben über die Reichweite der Geschosse, über die Gewichte von Geschützen und Kugeln sowie die Anzahl der zu ihrem Transport erforderlichen Pferde, über Pulvermengen, aber auch über die Zahl der zur Bedienung bestimmter Geschützarten nötigen Büchsenmeister vervollständigen das Gerät.   W. E.

202 Torquetum des Dr. Franciscus de Padoanis. Erasmus Habermel (gest. 1606), Prag, um 1585/90 und um 1603. Kupfer und Messing, vergoldet und versilbert; H. 36,7, Grundplatte 20,2 × 20,2. Inv. Nr. 1912.1435.

Obwohl die deutsche Bezeichnung ›Türkengerät‹ anderes suggeriert, wurde dieser Gerätetypus von abendländischen Gelehrten seit dem hohen Mittelalter entwickelt. Da sich die Neigung seiner drei die Horizont-, Äquator- und Ekliptikebene darstellenden Platten verändern läßt, war das Torquetum für vielerlei Arten von Winkelmessungen im Bereich der Feldmessung, vor allem aber der Astronomie geeignet. Habermels Gerät zeigt die meisterliche Einheit aus klar gegliedertem Aufbau, handwerklich-technischer Perfektion und sparsamem manieristischen Dekor, die fast alle Arbeiten des Instrumentenmachers Kaiser Rudolfs II. auszeichnet. Das überwiegend gepunzte Rankenwerk ist spätere Zutat.   W. E.

202

203 Astrolabium Kaiser Rudolfs II. Tobias Volckmer (gest. 1624 oder später), Salzburg, 1591. Kupfer, vergoldet, versilbert oder bemalt; Dm. 51. Inv. Nr. 1893.242. Geschenk von Frau Margarethe Gaiser, Hamburg.

Im Gegensatz zu dem älteren Astrolabium Nr. 197 ist dieses aufwändig gestaltete, ungewöhnlich große Instrument überwiegend für astrologische Zwecke eingerichtet. Dazu besitzt es u. a. einen Drachenzeiger, Zeiger für die Sonne und einzelne Planeten sowie Eintragungen der Himmlichen Häuser. Ähnliche, astrologischen Berechnungen dienende Astrolabien hatte bereits Apian für sein ›Astronomicum‹ (Nr. 199) entworfen. Volckmer stellte sein Gerät, der Überlieferung nach, für den als besonders sterngläubig bekannten Kaiser aufgrund von Berechnungen Tycho Brahes her. Vielleicht hoffte der in Braunschweig geborene Goldschmied, der sich gerade aus dem Dienste des Salzburger Erzbischofs zu lösen suchte, sich mit dieser Arbeit für ein kaiserliches Hofamt in Prag zu empfehlen.   W. E.

203

204

204 Tischuhr. Hans Koch (gest. 1603 oder kurz zuvor), München, 1596. Gehäuse: Bronze, vergoldet und versilbert; Werk: Messing und Eisen; H. 13, Dm. 15,9. Inv. Nr. 1926.41. Stiftung der Gesellschaft zur Förderung der Amateurphotographie, Hamburg.

Die Ganggenauigkeit von Räderuhren gelegentlich mit Hilfe einer Sonnenuhr zu überprüfen, galt bis in das 19. Jahrhundert hinein als notwendig. Hans Koch, seit 1554 als Meister und seit 1588 auch als Hofuhrmacher in München tätig, hat zu diesem Zweck seiner runden Tischuhr gleich eine Horizontalsonnenuhr beigefügt, die er durch den Instrumentenmacher Markus Purmann einrichten ließ. Im übrigen birgt das aufwändig mit Masken und Fruchtgehängen in Rollwerkrahmungen, Blumen und Vögeln dekorierte Gehäuse außer dem eigentlichen Uhrwerk auch einen Wecker sowie ein Vierviertelstunden-Schlagwerk. W.E.

205 Tischsonnenuhr. Andreas Pleninger (1554/55-1607), Regensburg, 1601. Kalkstein, geätzt und bemalt; Polfadenhalter Elfenbein; 15 × 15 ohne Holzkasten. Inv. Nr. 1875.95.

Als Pleninger 1599 nach langjähriger Tätigkeit als Organist in Gmunden in seine Heimatstadt Regensburg zurückkehrte, hatte er sich bereits durch meisterliche Steinätzungen einen Namen gemacht. Einige seiner farbig ausgemalten, großen Tischplatten aus Solnhofener Kalkstein, in die er kunstvoll ganze Lieder im vierstimmigen Satz, Immerwährende Kalender oder auch Landkarten eingeätzt hatte, lieferte er hochgestellten Persönlichkeiten. Daneben schuf er vor allem Grabplatten, Epitaphien und Sonnenuhren. Das Zifferblatt seiner horizontalen Tischsonnenuhr von 1601 schmückt eine Allegorie der Zauberei in Gestalt der antiken Hexe Circe, eingefaßt von einer reich mit Harpyen und Fruchtgehängen gezierten Rollwerkkartusche. In das Loch an der Südseite des Zifferblatts war ursprünglich wohl eine Kompaßdose eingefügt. W.E.

205

206 Quadrant des Kardinals Mont'Alto. Arnoldo di Arnoldi (1601 nachweisbar), Mittelitalien, 1. Viertel 17. Jahrhundert. Messing, vergoldet; Seiten-L. 39. Inv. Nr. 1911.462.

206

Über Arnoldo, den Schöpfer dieses nautisch-geographischen Quadranten, ist nicht mehr bekannt, als daß er aus Flandern stammte und in Italien auch als Kartograph tätig war. 1601 veröffentlichte er in Siena eine große Weltkarte. Seinem ebenso formschönen wie durch die Feinheit der Gravierungen bestechenden Quadranten für den Kurienkardinal Mont'Alto (gest. 1623) gab er eine Gebrauchsanweisung bei, in der dessen Benutzung bei der Berechnung des jeweiligen Schiffsortes mit Hilfe des mit einer Windrose versehenen sog. Nautischen Quadrates beschrieben ist. Eine Art von Reduktionsquadrant auf der Rückseite des Instrumentes diente der geographischen Ortsbestimmung. W.E.

207

207 Stechzirkel. Christoph Trechsler d. Ä. (zwischen 1545 und 1549-1624 oder später), Dresden, 1612. Messing, vergoldet; Stahlspitzen; L. 21,3. Inv. Nr. 1880.305.

Zum Abgreifen kürzerer Distanzen war der Stechzirkel dem Mathematiker ebenso unerläßliches Hilfsmittel wie etwa dem Architekten oder auch dem Artilleristen, der mit ihm das Kalibermaß nehmen und dann unter Zuhilfenahme eines Proportionszirkels die nötige Pulvermenge ermitteln konnte. Trechslers wohlgeformter und mit sorgfältig geschnittenem Rankenornament geschmückter Zirkel zeigt, wie es Instrumentenmacher seit der Renaissance immer wieder verstanden, selbst den Wert eines so einfachen Präzisionsgerätes durch eine ausgewogene Verbindung von Form, Funktion und ornamentaler Gestaltung zu steigern und daraus kleine Kunstwerke zu machen. W. E.

208 Schrittzähler. Johann Martin (1642 bis 1721), Augsburg, Ende des 17. Jahrhunderts. Messing, vergoldet; Silber; Gehäuse: 7,4 × 3,6. Inv. Nr. 1890.372.

Der Aufschwung, den die Landvermessung seit dem 16. Jahrhundert in Deutschland nahm, machte auch die Entwicklung immer neuer Formen mechanischer Wegmesser erforderlich. Martins ausgereifter, auf vier Zifferblättern 10, 100, 1000 und 10000 Doppelschritte anzeigender Schrittzähler steht bereits an einem Endpunkt dieser Entwicklung. Er wurde am Gürtel des Schreitenden befestigt und mittels eines Riemens so mit dessen einem Bein verbunden, daß der Schaltmechanismus bei jeder Bewegung des Beines um einen Zähler weitersprang. Die Übertragung auf die Zeiger besorgte dann ein einfaches Räderwerk im Inneren des zierlichen, mit Blumen- und Blattspiralen reich geschmückten Kästchens. W. E.

208

209

209 Bratina. Meister mit dem Adler, Hamburg, um 1620. Silber, vergoldet. H. 10,5. Inv. Nr. 1932.51 a.

Die kugelförmige Trinkschale mit dem steilen Lippenrand war in Rußland gebräuchlich; der Name stammt vom russischen brat (Bruder). Solche Gefäße wurden feierlich als Ehrengeschenke übergeben. Oft stehen auf dem Lippenrand die Namen des Spenders und des Empfängers mit der Widmung »Trinke oft zu Deiner Gesundheit daraus«. Neben den überwiegend in Rußland gearbeiteten Stücken ist eine Reihe von Hamburger Beispielen bekannt. Dies beweist, daß die Goldschmiede der Hansestadt nicht nur das eigentlich norddeutsche Silber exportierten, sondern daß sie auch für russische Auftraggeber nach deren speziellen Wünschen und Anweisungen Sonderformen arbeiteten. B. Ht.

210

210 Akeleipokal. Hans Lambrecht II (Meister 1631-1633), Hamburg. Silber, teilvergoldet; H. 77. Inv. Nr. 1977.19.

Der schlanke, hohe Deckelpokal ist eines der zahlreichen Buckelgefäße mit Schaftfiguren, die bis in die zweite Hälfte des 17. Jahrhunderts in Hamburg entstanden. Der – unvergoldete – Bacchusknabe, der auf einem Weinfaß sitzt und Trauben in eine Trinkschale auspreßt, ist keine Erfindung des Goldschmiedes; das Vorbild war vermutlich eine Brunnenfigur, eine Bronzeplastik des niederländischen Manierismus. Das Gefäß wurde im frühen 18. Jahrhundert verändert: Zar Peter der Große, dem es gehörte, ließ die ursprüngliche Bekrönung durch den russischen Doppeladler ersetzen. Auf dem Lippenrand und auf den oberen Buckeln der Kuppa sind Widmungsinschriften und Doppeladler graviert. Daraus geht hervor, daß der Zar den Pokal 1711 dem Würdenträger Lukas Kočmarov schenkte.　B. Ht.

211 Prunkschüssel. Hans Lambrecht III (Meister 1630-1683), Hamburg, 1660. Silber, teilvergoldet. L. 66, Br. 55. Inv. Nr. 1966.10/St. 223. Kunst-Stiftung.

Nur zur Schaustellung auf dem Buffet waren im Spätbarock solche Schüsseln bestimmt. An den Fürstenhöfen waren sie als Geschenke hochgeschätzt. Dieses Stück wurde wahrscheinlich von der Hansestadt Lübeck 1660 dem englischen König Karl II. präsentiert. Aus schwedischem Besitz gelangte es in das Museum. Auf dem gesondert gearbeiteten Relief in der Mitte ist in figurenreicher Allegorie das Element Wasser dargestellt. Großartig ist die barocke Fülle der Blumen und des Akanthuslaubwerks auf dem breiten Rand. Die Vergoldung steigert die prächtige Wirkung beträchtlich. Der Meister gehörte einer in drei Generationen in Hamburg tätigen Goldschmiedefamilie an.　B. Ht.

211

212

212 Schraubflasche. Jürgen Richels (Meister 1664-1710), Hamburg nach 1671. Silber, vergoldet; H. 14,5. Inv. Nr. 1910.406.

Die Flasche hat sechsspassigen Grundriß, die gewölbten Wandungsflächen sind oben und unten mit getriebenen Masken im Ohrmuschelstil verziert. In die freien, glatten Ovalfelder sind in feinem Punzenstich große Blumen und Vögel gesetzt. Unter dem Schraubdeckel, an dem der massive Klappgriff sitzt, ist ein Einschubdeckel in die Flasche gesetzt. Das 17. Jahrhundert war die Blütezeit der Hamburger Goldschmiedekunst. Richels zahlreich erhaltene Arbeiten gehören zum Besten aus der zweiten Hälfte des Jahrhunderts. Seine Schraubflasche ist durch die Ausgewogenheit ihrer Maßverhältnisse und die Einbindung des Dekors in die geschlossene Form ein vorzügliches Beispiel seiner Kunst.　B. Ht.

213 Spielbrett (Ausschnitt). Wohl Ulrich Baumgartner, Augsburg, um 1615. Ebenholz, Batukholz, graviertes Elfenbein; 39,5 × 26. Inv. Nr. 1924.91. Geschenk von G. Zimmer und Dr. M. Emden.

Wahrscheinlich gehörte das Spielbrett, wie einige verwandte Stücke, ursprünglich zur Ausstattung eines jener Kunstschränke, wie sie im Beginn des 17. Jahrhunderts in Augsburg unter der Ägide des ›Kunstagenten‹ Philipp Hainhofer hergestellt wurden. Gerade die Kombination von Ebenholz und graviertem Elfenbein war eine spezielle Fertigkeit der für Hainhofer beschäftigten Werkstätten. Unser Spielbrett hat vier Seiten: die prächtigeren Außenseiten sind für Mühle und Schach, die Innenseiten für den ›Langen Puff‹ und das Piquierspiel bestimmt. Die weißen Felder des Schachbretts zeigen drollig-volkstümliche Bilder der ›Verkehrten Welt‹, während beim Mühlefeld (Abb.) in einer von allerlei seltsamen Grottesken durchsetzten, elegant arrangierten Ranken-Komposition die vier Kartenkönige erscheinen.   J. R.

213

214 Kabinettschrank (Ausschnitt). Augsburg (?), um 1630. Ebenholz, vergoldete Bronze, Lackmalereien; H. 162, Br. 143. Inv. Nr. 1926.35.

Nach französischem Vorbild trägt ein tischartiges Gestell mit acht säulenförmigen Beinen, das seinerseits auf Kugelfüßen steht, den großen Schreinkasten mit der prachtvollen ›Schauwand‹ der beiden geschlossenen Türen. Wie so häufig bei deutschen Prunkmöbeln des 17. Jahrhunderts haben sich verschiedene Handwerkszweige in die Herstellung geteilt. Ein unbekannter Bronzebildner schuf die beiden Medaillons mit Darstellungen aus der Geschichte von Meleager und Atalante. Einzigartig ist hier die Füllung der Felder zwischen den Flammleisten aus Ebenholz: unter Glas liegen Silberfolien mit farbiger Lackmalerei, offenbar verstanden als Imitation des transluziden Silberemails, wie es gelegentlich an besonders kostbaren Augsburger Goldschmiedearbeiten der Zeit um 1600 vorkommt.   J. R.

214

jedoch in fast zierlichem Rahmenwerk und vielflügeligen Cherubsköpfen auf. Dem religiösen Empfinden wird die Darstellung von St. Georgs Drachenkampf ebenso gerecht, wie die dickbäuchigen Hermen den diesseitigen Lebensfreuden entsprechen. Durch die Augsburger Tradition verratenden ›geflammten‹ Säulen bleibt das sonst gern ausufernde Knorpelornament hier geradezu gebändigt. H. J.

215

215 Stickmustertuch (Ausschnitt). Italien, 1. Hälfte 17. Jahrhundert. Leinen, Leinengarn, bunte Seiden- und Metallfäden; 53 × 60. Inv. Nr. 1886.69.

Die differierenden Bezeichnungen der Mustertücher verdeutlichen den Zweck dieser Stickarbeiten, die im deutschsprachigen Raum als Model-, Schönmuster-, Stick-, Lern- und Übungstuch, aber auch als ›merklap‹ und ›letterndoek‹ bekannt wurden. Wie das niederdeutsche Wort andeutet, verdrängten im Laufe der Zeit Buchstabenreihen die meist aus Vorlagebüchern entnommenen dekorativen und figürlichen Muster. Frühe Stickmustertücher weisen im Allgemeinen aneinandergereihte Zierstreifen auf, darunter auch Durchbrucharbeiten und Nadelspitzen. Möglicherweise inspiriert von Vecellios Musterbuch ›Corona …‹ von 1601 hat die Stickerin dieses Tuches, Maria Costa, einen Amor mit verbundenen Augen zwischen ein Paar in der Kleidung des frühen 17. Jahrhunderts gestellt. Mit Hilfe schmaler Seidenbändchen und Goldschnüre wurden die Accessoires gestaltet und ein plastischer Effekt erzielt. M. P.

216 Zweitüriger Schrank. Süddeutschland, wohl Augsburg, um 1660. Nußbaum- und Birnbaumholz; H. 224, Br. 185, T. 72. Inv. Nr. 1949.9.

Trotz überquellender Ornamentierung wirkt der Schrank klar in Sockel, Hauptgeschoß und Gesims gegliedert, bleiben die vertikalen, statischen Elemente betont. Aus den voluminösen, plastischen Knorpelwerkballungen an der Basis scheinen großmäulige Masken weitere Maskarons auszustoßen. Nach oben hin löst sich diese wuchtige Schwere

216

217

218 Gestickte Seidendecke. Kanton (?), Mitte 17. Jahrhundert. 106 × 105. Inv. Nr. 1972.31.

Auf weißer Atlasseide sind in bunten Seiden-, Gold- und Silberfäden in variierenden Sticktechniken Bildthemen nach verschiedenen Bildvorlagen zu einer anmutigen Einheit komponiert. Jagdszenen und mythologische Darstellungen reihen sich um den Deckenrand, Streublumen, Schmetterlinge und Vögel sind locker über das Innenfeld verteilt. Mittelpunkt der Decke bildet eine Kartusche mit waldiger Flußlandschaft. Von einer später eingestickten Umschrift sind noch Nadel-Einstiche erhalten. Sie bezeichnen die einstmalige Besitzerin: Herzogin Dorotea Augusta aus der Seitenlinie Schleswig-Holstein-Sonderburg-Franzenshagen (1636-1662), die 1661 Georg III. Landgraf von Hessen-Darmstadt heiratete. Gewisse Ungereimtheiten in der Wiedergabe der niederländischen und deutschen Vorlagen und die Sticktechnik, lassen eine Anfertigung im Auftrag der Ostindischen Kompanie, möglicherweise in Kanton, nicht ausschließen. M. P.

217 Spickelbild. Deutschland (?), 1. Hälfte 17. Jahrhundert. Verschiedene Materialien; 32 × 39. Inv. Nr. 1879.312.

Das Landschaftsbild mit der ›Opferung des Isaak‹ wird nach Vorlage eines jener niederländischen manieristischen Maler gearbeitet sein, die gegen Ende des 16. Jahrhunderts Italien bereisten. Die Applikations- und Klebetechnik, deren Name von ›Spickel‹ (= Gegenstand in Keilform) abgeleitet ist, hatte sich im 17. und 18. Jahrhundert zu einem volkstümlichen Kunsthandwerk entwickelt. Hier ist eine Vielzahl geschnittener Stoffteilchen verschiedener Struktur (Atlas- und Leinenbindung) als Stoff-Intarsie nebeneinandergesetzt und in Schichten übereinander geklebt. Auch anderes Material, wie beispielsweise Gelatine als ›Wasserfläche eines Sees‹, wurde mitverwendet. Bemaltes Pergament bildet den Hintergrund und die Unterlage des Bildes, das einen mit Elfenbein belegten und mit ›Spickhelwerckh‹ verzierten Rahmen besitzt. M. P.

218

219 Tischdecke (Ausschnitt). Dänemark, 3. Viertel 17. Jahrhundert. Leinen mit Stickerei in roter und gelblicher Seide; 321 × 201. Inv. Nr. 1875.4.

Die aus dem Løgumkloster in Südjütland stammende Decke gehört zu einer Gruppe von Leinendecken, deren dänische Herkunft belegt ist. Meist linear mit roter Seide bestickt, beziehen sie ihre Motive aus botanischen und zoologischen Werken, Bibel-Illustrationen, Einzeldrucken und Ornamentstichen vornehmlich deutscher und niederländischer Herkunft. Hier ist ›Salomons Urteil‹ in reichem Blütenkranz als Mittelmotiv nach Merian's ›Bilder zur Bibel‹ dargestellt, an den Schmalseiten je zwei weitere biblische Szenen: ›Heilung des Maeman durch Elias‹ und ›Abigail vor David‹ sowie der ›Hauptmann zu Kapernaum‹ und der ›Zöllner Zachäus‹. In Gegenüberstellung des Alten und des Neuen Testamentes haben die vier Szenen typologische Bedeutung. Eine Blumengirlande umläuft den Saum. Die Fläche zwischen den figürlichen Szenen ist mit Streublumen und Vögeln gefüllt, wobei letztere nach Vorlagen einer Serie von Ornamentstichen von B. van Lochom entworfen sein mögen. M. P.

219

220

222 Teller mit Pfeifenraucher. Hamburg (?), um 1635-1640. Fayence; Dm. 36,3. Inv. Nr. 1930.101.

Die früheste bekannte Jahreszahl auf einer ›Hamburger‹ Fayence ist 1624, die späteste 1668. Wegen des auf dieser Gruppe häufig vorkommenden Hamburger Wappens werden die vorwiegend blau bemalten Repräsentationsgefäße allgemein als Hamburger Arbeiten bezeichnet, obwohl man nicht weiß, ob sie tatsächlich in Hamburg hergestellt worden sind. Vielmehr werden sie in zeitgenössischen Inventaren als ›spanische Kröse‹ (Krüge) und ›spanische Vatte‹ (Schüsseln) aufgeführt. Verwandte Fayencen gibt es in Spanien zwar nicht, wohl aber in Portugal. Auch der von chinesischen und persischen Vorbildern beeinflußte Dekor ist für portugiesische Beispiele charakteristisch; er wird auf den ›Hamburger‹ Stücken, die vielleicht auf Bestellung in Portugal gefertigt sind, gern mit europäischen Figurendarstellungen kombiniert. H. J.

221

220 Herrenkragen. Nadelspitze, Point gros de Venise, Venedig, um 1640-1650. Feines Leinengarn; 28,5 × 43. Inv. Nr. 1889.372.

Diese auf Fernwirkung bedachte Barockspitze konnte sich in einigen Bereichen noch bis weit in das 18. Jahrhundert behaupten, so im Kultraum der Kirche oder beispielsweise an der Amtstracht der Magistratsbeamten der venezianischen Republik. Der im Nacken schmal gearbeitete Kragen liegt auf der Brust in zwei Rechtecken auf, wobei beide Hälften zusammen ein symmetrisches Muster ergeben. Die Konturen der dichten Rankenwerks mit großen stilisierten Blüten und Blättern sind durch Reliefs als verstärkendes Ausdrucksmittel hervorgehoben. Daneben ergeben variierende Zierfüllungen (jours) Licht und Schattenwirkung. Kleine Picot-Bögen bilden einen zierlichen Randabschluß. M. P.

222

221 Ofen. Andreas Leupold (gest. 1676), Nürnberg, 1662. Glasierte Hafnerware; H. 310. Inv. Nr. 1905.562. Geschenk von Alfred Beit, London.

Derart riesige Öfen wie dieser, der bis 1905 im Staubschen Hause in der Winklergasse in Nürnberg stand, wurden im 17. Jahrhundert nur in Augsburg und Nürnberg hergestellt. Außerordentlich ist aber auch die Größe der einzelnen, schwarzglasierten und teilweise vergoldeten Kacheln und der plastischen Eckfiguren. Hier muß dem Hafner Leupold ein offenbar ausnehmend begabter Bildhauer mit Modellen ausgeholfen haben. Es ist ein sogenannter Monarchien-Ofen, d. h., die Reliefkacheln zeigen die Herrschergestalten der Nimrod, Cyrus, Alexander und Caesar, also die personifizierten ›Vier Monarchien‹ des Altertums (Assyrien, Persien, Griechenland, Rom). Eine fünfte Kachel – die übrigens genauso zweimal vorkommt wie die mit Nimrod und mit Alexander – stellt Herkules als Sieger über Cacus dar. J. R.

223

223 Kübel mit Figuren. Hamburg (?), 1668.
Fayence; H. 35, Dm. 34. Inv. Nr. 1971.42.

Wozu dieser große Kübel ursprünglich verwendet wurde, ist nicht überliefert. Auf der Schauseite prangt in geschweifter Kartusche das von Löwen flankierte Hamburger Wappen mit den Initialen C S und der Jahreszahl 1668. Im umlaufenden Fries zeigen sich drei Herren und zwei Damen im Festtagskostüm, durch kleine Bäumchen und fliegende Vögel säuberlich voneinander getrennt. Fuß- und Schulterzone begleiten diese vornehme Gesellschaft mit mythologischen und fernöstlichen Darstellungen. Gerade in solchen phantasievollen Schilderungen zeigt sich bei dieser ›Hamburger‹ Fayence mit der spätesten bekannten Datierung eine weitgehende Unabhängigkeit von asiatischen Vorbildern.
H. J.

224 Wandteppich ›Aufbahrung und Triumph des Publius Decius Mus‹. Entwurf: Peter Paul Rubens (1577-1640), Antwerpen, 1618. Ausführung: Jan Raes I. (tätig um 1610 bis 1631), Brüssel, um 1625. Wirkerei aus Wolle, Seide und Leinen; 408 × 586.
Inv. Nr. 1962.8/St. 171. Kunst-Stiftung.

Im Auftrag ›einiger genuesischer Edelleute‹ schuf Rubens eine Folge von Entwürfen für sechs Bildteppiche mit der Darstellung der Geschichte des römischen Feldherrn Publius Decius Mus. Einer Weissagung folgend, nach der jenes Heer den Sieg davontrüge, dessen Feldherr sich dem Tode weihen würde, stürzte sich Decius Mus, als seine Truppen dem latinischen Heer zu unterliegen drohten, hoch zu Roß mitten unter die Feinde. Er fand den Tod, seine Soldaten siegten. Auf diesem letzten Teppich der Serie ist der lorbeerbekränzte Held vor Kriegstrophäen aufgebahrt, während Gefangene herangeführt und Prunkgefäße herbeigetragen werden. Auch die vor flämischer Lebensfülle strotzende Bordüre verrät mehr Gefühle des Triumphes als der Trauer.   H. J.

224

225

225 St. Sebastian. Veit Lang, Süddeutschland, 1631. Buchsbaumholz; H. 23.
Inv. Nr. 1959.118/St. 133. Kunst-Stiftung.

Von der Existenz des Bildschnitzers Veit Lang – vielleicht ist er wie so viele in den Zeitläuften des Dreißigjährigen Krieges umgekommen – wissen wir nur durch die Signatur an diesem Bildwerk. Er kann im Zusammenhang mit Goldschmiedewerkstätten gearbeitet haben, denn an Goldschmiedemodelle erinnert die kleinmeisterlich trockene, ›gestochene‹ Präzision in der Wiedergabe des Stofflichen. In manchem ist die minuziös geschnittene Statuette noch der spätmanieristischen Kunst um 1600 verhaftet, so in dem scharf betonten Kontrapost der Figur bei weit ausgebogener Hüfte und in dem heftig ausfahrenden Umriß. Die pathetische Zurschaustellung des heiligen Märtyrers leitet sich dagegen von der antiken Laokoon-Gruppe in Rom her, die im ganzen Barock-Zeitalter als Prototypus für Mimik und Gestik des Schmerzes verstanden wurde.   J. R.

226 Modell für einen Pokal. Georg Petel (1601/02-1634), Augsburg, um 1630/33.
Wachs; H. 19,4. Inv. Nr. 1877.280.

Das spontan und großzügig modellierte Werk, wohl das einzige erhalten gebliebene Wachsmodell für eine Elfenbeinschnitzerei aus dem 17. Jahrhundert, hat als ›Bossierung‹ für einen heute im Augsburger Maximiliansmuseum befindlichen Elfenbein-Pokal von Petel gedient. Die zu Teilen sehr drastische Darstellung des Bacchanals, einer im Trunk ausgelassenen Gesellschaft von Silen, Herkules, Faun, Satyr, Kentaur und Mänaden, geht in den Grundzügen auf Bilder des mit Petel gut bekannten Peter Paul Rubens zurück. Daß aber auch der Tod, als zähnefletschendes Gerippe mit Sense, anwesend ist, muß als einzigartig gelten: hier mag sich die Erfahrung des Dreißigjährigen Krieges, dem auch Petel selbst im Alter von 33 Jahren zum Opfer fallen sollte, niedergeschlagen haben.
    J. R.

227

226

227 Marschierender Knabe. Leonhard Kern (1588-1662), Schwäbisch Hall, um 1640/50.
Ahornholz; H. 18,7. Inv. Nr. 1965.64. Campe-Stiftung.

Unter den vielen nackten ›Kindlein‹ von Leonhard Kern ist dieser zügig vorwärtsstapfende Knabe mit seiner mürrischen Miene sicherlich eine der qualitätvollsten Figuren: einfach und knapp in der Gestaltung des wohlgenährten Körpers, der in der prallen Glätte des polierten Ahornholzes unmittelbar anschaulich und ›griffig‹ wird. Typisch für Kern sind die humoristische Absicht und der damit verbundene Verzicht auf einschmeichelnden Liebreiz. Die räumliche Bewegung der Figur entwickelt sich auf geradezu demonstrative Weise aus einem vierseitigen Block, den der Sockel – als dessen Überbleibsel – in Erinnerung ruft. Entsprechend präsentiert sich der Knabe in vier völlig gleichwertigen Ansichten. Diese lehrhaft vorgetragene Erfindung macht das Bildwerk zu einem echten ›Kunststück‹ im Sinne des 17. Jahrhunderts.   J. R.

228 Adam und Eva. Albert Jansz. Vinckenbrinck (1604-1664/65), Amsterdam, um 1650.
Buchsbaumholz; H. 21,3. Inv. Nr. 1957.32.

Den Vergleich mit den über alles geschätzten
Buchsbaum-Statuetten des 16. Jahrhunderts
– etwa von Conrat Meit – hat Vinckenbrinck
bei dieser Adam und Eva-Gruppe gesucht,
ohne jedoch zu imitieren. Die Durchbildung
der beiden Gestalten, deren Nacktheit nur zu
offensichtlich kein natürlicher Idealzustand
ist, gibt nüchternen Wirklichkeitssinn zu erkennen: im Ansatz ähnlich, wenn auch nicht
so kraß und desillusionierend, wie bei der
Radierung ›Adam und Eva‹ von Vincken-
brincks Altersgenossen und Mitbürger Rem-
brandt. Die Gruppe nimmt unter den wenigen, heute nachweisbaren kleinplastischen
Arbeiten von Vinckenbrinck, der gerade ih-
retwegen berühmt war, die erste Stelle ein.
   J. R.

228

229

229 König Gustav II. Adolf von Schweden auf dem Totenlager. Georg Schweigger (1613-1690), Nürnberg, 1633. Kelheimer Stein, vergoldet und versilbert. L. 22, Br. 10. Inv. Nr. 1931.231.

Die rigorose Wirklichkeitstreue in der Wiedergabe des Leichnams läßt auf die experimentierfreudige Kühnheit des gerade zwanzigjährigen Bildhauergesellen Schweigger schließen. Die Skulptur wurde wahrscheinlich als Präsentiermodell für eine ›contrafactur seiner Majestät‹ hergestellt, die ihren Platz in einer vom schwedischen Reichsrat geplanten Gedächtnis-Kapelle auf dem Schlachtfeld bei Lützen in Sachsen finden sollte; dort war Gustav Adolf am 16. November 1632 gefallen. Auf diese, nie zustandegekommene, Kapelle am Ort des Todes bezogen, ist die ganz unpathetische Darstellungsweise, in der ›provisorischen‹ Aufbahrung, ohne königliche Insignien und nur im zeitgenössischen Reiteranzug, treffend und sinnfällig.   J. R.

230 Bilderrahmen (Ausschnitt). Holland, um 1666. Buchsbaumholz; H. 181, Br. 138. Inv. Nr. 1961.90 a-o. Campe-Stiftung.

Kein holländischer Bilderrahmen des 17. Jahrhunderts kommt diesem an kleinteiliger Pracht der Schnitzerei und an Beziehungsvielfalt des gelehrten Programms gleich. Aus den Wappen kann erschlossen werden, daß er das Bildnis eines 1666 mit Jacob Schimmelpenninck van der Oye aus Zutphen verheirateten Fräuleins Jacoba Emilia van Westerholt trug. Für die Musik scheint die Dame, wie aus den Darstellungen des harfenden Königs David und der konzertierenden Musen hervorgeht, eine besondere Neigung gehegt zu haben; daneben trium-

230

phieren Tugend-Figuren über die jeweils zugehörigen Lastergestalten. Die dem Gesamtprogramm zugrundeliegenden Vorstellungen sind zwar aus mittelalterlichen und humanistischen Quellen gespeist, verbildlicht aber in einer detailfreudigen Deklamatorik, wie sie für die holländische Allegorese des 17. Jahrhunderts typisch ist.   J. R.

231 Flora. Francis van Bossuit (1635-1692), Amsterdam (?), um 1680/90. Elfenbein; H. 19, Br. 12. Inv. Nr. 1928.8.

In dem umfangreichen Werk des in Rom und Amsterdam tätigen, wohl ausschließlich mit Elfenbein befaßten Kleinplastikers Bossuit nehmen die Reliefs mit weiblichen Halbfiguren großen Raum ein. Wenig variiert (unsere ›Flora‹ gibt es, als ›Musik‹, denkbar ähnlich auf einem Relief im Amsterdamer Rijksmuseum), sollten sie den Betrachter vornehmlich durch die stupende Feinheit der schnitzerischen Arbeit und die raffinierte Nuancierung der verschiedenen Oberflächeneffekte –

231

Haut, Haare, Stoff etc. – entzücken. Das Täfelchen mit der nach niederländischem Geschmack recht üppigen Blumen- und Frühlingsgöttin, die sich – ein typischer Kunstgriff Bossuits – vor ›gepicktem‹ Grund abhebt, ist ein besonders reizvolles Beispiel für die Kunstfertigkeit des noch im 18. Jahrhundert hochberühmten Elfenbeinschnitzers.   J. R.

232 Die Geschichte zeichnet die Taten Ludwigs XIV. auf. Domenico Guidi

(1625-1701), Rom, 1677/79. Terracotta; H. 81. Inv. Nr. 1971.44/St. 289. Kunst-Stiftung.

Die Gruppe ist der repräsentative ›modello‹ für eine 1685/86 vollendete Marmorgruppe, die der für halb Europa beschäftigte Algardi-Schüler Guidi im Auftrag des Ministers Colbert für den Schloßpark von Versailles schuf. Die geflügelte Historia trägt die unvergänglichen Ruhmestaten des Sonnenkönigs in ein Buch ein, das Chronos, der hier überwundene Gott der Vergänglichkeit, zugleich mit dem Bildnismedaillon Ludwigs XIV. zu tragen gezwungen ist. Invidia, die Personifikation des Neides, stürzt rücklings zu Boden. Den dicht gedrängten, für römische Verhältnisse freilich immer noch maßvollen Reichtum der plastischen Durchbildung hat Ludwig XIV., festgelegt auf ein Geschmacksideal würdevoller Klassizität, bei dem ausgeführten Marmorbildwerk kritisiert.   J. R.

232

233 Kopf eines Engels. Alessandro Algardi (1602-1654), Rom, um 1635/36. Terracotta; H. 29,2. Inv. Nr. 1976.86. Campe-Stiftung.

Algardi, der Antipode von Gianlorenzo Bernini in der römischen Bildhauerkunst des 17. Jahrhunderts, schuf mit der 1640 aufgestellten Marmorgruppe ›St. Filippo Neri mit einem Engel‹ in St. Maria in Vallicella in Rom sein erstes Hauptwerk. Der Auftrag für diese Gruppe erging durch den reichen Pietro Boncampagni, dessen Familie auf Betreiben des Heiligen vom Judentum zum Katholizismus übergetreten war. Für den Kopf des zur Seite des Filippo Neri knienden Engels ist mit unserer Terracotta der ›modello‹ erhalten geblieben. Ruhig und gelöst in den Formen, von stiller Intensität im Ausdruck der scheuen Hingabe, steht das Werk in einer Kontinuität des ›Klassischen‹, die letztlich auf Raffael zurückgeht. J. R.

233

234

234 Humilitas. Ciro Ferri (1634-1689), Rom, um 1680. Bronze; H. 19,9. Inv. Nr. 1952.122.

Von dem Maler Ferri, der unter anderem zahlreiche Entwürfe für Goldschmiede schuf, ist durch Zeitgenossen überliefert, daß er seine Ideen »artig ... in lehm in der eil zu actionieren« wußte. Nach einem solchen Tonmodell wurde die Statuette der ›Humilitas‹ (Demut), die den Fuß auf eine Krone setzt und ein Lamm, das Tier der Sanftmut, unter dem Arm trägt, in Bronze gegossen. Die Figur kehrt auf einem gezeichneten Goldschmiede-Entwurf von Ferri wieder: Dort trägt sie zusammen mit einer ›Oboedientia‹ (Gehorsam) einen Behälter mit Reliquien eines heiligen Papstes. So brillant erfunden wie modelliert, gehört die reizvolle Figur zu der kleinen Gruppe italienischer Bozzetti in Bronze: treffender Ausdruck der Wertschätzung, die man im Barock der spontanen Skizze, der ›prima idea‹, entgegenbrachte. J. R.

235 Flora (Personifikation des Frühlings.)
Werkstatt des Filippo Parodi (1630-1702),
Genua, um 1700. Lindenholz, vergoldet;
H. mit Postament 189,3. Inv. Nr. 1932.280 a.

Darstellungen der Vier Jahreszeiten – meist
in Gestalt der Blumengöttin Flora, der Göttin
der Ackerfrucht, Ceres, des Weingottes Bacchus und des alten Saturnus – waren ein fester Bestandteil im Bildprogramm der höfischen Architektur des Barock. Für welches
Schloß die Vier Jahreszeiten des Hamburger
Museums ursprünglich bestimmt waren,
wissen wir nicht; um die Jahrhundertwende
standen sie im Bonner Palais Schaumburg.
Es sind gefällig-heitere, ungemein lebensvol-
le Gestalten, bei aller Abwandlung zum Dekorativen ersichtlich geprägt von der Formensprache des Gianlorenzo Bernini, zu dessen Nachfolgern Parodi zählte. Effektvoll ist
die Vergoldung der Figuren: bei den Fleisch-
teilen matt, bei allem übrigen, vor allem den
Gewändern, hochpoliert und von blitzendem
Glanz.   J.R.

235

236

236 Gaius Julius Caesar. Nicolas Coustou
(1658-1733), Paris, um 1700/10 (?). Bronze;
H. 63,8. Inv. Nr. 1950.5. Campe-Stiftung.

Als Gegenstück zu einer Hannibal-Statue von
Sébastien Slodtz schuf Nicolas Coustou von
1696 bis 1713 ein großes marmornes Stand-
bild Caesars. Beide Figuren waren ursprünglich für Versailles bestimmt, wurden aber
1722 im Garten der Tuilerien in Paris aufgestellt. Die ungemein sorgfältig ziselierte
Bronzestatuette unseres Museums ist wahrscheinlich eine Originalarbeit der Werkstatt
Coustous nach dem Tonmodell von 1696.
Auch die Reduktion hat die ›grandeur‹ in Haltung und Gebärde dieser klassischen Herr-
scherfigur bewahrt. Anders als z. B. die ebenfalls für Versailles bestimmte Gruppe von
Domenico Guidi (Nr. 232) vertritt das Caesar-
Bild von Coustou mustergültig die französische Kunstauffassung jener Zeit: auf jene Er-
habenheit ›à l'antique‹ gerichtet, die als einzig angemessenes Gleichnis der eigenen
Größe verstanden wurde.   J.R.

237

237 Schlafendes Kind. Jacobus van den Bogaert, gen. Jacques Desjardins (1671 bis 1737), Paris, um 1700. Marmor; H. 21,2, L. 58,5. Inv. Nr. 1956.90.

Nach dem Vorbild eines berühmten Bildwerks aus schwarzem Marmor von Alessandro Algardi in Rom (Galleria Borghese) schuf Jacobus van den Bogaert, Neffe des bekannteren Martin Desjardins, das ›Schlafende Kind‹ in zwei Ausführungen: die eine in unserem Museum, die andere, signiert und 1699 datiert, heute in Boston. Das Kind ist eine Allegorie des Schlafes (›Somnus‹); im Haar und in der linken Hand trägt es Mohnköpfe. Auch ohne diese Attribute wird dem Betrachter der tiefe, fast betäubte Schlaf, in den das liebliche Wesen versunken ist, überaus anschaulich. Anders als bei dem italienischen Vorbild ist die gleichsam tastbare Weichheit des Kinderkörpers ins Spiel gebracht; man mag darin die realistische Neigung des gebürtigen Holländers, die auch im Milieu der französischen Hofkunst um 1700 nicht verleugnet wurde, erblicken. J.R.

239 Hl. Sebastian. Matthias Rauchmiller (1645-1686) zugeschrieben, Rheinland (?), um 1670. Elfenbein; H. 14,2, Br. 8. Inv. Nr. 1973.23. Campe-Stiftung.

Der Schnitzer hat dem Bilde des Märtyrers Sebastian einen rührenden Akzent gegeben: ein mitleidiger Engelputto hat sich neben den am Fuße des Baumes zusammengesunkenen Heiligen gesetzt und zieht vorsichtig einen Pfeil aus dessen rechtem Arm. Die Schnitzerei trägt in der Wiedergabe des à jour gearbeiteten, zierlich-kleinteiligen Laubwerks dem Verlangen des Zeitgeschmacks nach staunenswerter Virtuosität Rechnung. In der weichen, einfühlsamen Modellierung der Körper ist ein flämischer Einfluß bemerkbar. Wahrscheinlich ist das Relief ein Frühwerk Matthias Rauchmillers, der wenige Jahre später mit dem Elfenbein-Humpen für den Fürsten Liechtenstein eine der berühmtesten Elfenbeinarbeiten des 17. Jahrhunderts schuf. J.R.

238

238 Bildnis eines unbekannten Herrn. Joachim Henne (nachweisbar 1663-1707), Hamburg, um 1663/65. Elfenbein; H. 14, Br. 9,7. Inv. Nr. 1897.256.

Das Bildnis eines reich gekleideten, unbekannten Herrn, wohl eines Hamburgers, bei dem die ideale architektonische Kulisse auf den hohen gesellschaftlichen Status und die Minervafigur im Hintergrund auf gelehrte Ambitionen verweisen, gehört zu den Hauptwerken des vielseitigen Kleinplastikers Henne. Der Habitus würdevoller Gelassenheit orientiert sich an Vorbildern der gleichzeitigen holländischen Bildnismalerei; der holländische Einfluß war in Hamburg während des 17. Jahrhunderts in allen Bereichen vorherrschend. Mit derartigen Porträts, die es an Feinheit der Detailwiedergabe und zugleich einer fast ›malerischen‹ Weichheit mit Miniaturen aufnehmen konnten, war Henne in seinen Hamburger Jahren vornehmlich beschäftigt, bevor er in Hofdienste in Gottorf, Kopenhagen und Berlin trat. J.R.

240 Verherrlichung eines Fürsten zu Pferde.
Magnus Eliesen Berg (1666-1739),
Kopenhagen, um 1710/15 (?). Elfenbein;
H. 30,3, Br. 16,9. Inv.Nr. 1924.183.

Das Reiterrelief ist offenbar eines der ganz
wenigen Werke von der Hand des dänischen
Hof-Elfenbeinschnitzers Magnus Berg, die
nicht für die Sammlung der dänischen Könige entstanden sind – fast alle seine Arbeiten
sind heute noch in Schloß Rosenborg in Kopenhagen zu finden. Der wie ein römischer
Imperator gewandete Fürst – er konnte bisher nicht identifiziert werden – reitet auf seinem prachtvollen Pferd, von der Siegesgöt-
tin begleitet, nach rechts vorne. Roß und Reiter lösen sich zügig, fast heftig aus dem
Flachrelief des hauchdünnen Grundes. Darauf, daß er das Elfenbein im Grund bis zur
Transparenz wegschneiden konnte, tat sich
Berg, der typische Kleinkunst-Virtuose höfischer Sphäre, anscheinend sehr viel zu gute.
    J.R.

240

239

begossenen Haupt das Geweih zählebenden
Hirschs.« Als graphisches Vorbild diente ein
Stich von Crispian de Passe für die 1607 gedruckte Ausgabe der Metamorphosen, wobei Lehmann allerdings den Tod Aktäons
wegließ, um die Tafel motivisch nicht zu
überlasten. Die Wappen beziehen sich auf
die dänische Prinzessin Hedwig, Gemahlin
Christians II. von Sachsen. A.S.

241

241 Diana und Aktäon. Caspar Lehmann
(† 1622). Prag/Dresden, vermutlich
1607-1608. Glas, geschnitten; 23,2 × 19,3.
Inv.Nr. 1926.103.

Der Steinschneider Caspar Lehmann aus
Uelzen erhielt 1609 in Prag von Rudolph II.
das kaiserliche Privileg, in Glas zu schneiden.
Wenn er auch nicht der erste Graveur war,
der diese Kunst auszuüben verstand, steht er
doch dank seines nach Nürnberg zurückge-
wanderten Schülers Georg Schwanhardt
d.Ä. am Beginn des deutsch-böhmischen
Glasschnitts. Zu seinen wenigen erhaltenen
Arbeiten gehört die Scheibe mit der Darstellung der von dem jagenden Aktäon über-
raschten, jungfräulichen Diana. Ovid
schreibt: »… und das Haar ihm bespritzend
mit rächenden Wellen … verleiht sie seinem

242

242 Deckelpokal. Georg Schwanhardt d. Ä.
(1601-1667), Nürnberg, 1660. Bergkristall,
in vergoldeter Silberfassung; H. 16.
Inv. Nr. 1896.99.

Zwei verschiedene Techniken hat der berühmte Nürnberger Glas- und Kristallschnei-
der Schwanhardt an diesem Pokal angewandt: das Schneiden mit Hilfe des Rades
und das Reißen und ›Stippen‹ (Punktieren)
mittels der Diamantspitze. Dargestellt ist die
beliebte ovidische Geschichte von Narziß
und Echo. Narziß verliebt sich in sein eigenes
Spiegelbild, das er in einem Quellbecken erblickt, während die Nymphe Echo vergebens
nach dem Geliebten ruft. Die Technik läßt so
stupende Feinheiten zu wie die, daß aus dem
Munde der Echo ein punktierter Hauch hervorgeht, in dem, kaum sichtbar, ihr Name
steht: sinnfällig für das Dahinsterben und
Vergehen der Nymphe, für die Metamorpho-
se vom Körper zum Laut.   J. R.

243 Deckelpokal (Ausschnitt). Johann Wolfgang Schmidt (tätig 1676-1711), Nürnberg,
1694. Glas, geschnitten; H. mit Deckel 45,5.
Inv. Nr. 1911.281. Geschenk von Herrn
Th. Heye, Hamburg.

Neben den Schwanhardts arbeiteten in
Nürnberg weitere ausnehmend begabte
Glasschneider, die den Ruhm der Stadt auf
diesem Gebiet rechtfertigen. Weder davor
noch danach ist es anderen Schneidern gelungen, Glasgefäße mit zarteren und detail-
lierteren Darstellungen zu schmücken. Zu
den besten Vertretern dieser Kunst zählt, neben Hermann Schwinger und Killinger, Johann Wolfgang Schmidt. Von ihm sind weniger als 10 Arbeiten bezeichnet, darunter drei
mit Datum. Der 1694 datierte Pokal zeigt die
für Schmidt typische Manier, Porträt und
Landschaft auf einem Glas zu vereinen: das
Bildnis des ›Türkenlouis‹, Ludwig Wilhelm
von Baden, und eine bewegte Reiterschlacht,
flankiert von großen Bäumen. Die gerissene
Inschrift am Kuppa-Unterteil lautet: »pro le-
ge et grege«. Unnachahmlich ist dabei die
Art, wie Porträt und Kampfszene minutiös
und souverän geschnitten sind.   A. S.

243

244 Römer. Anna Roemers Visscher (1583
bis 1651), Amsterdam, 1642. Glas, geschnitten; H. 23,5. Inv. Nr. 1904.446.

Das ›Goldene Zeitalter‹ der holländischen
Malerei war auch für die Glaskunst dieses
Jahrhunderts von großer Bedeutung. Vornehmlich die Glasgraveure erreichten ein
Höchstmaß an Perfektion. Zumeist Amateu-
re, spezialisierten sie sich auf diamantgeris-
sene Genreszenen in der Art holländischer
Kleinmeister oder verstanden es, Porträts
und Wappen minutiös auf das Glas zu gra-
vieren. Willem van Heemskerk und die der
Dichtung und Wissenschaft ergebene Anna
Roemers Visscher waren Meister der Kalligraphie. Mit Kupferrad und Diamant setzen
sie in schwungvoller, ornamental höchst
reizvoller Schrift Devisen auf die Glaswan-
dung. Der Hamburger Römer – abgeleitet
von rühmen – trägt die Inschrift ›Genoeck is
meir als viel«, ein Trinkspruch, dem die gebildete Künstlerin Paraphrasen in griechisch
und lateinisch beisetzte.   A. S.

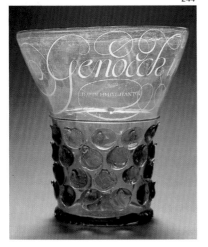

244

245

245 Deckelpokal. Wohl Georg Friedrich Killinger (tätig 1694-1726), Nürnberg, vermutlich 1705-1709. Glas, geschnitten; H. 36,5. Inv. Nr. 1895.194.

Nürnberger Pokale des 17. und frühen 18. Jahrhunderts sind leicht erkenntlich an ihren reich mit Baluster und Scheibengruppen ausgestatteten, hohen Schäften. Georg Friedrich Killinger, wohl der jüngste in der Spitzengruppe Nürnberger Schneider, führte die Kunst der Schwanhardts und ihrer Nachfolger bis tief in das 18. Jahrhundert hinein fort. Ob Porträts oder mehrfigurige Darstellungen, ob Landschaften oder Wappen – kein Thema scheint Killinger handwerkliche Schwierigkeiten bereitet zu haben. Bei diesem unsignierten Pokal brilliert der Künstler mit einer ungemein sorgfältig ausgeführten Allegorie: Schweden, oder Karl XII., als Löwe triumphiert über die Koalition seiner Gegner, die 3 Adler von Brandenburg, Rußland und Polen, Holland als Löwen mit 3 Pfeilen, England als Leopard und den daniederliegenden dänischen Elefanten. Die recht überhebliche Inschrift lautet: »Je mehr sich in Kriegen meine Feinde mehren/ Je mehr sich in Siegen mehren meine Ehren«. A. S.

246

246 Deckelpokal. Gottfried Spiller (um 1663 bis 1728), Potsdam-Berlin, um 1700. Rubinglas, geschliffen und geschnitten; H. mit Deckel 41,7. Inv. Nr. 1885.194.

Dank erfolgreicher Experimente gelang es dem berühmtesten deutschen Glasmacher, Johann Kunckel, in den 80er Jahren des 17. Jahrhunderts auf der Pfaueninsel bei Potsdam Goldrubinglas methodisch und in genügender Menge zu produzieren. Gleichzeitig stellten sich die Betriebe auf das brillantere Kalkglas um, auch erleichterten wasserbetriebene Mühlen den Schleifern dickwandiger Gefäße die Arbeit. So entstanden um die Jahrhundertwende schwere, mit Hoch- und Tiefschnitt überreich verzierte Pokale und Becher aus rotem und klarem Glas. Der bedeutendste Berliner Graveur war der aus Schlesien 1675 eingewanderte Gottfried Spiller, der 1702 zum ›Churfürstl. resp. königl. Glasschneider‹ ernannt wurde. Keiner hat es so wie er verstanden, mit in die Wandung hineingetriebenem Tiefschnitt eine so überaus skulpturale Wirkung bei der Darstellung von kraftstrotzenden Putten, üppigen Fruchtgehängen und reich angelegten Wappen zu erzielen. A. S.

247

249

248 Becher. Johann Schaper (1621-1670), Nürnberg, 1667. Glas, emailliert; H. 10,8. Inv. Nr. 1920.79. Geschenk aus dem Nachlaß Uhlmann, Hamburg.

Ein Wort von Robert Schmidt kennzeichnet treffend die von dem Becher vertretene Gruppe: In ihrer Zartheit und künstlerischen Qualität verhält sich diese Art der Hohlglasverzierung zu der üblichen Emailmalerei wie eine Miniatur zu einem derb kolorierten Holzschnitt. Johann Schaper war als Fayence- und Glasmaler schulbildend. Neben Scheiben und Fayencekrügen (vgl. Nr. 251) hat er sich besonders der typisch Nürnberger Kugelfußbecher angenommen. Die Landschaften, Wappen und Mehrfigurenbilder – oft nach Stichen von Jacques Callot – malte er in zumeist monochromem Email, wobei seine Technik leicht und skizzenhaft, dabei aber überaus genau und detailliert war. Seine Kundschaft fand er in den Patrizier- und Adelsfamilien Nürnbergs und Frankens. Der Hamburger Becher, mit dem von Schaper bevorzugten Thema der von Staffagefiguren belebten Burg- und Ruinenlandschaft versehen, trägt das Wappen der bekannten Nürnberger Familie Löffelholz. A. S.

247 Fuß-Schale. Elias Rosbach (gest. 1765), Potsdam-Berlin, um 1730. Glas, geschliffen und geschnitten; H. 17,7, Br. 27,5. Inv. Nr. 1948.1. Campe-Stiftung.

Die Versuche der Potsdamer Hütten, durch verschiedene Zusätze die Klarheit und Brillanz des Materials zu steigern, schlugen zunächst fehl: Die Mehrzahl der erhaltenen Gefäße aus der Zeit um 1700 zeigt eine durch den chemischen Verfall bedingte starke Krakelierung, die die Wandung allmählich zerstört. Diese anfänglichen Schwierigkeiten waren überwunden, als die Hamburger Schale von dem begabtesten Schneider der 2. Generation in Brandenburg geschmückt wurde: Er bezeichnete sie mit dem Diamanten ›Rosbach Fecit Berlin‹. Um den Rand zieht sich ein Fries aus Seepferden, Schlangen und Flußgöttern mit Dreizack, am Ausguß ist der preußische Adler eingraviert. Rosbach, 1735/36 Altmeister der Berliner Glasschneiderinnung, war besonders geschickt in der Schilderung von voluminösen, nackten Körpern und Tieren. Sein ›Leitmotiv‹ ist der gelagerte Flußgott mit Dreizack, der auf einem seiner Pokale großformatig erscheint. A. S.

248

249 Vierkantflasche. Vielleicht Georg Strauch (1613-1675), Nürnberg, um 1670/75. Milchglas, braun emailliert; H. 14,2. Inv. Nr. 1968.75 a/St. 335 a. Kunst-Stiftung.

Bei dieser und einer nicht abgebildeten Flasche sind beste Emailmalerei mit dem seltenen Milch- oder Beinglas vereint: gravierte Silberschraubdeckel bilden den kostbaren Abschluß. Altes Testament und griechische Mythologie werden bemüht, um den aus dem Reisekasten eines ›Gebildeten‹ stammenden Flaschen intellektuelles Gewicht zu verleihen. Dargestellt sind hier die Auffindung des Moses-Kindes und die Rettung des greisen Anchises aus dem brennenden Troja. Die lebendige und mit lockerem Pinsel aufgetragene Malerei, deren graphische Vorlagen noch unbekannt sind, könnte das Werk des Nürnberger Strauch sein. Von ihm berichtet ein Chronist: »Ist sehr gut in kleinen Sachen von Miniatur und Gummifarb, sonderlich in der Malerei von Schmelzglas, Trefflich weit kommen.« A. S.

250

250 Deckelbecher. Augsburg (?),
gegen 1700. Glas, emailliert; H. 16,2.
Inv. Nr. 1923.58. Geschenk von Herrn
Otto Blohm, Hamburg.

Das jüngste in dieser Gruppe bemalter Gläser veranschaulicht eine weitere Art des
Emaildekors. In bunten Schmelzfarben sind
in drei von Schwänen, Jägern und Hermen
eingefaßten Medaillons mythologische Themen in volkstümlicher Aufmachung dargestellt: Meleager und Atalante, Venus und
Adonis, Diana und ein Jäger. Die Göttinnen
und ihre Begleiter sind als zeitgenössisches
Schäfervölkchen verkleidet, oder besser: die
Gesellschaft des Spätbarock gibt sich dem
bukolischen Landleben hin und spielt griechische Mythologie. Die farblich höchst reizvolle Arbeit wird in Süddeutschland, vermutlich in Augsburg, ausgeführt worden sein.
Farbwahl und Stil erinnern an gleichzeitige
süddeutsche Hausmalerkrüge und die wenig
späteren Hohlgläser mit ornamentalem, vielfarbigem Schmuck.   A.S.

251 Birnkrug mit Ruinenlandschaft.
Nürnberg, um 1665. Hausmalerarbeit von
Johann Schaper († 1670). Delfter (?) Fayence,
Zinnfassung; H. 24. Inv. Nr. 1939.1.

Der aus Harburg stammende Johann Schaper war schon als Glasmaler geschätzt, ehe
er sich der Fayencemalerei zuwandte. Auf
diesem Gebiet wurde er bald als der ›Vater
der Hausmalerei‹ gerühmt. Zweifellos haben
seine in Schwarzlot ausgeführten feinen Rui-
nenlandschaften großen Einfluß auf Zeitgenossen und Nachfolger ausgeübt. Unter den
signierten Schaper-Fayencen sind lediglich
zwei mit Jahreszahlen – 1663 und 1665 – versehen. Anfangs hatte Schaper seine Bildszenen medaillonartig gefaßt und mit Girlanden, Schleifen und Fruchtgehängen umrahmt. Immer aber ziehen in den weiten, sich
am Horizont verlierenden Landschaften mit
reizvoller Figurenstaffage und bizarren
Baumgruppen phantastische Architekturrui-
nen den Blick auf sich.   H. J.

251

252

**252 Birnkrug mit blütengerahmter Land-
    schaft.** Nürnberg, um 1680-1685. Haus-
malerarbeit von Wolfgang Rössler (tätig um
1667-1717). Delfter (?) Fayence, Zinnfassung;
H. 26. Inv. Nr. 1892.2.

Von dem Nürnberger Hausmaler Wolfgang
Rössler besitzt das Museum allein drei Birn-
krüge. Der früheste ist noch nach Schaper-
Manier in Schwarzlot bemalt, verfügt aber
bereits über die glänzende bleihaltige Glasur, durch die Rössler seinen Farben eine ungewöhnliche Leuchtkraft verlieh. Dazu trägt
nicht zuletzt die häufige Verwendung von
Purpur bei, deren Intensität durch den Kontrast zu Grün und Gelb noch gesteigert erscheint. Gewöhnlich faßte Rössler seine
Bildszenen – außer Landschaften kommen
auch mythologische und biblische Darstellungen vor – mit einem Kranz üppiger Blumen ein. Auf diesem Krug geben sie auch
der weiten Flußlandschaft den dekorativen
Effekt, der sie harmonisch der Wölbung des
Gefäßes einfügt.   H. J.

253

253 Spielbrettkasten für Schach und Tric-trac (Ausschnitt). Eger (Böhmen), um 1700. Gebeizte Hölzer; H. 10,5, Br. 45, Tiefe 45. Inv. Nr. 1910.467.

Seit der Mitte des 17. Jahrhunderts hatten Egerer Schreiner ihre Kabinette mit Bildtafeln aus verschiedenfarbigen Hölzern verziert, die im Flachrelief ausgeschnitten und auf einer Unterlage verleimt wurden. Karl und sein Sohn Nicolaus Haberstumpf erlangten auf diesem speziellen Gebiet virtuose Meisterschaft. Da gewöhnlich biblische und mythologische Motive verwendet wurden, muß man annehmen, daß auch die bisher als Schäferszene gedeutete Darstellung dieser Reliefintarsie ein alttestamentliches Thema wiedergibt, vielleicht Tobias und Sara oder Jakob und Rahel. Im Innern erhielt das Trictracspiel durch intarsierte Delphine seinen besonderen Reiz. Bei den Schachfiguren treten phantasievoll helle Türken gegen dunkle Indianer an. H. J.

254 Dielenschrank. Hamburg, gegen 1700. Nußbaumholz; H. 260, Br. 280, T. 100. Inv. Nr. 1878.673. Geschenk der Bürgermeister-Kellinghusen-Stiftung, Hamburg.

Hamburger ›Schapps‹ unterscheiden sich von den zweitürigen Schränken anderer Hansestädte durch das gerade verlaufende Gesims und eine ungewöhnlich reich beschnitzte Fassade. Nicht selten bestimmt ein vielteiliges ikonographisches Programm das aus dem Gesims, den Türen und Pilastern vorgeblendete Schnitzwerk. An diesem wohl üppigsten Hamburger Schrank sind unter dem bekrönenden ›Salomonischen Urteil‹ alle berühmten Frauen des Alten Testaments von Eva über Lot's Weib bis zu Esther und der Königin von Saba den neutestamentlichen Frauen Elisabeth und Maria gegenüber gestellt. Nicht genug damit, werden an den Kapitellen noch die christlichen Tugenden Glaube, Liebe und Hoffnung durch Putten symbolisiert. In dieser Fülle und der Massigkeit seiner Erscheinung verkörpert ein solches Möbel zugleich das Selbstbewußtsein bürgerlichen Patriziats im Barock. H. J.

255 Gitarre. Joachim Tielke (1641-1719), Hamburg, 1703. Zedern- und Ebenholz, Schildpatt und Elfenbein; L. 96. Inv. Nr. 1921.74.

Von den Gitarren des Hamburger Lauten- und Geigenmachers Joachim Tielke war der dänische König Frederik IV. so begeistert, daß er ein besonders reich mit Intarsien aus Elfenbein und Schildpatt geschmücktes Exemplar für seine Schwester Sophie Hedevig anfertigen ließ. Elfenbein und Schildpatt bilden auch den Hauptzierat dieser an der Zarge ausführlich ›Joachim Tielke in Hamburg ano 1703‹ bezeichneten Gitarre. Von dem

254

255

schwarzen Ebenholz heben sich die gravierten Elfenbeineinlagen kontrastreich ab: Zu den vier Gottheiten Pluto, Neptun, Venus und Demeter in ihren Muschelwagen fügte Tielke an der Zarge noch Gespanne mit Diana und Amphitrite hinzu. Rot unterlegtes, ornamental mit Elfenbein intarsiertes Schildpatt schmückt den Hals der Gitarre, so daß sie eine Vorstellung von der Pracht Tielkescher Instrumente vermittelt, deren voller Ton noch heute die Kenner barocker Musik entzückt. H.J.

256 Cembalo. Christian Zell (tätig 1722 bis 1741), Hamburg, 1728. Pitchpineholz mit Tempera-, Öl- und Lackmalerei; H. 88, L. 246, Br. 93. Inv. Nr. 1962.115/St. 174. Kunst-Stiftung.

Im frühen 18. Jahrhundert war Hamburg mit den Werkstätten der Familien Fleischer und Hass eines der angesehendsten Zentren für den Bau von Tastinstrumenten. Christian Zell heiratete 1722 die Witwe von Carl Conrad Fleischer und übernahm wahrscheinlich dessen Werkstatt. Von seinen drei erhaltenen Cembali ist dieses das früheste. Eine ungewöhnlich reiche Malerei schmückt das Gehäuse: Während für die Innenseiten verschiedene auf die Musik bezogene mythologische Motive gewählt wurden, prunken die Außenflächen mit ›indianischem‹ Lackwerk, für das sich damals in Hamburg ebenfalls ein eigener Berufsstand gebildet hatte. Mit seinen zwei Manualen und dem dreichörigen Saitenbezug gehört das Cembalo wegen seines ausgewogenen, vollen Klanges heute zu den für die originale Interpretation von Barockmusik beliebtesten Instrumenten. H.J.

256

257

257 Nautilus-Pokal aus dem Hamburger Ratssilber. Nautilus: Niederlande, Monogrammist PG, 1652; Fassung: Johann Wilhelm Heumann (Meister 1699-1715), Hamburg, um 1700. Silber, teilvergoldet; H. 42, Br. des Nautilus 20,8. Inv. Nr. 1963.57.

Als 1805 die Besetzung Hamburgs durch französische Truppen bevorstand, wurde fast der gesamte Ratssilberschatz eingeschmolzen. Dieser erst 1963 wieder aufgetauchte Pokal verdankt seine Erhaltung vermutlich seinem geringen Gewicht an Edelmetall. Der kostbare Muschelschnitt ist 50 Jahre älter als seine für den Reichsgrafen Christian zu Egck geschaffene Fassung. Ob der Pokal als Präsent an den Hamburger Senat oder für eigene Repräsentationszwecke des Kaiserlichen Gesandten gearbeitet wurde, bleibt ungewiß. Auch als Geschenk könnte er aus dem Nachlaß des Grafen an die Stadt gekommen sein – so wurde häufig die Erbschaftssteuer für in großen Städten verstorbene Fremde entrichtet.   B. Ht.

258 Tee-Service. Meister LS und unbekannter Meister, Augsburg, um 1700. Silber, vergoldet, Auflagen in farbigem Email; H. Teekanne 13, H. Teedose 12,1. Inv. Nr. 1957.58/St. 84-91. Kunst-Stiftung.

Ohne alle Gebrauchsspuren und in seinem ursprünglich zugehörigen Kasten ist dieses Service erhalten. Vermutlich wurde es von seinem Besitzer als kostbares Kabinettstück angesehen, dessen starkfarbige Emails mit mythologischen Figuren und Szenen im Zusammenspiel mit dem Glanz der Vergoldung seinen Wert bestimmten. Dennoch ist das Geschirr für die Entwicklung des Service-Ensembles als Gebrauchsgerät im 18. Jahrhundert von großer Bedeutung: es stellt eines der frühesten Beispiele eines deutschen Services dar. Nachdem sich der Genuß von Tee, Kaffee und Kakao im ausgehenden 17. Jahrhundert in Europa eingebürgert hatte, bildeten sich feste Gerätegruppen für den Genuß dieser Getränke aus.   B. Ht.

258

259 Wandkalender. Wohl Elias Schiflen (verm. 1702, † 1737), Augsburg, Anfang 18. Jahrhundert. Silber; H. 24,5. Inv. Nr. 1900.93.

Diese Silberplatte in der Form eines Blakertellers hat drei von getriebenen Zierleisten gerahmte Öffnungen verschiedener Größe. In der oberen erscheint auf einem Blatt die Jahreszahl, in der mittleren stehen die Pergamentblätter, auf denen in farbiger Malerei als allegorische weibliche Halbfiguren die Monate in einer sie jeweils kennzeichnenden Tätigkeit gezeigt sind. Unten werden die auf ein in Zahnrädern bewegliches Band gesetzten Tagesdaten sichtbar. Der streng symmetrische Dekor der Platte vereint Formen des Spätbarock und des frühen 18. Jahrhunderts: Akanthuslaub und Blattranken, Blüten und Blumenfestons, Bandschleifen auf geschupptem Grund, das Muschelmotiv und Bandwerk. B. Ht.

259

260 Branntweinschale. Otto Friedrich Vollhagen (Meister vermutlich 1694-1727), Otterndorf, vor 1701. Silber; H. 8,8, Dm. 17,8. Inv. Nr. 1906.196.

Der Name Branntweinschale ist heute für diesen Schalentyp allgemein üblich. Auf Stilleben des späten 17. Jahrhunderts finden sich mit Konfekt gefüllte Beispiele, und auch die Verwendung als Breischüssel oder für Suppen ist durchaus möglich. Die flachbödige Form auf drei gestielten Kugelfüßen mit den vertikal angesetzten beiden Henkeln war vor allem in Hamburg und an der Niederelbe verbreitet. Die von Putten flankierten Kartuschen mit zwei Szenen aus dem Leben des ägyptischen Joseph sind etwas unbeholfen in den Fries aus Akanthuslaub und Fruchtfestons gesetzt. B. Ht.

260

261

261 Schlüssel-Willkomm der Kranken- und Sterbekasse der Schlossergesellen zu Hamburg. Hans Hinrich von Dort (Meister 1689 bis 1737), Hamburg, 1711. Silber, teilvergoldet; H. 55. Inv. Nr. 1886.44.

Dieser prächtig gearbeitete Willkomm war ein repräsentativer Zunftpokal, den die Handwerker, hier die Schlosser, für Zeremonien und zu festlichen Anlässen ihrer Zunft gebrauchten. Für ein so stolzes Zeichen der Gemeinschaft sparten die Meister für großzügige Spenden. Dieser Willkomm in der Form eines auf einen Sockel gesetzten, auf dem Griff stehenden Schlüssels ist gleichzeitig das Zunftzeichen. Er muß sehr geschätzt und viel benutzt worden sein: die Meister ließen ihn – so lauten zwei Inschriften – in den Jahren 1726 und 1742 jeweils wieder instandsetzen. B. Ht.

262

262 Platte. Johann Leonhard Eysler (Meister 1697-1733), Nürnberg, um 1715. Silber; L. 40, Br. 31,5. Inv. Nr. 1900.97.

Die im Spiegel und im Randbereich üppig geschmückte Platte zeigt den Übergang vom repräsentativen Schaugerät des Barock zum Gebrauchsgerät des 18. Jahrhunderts. Sie diente, wenn sie überhaupt benutzt wurde, wahrscheinlich als Gantière, also zum höfischen Präsentieren der Handschuhe am Ende der Ankleidezeremonie. Der Nürnberger Meister Eysler arbeitete nicht nur als Goldschmied, er veröffentlichte auch Ornamentstichfolgen. So können, was selten möglich ist, graphische Vorlagen und ausgeführte Silberarbeit aus der gleichen Hand verglichen werden. Der Reiz dieser Platte besteht neben der Leichtigkeit des Ornaments in den wirkungsvollen Gegensätzen von glatter Fläche, getriebenen Borten und den punzierten Partien. B. Ht.

263 Toilette-Service. Johann Erhard Heuglin II (Meister 1717-1757), Augsburg, um 1720. Silber, vergoldet, Emailauflagen; 27 Teile in originalem Koffer. Inv. Nr. 1949.71.

Das bis auf zwei Flakons vollständig erhaltene Service aus Großherzoglich-Mecklenburgischen Besitz ist ein prächtiges Beispiel für die kombinierten Garnituren des 17. und 18. Jahrhunderts in Deutschland. Es enthält Geräte zur Schönheitspflege, ein Solitär-Speiseservice, Leuchter und Lichtputze. Die weißgrundigen Emailplatten mit farbiger Malerei und Goldauflagen stammen wohl aus der für diese Arbeiten berühmten Werkstatt des Pierre Fromery in Berlin. Die Empfindlichkeit der Emails machte die Stücke zum Gebrauch ungeeignet. Es handelt sich um Schaugerät, das nur zur Repräsentation Verwendung fand. Für den täglichen Gebrauch dienten schlichtere Garnituren. B. Ht.

263

264

264 Terrine. Michael Dietrich (Meister 1705 bis 1741), Danzig, 1730 oder 1738. Silber; H. 27,5, Dm. 27. Inv. Nr. 1964.6.

Der Name Terrine, vom französischen ›la terre‹ abgeleitet, bezeichnet ursprünglich ein Stück Töpferware. Die Silberterrine war neben den zahlreichen keramischen Stücken immer ein besonderer Luxusgegenstand. Die runde Form, zuerst als Ragouttopf entwickelt, fand im 18. Jahrhundert wie die ovale als Suppengefäß Verwendung. Das Danziger Stück verbindet Stilformen zweier Perioden: der Pfeifendekor des Körpers und des in der Mitte hochgezogenen Deckels war bis 1715 verbreitet. Der gegossene, naturalistisch gebildete Blütenzweig als Deckelgriff gehört in die Zeit des Rokoko. Die weite Entfernung Danzigs von den modisch führenden Silberschmiedezentren erklärt vielleicht die Beibehaltung veralteter Stilelemente über längere Zeit hinweg.   B. Ht.

265 Teekessel mit Rechaud. Jacob Barthels (Meister 1727-1778), Hamburg, um 1740. Silber, Ebenholz; H. insgesamt 37. Inv. Nr. 1960.13.

Zu den vielfältigen Gerätschaften zur Teebereitung bei Tisch gehörte auch der Wasserkessel mit dem Spiritus-Stövchen. Dieser Kesseltyp wurde in England im frühen 18. Jahrhundert entwickelt. Mit dem kochenden Wasser wurde in der eigentlichen Teekanne das Getränk aufgebrüht. Da man des besseren Geschmacks wegen mehr und mehr die Porzellankannen bevorzugte, entstanden die silbernen Wasserkessel nicht nur im Service-Zusammenhang sondern auch als Einzelstücke. Der Hamburger Kessel erinnert in den klaren, zweckbestimmten Formen an englisches Silber; die Gravierung ist ein spätes Beispiel für die Ornamentik der Regencezeit.   B. Ht.

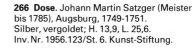

265

266

266 Dose. Johann Martin Satzger (Meister bis 1785), Augsburg, 1749-1751. Silber, vergoldet; H. 13,9, L. 25,6. Inv. Nr. 1956.123/St. 6. Kunst-Stiftung.

Die allseitig geschweifte, passig gegliederte ovale Dose wurde nicht als Einzelstück gearbeitet: Satzger, auf solche Dosen spezialisiert, fertigte Sätze von bis zu vier Paaren in unterschiedlicher Größe doch einheitlicher Gestaltung. Diese Stücke waren Bestandteile der großen Augsburger Toilette-Garnituren. Die Leistung Satzgers wird in der Materialbehandlung sichtbar: Die Dosenwandungen werden bis zum äußersten bewegt, bauchig ausgedehnt und kurvig eingeschnürt. Das gepunzte Rocaillenwerk ist so auf den Dosenkörper bezogen, daß Form und Dekor ein einheitliches Ganzes bilden. Die Feuervergoldung schützt die Dose vor dem Anlaufen und täuscht zugleich massives Gold als Material vor.   B. Ht.

267

267 Terrine mit Untersatz. Gottfried Barter-
mann (Meister vermutlich 1733-1768), Augsburg, 1759-1761. Silber; H. 31; Untersatz
34 × 54. Inv. Nr. 1906.238.

Bartermanns Terrine entstand zu einer Zeit,
als Augsburger Silber Weltgeltung besaß
und seiner handwerklichen Qualität und
künstlerischen Form wegen weit über
Deutschland hinaus begehrt war. Die ruhi-
gen Formen von Präsentierplatte und Terrine
werden von der Bewegung des gegossenen
Dekors überspielt. Dieser erinnert in seiner
schwingenden Leichtigkeit an die gleichzeitigen, locker ausgeformten Stukkaturen der
süddeutschen Architekturdekoration. Ein Detail wie der Deckelgriff ist ein Beleg für die
plastischen Fähigkeiten des Silberschmiedes. Die Terrine war sicherlich Teil eines Ta-
felservices, dessen übriger Bestand verloren
ist.   B. Ht.

268

268 Tischleuchter. Johann Conrad Otersen
(Meister 1761-1791), Hamburg, nach 1761.
Silber; H. 23,8. Inv. Nr. 1893.103.

Leuchter dieses Typs entstanden im 18. Jahrhundert in großer Anzahl. In Reihen bis zu
zwei Dutzend fanden sie bei der Tafel Verwendung: zu jedem Gedeck wurde ein
Leuchter gestellt. Leuchterpaare standen auf
den Schreib-, Spiel- und Toilettentischen.
Dieses Stück fertigte der Hamburger Goldschmied Otersen in formaler Abhängigkeit
von Augsburger Vorbildern in der Endphase
des Rokoko. Er arbeitete nicht in der meist
üblichen Treibtechnik, sondern in massiv-
wandigem Guß. Fuß, Schaft und Tülle bilden
durch übergreifende Bewegungslinien eine
Einheit. Der Dekor aus Rocaillenwerk und naturalistisch wiedergegebenen Blütenzweigen
ist bei aller Lebhaftigkeit in die Metallfläche
eingebunden.   B. Ht.

269

270

270 Terrine mit Untersatz. Robert-Joseph Auguste (Meister 1757, † 1805), Paris, 1770/72. Silber; H. 36,3, Dm. der Platte 50. Inv. Nr. 1911.27.

Diese Terrine, eigentlich ein Ragouttopf, ein ›pot-à-oille‹, wird auf dem Untersatz wie auf einem Sockel festlich präsentiert. Sie ist eine der schönsten Schöpfungen des berühmten Silberschmiedes Auguste. Der Meister gehört zu den ersten, die sich in ihrem Werk deutlich vom Rokokostil abwenden. Die Hamburger Terrine ist sein frühestes Stück mit frühklassizistischen Elementen. Französisch sind die massive Silberarbeit und die äußerste Finesse in Form und Oberfläche der naturalistisch gebildeten Widderköpfe als Griffe und der Eichenlaubfestons. Weit wichtiger als sein Gebrauchswert ist die Bedeutung dieses Kunstwerks als Mitte und Schmuck der Tafel.   B. Ht.

269 Teekanne. Johannes van der Toorn (Meister 1771-1828), Den Haag, 1774. Silber; H. 15,2. Inv. Nr. 1959.57.

Im ausgehenden Rokoko entwickelte sich eine Vorliebe für naturalistisch gebildete Gefäße und Geräte. In den Niederlanden, aber auch in Deutschland, waren Goldschmiede Meister darin, Frucht- und Pflanzenformen detailgetreu nachzubilden. Die als Melone gearbeitete Teekanne ist beispielhaft dafür, wie scheinbar mühelos Schmuckform und Verwendbarkeit des Gerätes vereint wurden. Astwerk und Blätter sind so zu Füßen, Griff, Tülle und Henkelansätzen verwandelt, daß trotz ihrer Funktionen der pflanzliche Charakter des Gesamteindrucks erhalten bleibt. Nur der – später ergänzte – Ebenholzgriff ist eckig gebrochen und fügt sich nicht in das Gesamtbild ein.   B. Ht.

271

271 Tulpenvase. Delft, um 1670-1680.
Fayence; H. 35, Br. 60. Inv. Nr. 1891.282.

Seitdem 1602 in Amsterdam die erste große
Versteigerung von chinesischem Porzellan
stattfand, beherrschten ostasiatische Motive
auch die Delfter Fayence. Selbst bei einem so
charakteristisch holländischen Gefäßtyp
mochte man nicht darauf verzichten: Drachen mit aufgerissenen Mäulern bilden die
seitlichen Henkel, zähnefletschende Tierköpfe verbeißen sich in die Tüllen, und chinesische Blütenmuster umziehen als Bordüren
Fuß und Knauf. Gegenüber dieser starren
Ordnung wirken die europäischen Jagdszenen fast spielerisch und leicht. Bis nach 1700
erfand die ›Tulpomanie‹ in Holland immer
neue Gefäßvariationen, um die leidenschaft-
lich begehrten, teuren Blüten wirkungsvoll
zu präsentieren. Dieser ungemarkte, terri-
nenartige Kübel gehört zu den größten und
frühesten Beispielen. H. J.

272 Bildplatte ›Ansicht von Maassluis‹.
Frederik van Frijtom († 1702), Delft, um
1690-1695. Fayence; 35 × 36. Inv. Nr.
1911.39.

Zu den Besonderheiten der Delfter Fayence
gehören die großen, in einem Stück gebrannten Bildplatten mit Porträts, Figuren-
kompositionen und Landschaften. In dunklen, mit Flammleisten profilierten Rahmen
konnten sie als gemäldeartiger Wandschmuck verwendet oder in eine Vertäfelung
eingefügt werden. Der berühmteste Blauma-
ler dieser Gattung, der 1658 nach Delft zuge-
zogene Frederik van Frijtom, hat in seinen
Bildern fast ausschließlich holländische
Landschaften, Städte und Dörfer wiedergegeben. Mit feinem, spitzem Pinsel zeichnete
er Kirchen, Häuser oder Ruinen an einem
dicht mit Baumgruppen bestandenen Fluß
und belebte sein Panorama beschaulich mit
bäuerlichem Genre. Nicht zuletzt durch das
in einer Art Punktier-Manier nuancierte Laubwerk der Bäume erscheinen seine ›blauen
Landschaften‹ voller Atmosphäre. H. J.

272

273

273 Prunkteller mit Juno und Merkur.
›De Grieksche A‹, Delft, um 1715. Fayence;
Dm. 40. Inv. Nr. 1973.46/St.309.
Kunst-Stiftung.

›Delft doré‹ und ›Delft Imari‹ gehören zu den
besten Leistungen der Delfter Fayence. Gegenüber den im 17. Jahrhundert hergestellten, vorwiegend in Blau dekorierten Fayen-
cegefäßen zeichnen sie sich durch ihre viel-
fältige Farbigkeit aus. Anregung gab das gegen 1700 von der Niederländischen Ostindischen Kompanie importierte japanische Ima-
ri-Porzellan. Unter ihrem Leiter Pieter
Adriaensz. Kocks entwickelte sich die 1658
gegründete Delfter Werkstatt ›De Grieksche
A‹ zu dem auf diesem Gebiet führenden Betrieb. Auf den großen, in Amsterdam, Rotterdam und Hamburg aufbewahrten und delikat
bemalten Wandplatten bildet Imari-Dekor lediglich den Rahmen um eine Folge mytholo-
gischer Szenen. Für die Darstellung von Juno und Merkur benutzte der Maler einen
Kupferstich des Egbert van Panderen nach
Bartholomäus Spranger als Vorlage. H. J.

274

275 Fassonierte Schale mit Chinesenszene.
Bayreuth, um 1736/37, Malerei von Adam
Friedrich von Löwenfinck (1714-1754).
Fayence; 18,6 × 20,8. Inv. Nr. 1912.42.
Geschenk von Paul Rosenbacher, Hamburg.

Nach seiner Flucht aus Meißen 1736 fand Löwenfinck in der 1714 gegründeten Fayencefabrik in Bayreuth wieder Arbeit. Obwohl die
Meißener Akten ihn lediglich als Malerlehrling verzeichnen, betonte er selbst, daß er in
Meißen sogar ›Modelle‹ – d. h. Vorzeichnungen – für andere Maler geliefert habe. Die
Schale entspricht in ihrer sicheren Zeichnung und Farbnuancierung denn auch dem
heute Löwenfinck zugeschriebenen Meißen-
dekor. Im Gegensatz zu seinen Arbeiten auf
Porzellan, die häufig asiatische und europäi-

276

274 Platte mit Chinesendekor. Frankfurt am
Main, ›Feinmeister‹, um 1670-1680. Fayence;
Dm. 47,5. Inv. Nr. 1908.41.

Über die Niederlande importiertes chinesisches Porzellan und Delfter Fayence waren
zunächst die Vorbilder für die 1666 gegründete Frankfurter Fayence-Manufaktur. Von
den künstlerischen Mitarbeitern kennt man
nur wenige mit Namen, deshalb behalf man
sich mit Notbezeichnungen. In der Rangord-
nung steht der sogenannte Feinmeister, von
dem auch diese Platte bemalt wurde, an erster Stelle. Andere Arbeiten seiner Hand
wurden um 1670 in das schwedische Schloß
Skokloster und um 1680 nach Schloß Ora-
nienbaum (bei Dessau) geliefert. Mit diesen
Jahreszahlen ist etwa die Zeit seiner Tätigkeit umschrieben. Seine Malerei zeichnet
sich durch »die Feinheit der Zeichnung, die
dekorative Sicherheit, die Freiheit der Erfindung, die Klarheit im Aufbau und den großen Reichtum an Motiven« aus (Feulner).
H. J.

275

sche Motive phantasievoll verbinden, ist die
Malerei der Fayence eine nur gering variierte
Wiederholung eines chinesischen ›famille-
rose‹-Porzellans; in ihrer subtilen Gestaltung
stellt sie jedoch das Feinste dar, was die Bay-
reuther Fabrik je hervorgebracht hat.   H. J.

276 Doppelbalustervase. Fulda, um 1741 bis
1744. Malerei von Adam Friedrich von
Löwenfinck (1714-1754). Fayence; H. 35,2.
Inv. Nr. 1894.68.

Form und Dekor sind chinesischen Ur-
sprungs: Porzellanvasen der K'ang-hsi-Zeit
standen Pate. Dennoch hat der geniale Löwenfinck aus diesen Anregungen ein indivi-
duelles Kunstwerk geschaffen. Nirgendwo
findet man bei den Vorbildern solch gewagte
Farbkombinationen und eine derart klare
Gliederung. Stets lockte Löwenfinck seine
Auftraggeber mit dem Reizwort ›Arkanum‹,
der Behauptung, Porzellan herstellen zu können. In Fulda gelangen ihm immerhin einige
kleine Vasen aus einer Art Frittenmasse. Die
hervorragendsten Leistungen stellen aber
Löwenfincks delikate Fayencemalereien dar,
die er für die Manufakturen in Bayreuth, Ansbach, Fulda und Höchst ausführte, wenn
man einmal von den ›fabelhaften‹ Tieren und
Chinesendarstellungen auf Meißener Porzellan absieht.   H. J.

277

277 Terrine. Abtsbessingen (Thüringen),
um 1744-1747. Malerei wahrscheinlich von
Joseph Philipp Dannhofer (1712-1790).
Fayence; H. u. Br. 26. Inv. Nr. 1921.59.

Unter den Thüringer Fayencen zeichnen sich
die Erzeugnisse von Dorotheenthal und
Abtsbessingen durch ihre elegante Form und
feine Bemalung aus. Wahrscheinlich ist auch
die Manufaktur in Abtsbessingen eine Gründung des Fürsten von Schwarzburg, wird sie
doch in zeitgenössischen Dokumenten als
›Hochfürstliche Porcellainfabrik‹ aufgeführt.
Die Form der zierlichen Terrine mit den eingerollten Volutenfüßen und seitlichen Maskarons dürfte einem silbernen Vorbild nachgestaltet worden sein. Der ungewöhnliche
Dekor aus Laub- und Bandelwerk, alternie-
rend mit Passagen von fein gemaltem Kra-
quelé, zeigt die Handschrift des Wiener Por-
zellanmalers Dannhofer. Auf seiner unsteten
Wanderung arbeitete er an verschiedenen
Fayence-Manufakturen, so von 1744-1747 in
Abtsbessingen.   H.J.

278 Adler. Höchst, um 1750. Fayence; H. 46,
Br. 48. Inv. Nr. 1957.34.

Obwohl die in der Höchster Manufaktur ausgeführten Tierskulpturen und -terrinen zu der
besten Fayenceplastik zählen, ist ihr Modelleur nicht bekannt. Als einziger ›Poussirer‹
(Bossirer) wird in den Verzeichnissen 1748
und 1749 Johann Gottfried Becker aus Dresden aufgeführt. Sicher gaben die Höchster
Tiere den Anreiz zu den ähnlich großartigen
Modellen von Straßburg. Außer dem unbe-
zeichneten Adler besitzt das Museum ein
Paar drollige Möpse und große Terrinen in
Form eines Truthahns und eines Wild-
schweinkopfes, die von Johann Zeschinger
›staffiert‹ wurden. Mit seinen ausgebreiteten
Schwingen ist der Adler die wohl imposante-
ste Skulptur der Reihe. Die Höchster Provenienz ist durch den in Rocaillen ansteigenden
Sockel gesichert, da das gleiche Modell in
Höchst bald nach 1750 auch in Porzellan ausgeformt wurde.   H.J.

278

279

279 Konsoluhr mit Chronos. Straßburg, Paul
Anton Hannong, um 1750-1754. Modell von
Johann Wilhelm Lanz (tätig um 1748-1761).
Fayence; H. 115, Br. 46. Inv. Nr. 1914.251.

Angesichts des phantasievollen Aufbaus dieser Konsoluhr kann man verstehen, daß der
Straßburger ›Porcellain-Fabrikant‹ Paul Anton Hannong seinem Modelleur Johann Wilhelm Lanz die ersten Gefäß- und Figurenschöpfungen seiner 1755 in Frankenthal neu
eingerichteten Porzellan-Manufaktur anver-
traute. Kraftvoll in Schwung und Gegen-
schwung umgreifen Rocaillen das Gehäuse
der Uhr. Die Köpfe und Figuren scheinen ihrer Kontur gleichsam zu entwachsen. Symbolhaft wacht Chronos mit Sense und Stun-
denglas über die Zeit; auch ein krähender
Hahn ist sinnbildhaft einbezogen. Keine andere Manufaktur als Straßburg hat es im
18. Jahrhundert gewagt, den sonst aus Holz
und Metall gebildeten Konsoluhren mit solch
großen und aufwendigen Fayence-Chrono-
metern Konkurrenz zu machen.   H.J.

280

280 Platte mit Chinesenszene. Straßburg, Joseph Hannong, um 1765. Fayence; Br. 33,5, L. 45. Inv. Nr. 1880.514. Geschenk der Zuhörerinnen der Vorträge im Winter 1879-1880.

Von der Pracht der Straßburger Blumenmalerei legt diese Platte nur bedingt Zeugnis ab. Sie ist jedoch eines der schönsten Beispiele für den selteneren Chinesendekor auf Straßburger Fayence. Bedächtig entrollen zwei Männer ein Landschaftsgemälde, um die letzten Pinselstriche anzubringen. Warum sie das Kunstwerk über einen Bach spannen, bleibt allerdings unerfindlich. Der Wasserlauf erhöht jedenfalls mit spitzblättrigen Pflanzen und verästelten Bäumen die malerische Wirkung der vignettenartig gestalteten Szene. Selbst bei einer derartigen Darstellung benutzten die Fayencemaler bevorzugt das leuchtende Purpur, dem die vollblütigen Straßburger Rosen auf Tellern, Platten und Schüsseln ihren weltweiten Ruhm verdanken.   H. J.

281 Deckelvase mit Chinesenszenen. Braunschweig, Rudolf Anton Chely, um 1750. Fayence; H. 50. Inv. Nr. 1931.294.

Im Gegensatz zu der seit 1707 in Braunschweig existierenden herzoglichen ›Porcellainfabrik nach Delftischer Art‹ stellte Oberstleutnant Chely in seinem 1745 privilegierten Unternehmen Fayence von großer Farbigkeit her. Dennoch blieb ihm ein größerer Erfolg versagt. Wahrscheinlich waren die schweren, konventionellen Balusterformen seiner Gefäße schon damals außer Mode. Für die Bildszenen benutzte der Maler eine Vorlage von 1702, die ›Picturae Sinicae‹ des Amsterdamers Petrus Schenk. In drei großen Reserven werden vornehme Chinesen bei beschaulicher Tätigkeit vorgeführt. Mit viel Phantasie ergänzte der Maler die einfachen graphischen Vorbilder durch Landschaftsgründe mit Pagoden und Tempeln unter strahlend blauem Himmel zu einem anschaulichen Panorama.   H. J.

281

282

282 Ein Paar Blaker. Braunschweig, Herzogliche Manufaktur, um 1765. Fayence; H. 60, Br. 35. Inv. Nr. 1925.175.

Die mit gefälligen Rocaillen und Blüten garnierten ›Wandspiegel‹ der Blaker, denen jetzt die Leuchterarme fehlen, sind die schönsten Beispiele für die Kombinationsfähigkeit deutscher Fayencemaler. Aus vier verschiedenen graphischen Vorlagen entstanden zwei Kompositionen ganz eigener Prägung. Die als seitliche Versatzstücke benötigten Architekturmotive fand man in Johann Adam Stockmanns Stichfolge ›Ruines antiques‹ für den Augsburger Verleger Johann Georg Hertel (1752). Ihnen wurden auf den Fayencebildern höfische Paare eingefügt, die den Kupferstichen ›Invention d'une Cascade‹ und ›Porte d'un Salon‹ des Johann Esaias Nilson als figürliche Staffage dienten.   H. J.

283 Bowlengefäß in Gestalt eines Bischofs.
Kellinghusen (Schleswig-Holstein), um 1770.
Fayence; H. 45,5. Inv. Nr. 1880.596.
Anonyme Stiftung.

In Kellinghusen nahm man den Begriff wört-
lich: Der ›Bischof‹ mußte in entsprechend
würdiger Form serviert werden. Was es mit
diesem Wortspiel auf sich hat, kann man in
der aufgeschlagenen Bibel im Schoß des Kir-
chenfürsten deutlich nachlesen: »Die Gantze
Cleresey mag unsernthalben leben, man
wolle uns nur oft ein neuen Bisschof geben.«
Damit war eine aus Rotwein, Zitrone und Ge-
würzen gefertigte Bowle gemeint, die in
Norddeutschland und Skandinavien damals
zu den beliebten Festtagsgetränken gehörte.
Noch 1802 erzählt der Dichter Johann Heinrich Voß, daß er in Kopenhagen an einem
fröhlichen Abend »in Abwesenheit« zum Eh-
renmitglied einer Episkopalgesellschaft ernannt wurde, die sich wöchentlich »zu einem
einfachen Mahle mit Heringssalat und Bischof« versammelte.   H. J.

283

285

284

284 Bowlengefäß in Form einer Mitra (Aus-
schnitt). Kiel, um 1768-1771. Malerei von
Abraham Leihamer (1745-1774). Fayence;
H. 41, Dm. 30,7. Inv. Nr. 1897.117. Legat H. D.
Hanstedt, Hamburg.

Auf der Kieler Bischofsbowle hat Abraham
Leihamer in einer reizenden Darstellung die
›Mitra‹ in die Mitte einer kleinen Tafelrunde
gestellt. Unter dem Tisch sieht man auch die
geleerten Rotweinflaschen, die zum Anrichten des ›Bischofs‹ benutzt wurden. Dem
Bowlengefäß die Form einer Bischofsmütze
zu geben, fiel offenbar zuerst den Fayence-
fabrikanten in Kopenhagen ein; dort gibt es
den Typ bereits gegen 1740. Durch ihre ex-
zellente Bemalung ist die Mitra von Kiel das
wohl schönste Exemplar. Auf den vier
Schauseiten alternieren kurioserweise wilde
Schlachtendarstellungen mit gemütlichen
Trinkrunden in vornehmer Gesellschaft, vielleicht als Hinweis auf die Wechselfälle des
Lebens.   H. J.

285 Ofen. Stockelsdorf bei Lübeck, 1773 und 1776 (Feuerkasten). Malerei von Abraham Leihamer. Fayence, Gußeisen; H. 270,5. Inv. Nr. 1883.40.

Der künstlerische Direktor Johann Buchwald und sein Schwiegersohn, der Maler Abraham Leihamer, haben die schönsten Fayencen von Schleswig-Holstein geschaffen. Die mißlichen finanziellen Verhältnisse ließen ihnen an den einzelnen Manufakturen immer nur wenig Zeit: 1765-1767 wirkten sie in Ekkernförde, 1768-1771 in Kiel und seit 1772 in Stockelsdorf. Als besondere Stockelsdorfer Leistung fallen die eleganten Fayenceöfen auf, die noch in den 70er Jahren in beschwingten Rokoko-Ornamenten schwelgen und so geschickt konzipiert sind, daß die Ansatzstellen der einzeln gebrannten Teile unsichtbar bleiben, weil sie von Rocaillen überspielt werden. Die größeren Flächen sind von Leihamer vignettenartig mit Chinesenszenen bemalt. H. J.

286 Potpourri. Stralsund, 1774. Malerei von Erik Wahlberg (tätig um 1760-1779). Fayence; H. 91. Inv. Nr. 1893.420.

Nachdem der Gründer der schwedischen Fayence-Manufaktur in Marieberg, Johann Eberhard Ludwig Ehrenreich, im August 1766 den Stralsunder Betrieb übernommen hatte und im Sommer darauf mit 40 schwedischen Werkleuten anrückte, glich die Stralsunder Fayence bald den skandinavischen Erzeugnissen. Sicherlich gaben Marieberger Tischfontänen auch die Anregung für den Aufbau dieses großen Potpourris. Die in Kupferstichmanier auf die Gefäßwandung gemalte Landschaft erinnert an die in Ehrenreichs Petition hervorgehobene Erfindung, «die allerfeinsten Zeichnungen mit Kupferplatten auf Porzellan drucken zu können». Letztlich erwies sich aber wohl das angekündigte Verfahren als unanwendbar. H. J.

286

287

287 Platte mit Flußlandschaft. Schweden, Marieberg, 1767. Malerei von Johann Otto Frantzen († 1772). Fayence; Br. 37, L. 52. Inv. Nr. 1926.20. Geschenk von Dr. Alexander Schön, Hamburg.

Marieberger Fayence ist von verhaltener Farbigkeit. Dennoch kommt die Bemalung ›camaieu‹, in den Nuancen nur einer Farbe, selten vor. Für die in Purpur ausgeführte Flußlandschaft hat ein bisher nicht identifizierter Stich nach einem Gemälde des Holländers Jan van der Heyde als Vorlage gedient. Daß diese figurierte Landschaft innerhalb der vorwiegend mit Blumen dekorierten Marieberger Fayence als eine besondere Leistung angesehen wurde, wird auch an der sichtbar im Vordergrund plazierten Signatur deutlich: »Fait à Marieberg, den 11. Mars 1767. J. Frantz pingsit.« Wenige Monate später begleitete der Maler Frantzen (Frantz) den Manufakturleiter Ehrenreich nach Stralsund, wo er in der dortigen Fayencefabrik noch bis zu seinem Tode tätig war. H. J.

288 Schüssel. Francesco Antonio Saverio Grue (1686–1746), Castelli, um 1720. Majolika; Dm. 34,5. Inv. Nr. 1882.211.

Im Gegensatz zu den ›maiolicari‹ der Renaissance bevorzugten die im 17. und 18. Jahrhundert tätigen Maler der Werkstätten von Castelli, einer zum Königreich Neapel gehörenden Stadt in den Abruzzen, eine duftigzarte, in gebrochenen Tönen gehaltene Farbigkeit. Durch zusätzliche Verwendung von Gold erzielten sie eine Farbwirkung, die der edler Brokate ähnelt. Typisch für die Majoliken von Castelli ist weiterhin die Bemalung der Fahne mit symmetrisch geordneten Akanthusblättern, in welchen Putten ihr Spiel treiben. Auf dem Spiegel unserer Schüssel, die zu den glanzvollsten Erzeugnissen der Maler von Castelli gerechnet werden kann, wird die im Barockzeitalter so beliebte biblische Geschichte von Judith geschildert: die schöne Heldin steckt das abgeschlagene Haupt des Feldherrn Holofernes in den von ihrer Magd gehaltenen Sack. J. R.

288

289

289 Wandteller mit Blumendekor. Alcora (Spanien), um 1730-1740. Fayence; Dm. 58. Inv. Nr. 1909.531.

In der Behangborte zeigt sich noch der Einfluß von Moustiers. Nicht ohne Grund hatte der Graf von Aranda Werkleute dieser damals bedeutendsten französischen Manufaktur nach Spanien gerufen. Ihrem Wirken war es zuzuschreiben, daß Alcora-Fayence sich in der ersten Hälfte des 18. Jahrhunderts zur ›schönsten in Europa‹ entwickelte. Mitunter fällt es schwer, vor allem die ornamental und figürlich bemalten Fayencen der beiden Betriebe zu unterscheiden. Doch gibt es für solch üppigen Blumendekor in Moustiers keine Parallele. Alcora-Fayence ist häufiger in kräftigen dunklen Farben bemalt, so daß Kupferrot, Grün und Blau die Palette beherrschen und lichte Töne sie nur wenig aufhellen. H. J.

290 Tafelaufsatz mit Gärtnerin. Sceaux (Frankreich), um 1765-1770. Fayence; H. 35, Br. 48,5, T. 37. Inv. Nr. 1886.191. Legat Werchau, Hamburg.

Wegen des Monopols von Sèvres wurde in der 1748 gegründeten Porzellan- und Fayence-Manufaktur von Sceaux nur heimlich und auch nur wenig Porzellan hergestellt. Doch besitzt die Fayence dieses südlich von Paris gelegenen Städtchens porzellanhafte Feinheit. 1754 behaupteten die Unternehmer sogar, daß ihre Ware in Farbe und Vergoldung dem Meißener Porzellan gleich käme. Nach Straßburger Vorbild pflegte man eine feine Blumenmalerei, die sich auf Tellern, Kannen und Blumenübertöpfen oft zauberhaft entfaltet. Nur in Straßburg und Niederweiler wurde vergleichbare Qualität erzielt. Die figürlichen Modelle sind den Porzellanschöpfungen von Vincennes und Sèvres nachgestaltet, in ihrer prätenziösen Haltung jedoch nicht weniger reizvoll. H. J.

290

291 Tulpenkasten mit Liebespaar. Aprey (Frankreich), um 1772-1775. Fayence; H. 20, Br. 37, T. 15. Inv. Nr. 1876.54. Geschenk von J. F. D. Neddermann, Hamburg.

Die porzellanhaft feine Bemalung gibt auch der Fayence von Aprey ihren besonderen Reiz. Seitdem man um 1760 nach Straßburger Muster die vielseitige Palette der im ›petit feu‹ brennbaren Farben einführte, waren Sceaux-Fayence und Sèvres-Porzellan die bewunderten Vorbilder. Die amüsante Darstellung, wie ein junger Mann entzückt beim Anblick seines unter einer Eiche eingeschlafenen Mädchens verharrt, könnte man dem besten Maler der Manufaktur Jacques Jarry zutrauen, der von 1772 bis 1781 dort arbeitete und dann nach Sceaux ging. Besonders geschätzt wurde seine Blumen- und Vogelmalerei, die auf der Gegenseite des Tulpenkastens in fasanartigem Geflügel zwischen Rosen und Sträuchern ihren bescheideneren Platz fand. H. J.

291

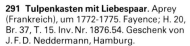

292

292 Deckelvase. Warschau, Manufaktur Karl Wolff, um 1780-1790. Fayence; H. 43. Inv. Nr. 1906.179.

Von der ersten, 1770 in einem Nebengebäude des Belvedere-Palastes errichteten Warschauer Fayence-Manufaktur besitzt das Museum zwei Teller eines Services, das der polnische König Stanislaus August 1777 dem türkischen Sultan zum Geschenk machte. Als der Betrieb aus wirtschaftlichen Gründen geschlossen werden mußte, startete der sächsische Unternehmer Karl Wolff eine neue Fabrik. Wie die Belvedere-Manufaktur fertigte auch Wolff vorwiegend starkfarbig bemalte Fayencen im ostasiatischen Stil. Blütenbäume und -stauden mit Phantasievögeln schmücken große Balustervasen, deren Deckel dachförmig aufsitzen. Wiederholen solche Gefäße auch Vorbilder, die in China und Meißen schon fünfzig Jahre vorher Furore machten, so imponieren die Warschauer Nachfahren doch durch die großzügige und ungemein dekorative Bemalung. H. J.

293 Ringkanne. China, um 1700; die Fassung vielleicht Dresden, um 1750/60. I-hsing-Steinzeug mit vergoldeter Bronzefassung; H. 30. Inv. Nr. 1930.100.

Seit dem 17. Jahrhundert fertigten chinesische Töpfer in I-hsing aus den Grundstoffen Lehm und Bolus unglasierte rote und braune Steinzeuggefäße für die Teezeremonie. Mit den Importen der Ostindienkompanien kam auch diese als ›rotes Porzellan‹ geschätzte Keramik nach Europa. Für Johann Friedrich Böttger in Dresden wurden die Nachschöpfungen von I-hsing-Steinzeug zum Ausgangspunkt seiner Porzellanerfindung (1708). Wie sehr man die chinesischen Originale schätzte, zeigen die wahrscheinlich in Dresden hergestellten, phantasievollen vergoldeten Bronzefassungen von Fuß, Tülle und Henkel. Die Deckelbekrönung bildet ein nach Johann Esaias Nilsons Kupferstichfolge ›Caffe, The und Tobac Zierathen‹ vollplastisch gestalteter rauchender Türke.   H. J.

294 Schreibzeug für König Christian VI. von Dänemark. Meißen, 1735, Malerei wahrscheinlich von Johann Georg Heintze (geb. 1707). Porzellan; Tablett: 21,7 × 29,4; Tischglocke H. 9,5. Inv. Nr. 1922.194. Vermächtnis Eduard L. Behrens, Hamburg.

Das aus Tablett, Tintenfaß, Streusandbüchse und Tischglocke bestehende Schreibzeug ist wahrscheinlich ein Geschenk des polnisch-sächsischen Königs August III. an König Christian VI. von Dänemark und seine Gemahlin Sophia Magdalena. Beider Geburtstag am 28. und 30. November ist mit der Jahreszahl 1735 auf den Kalenderfetzen vermerkt, die wie unabsichtlich auf dem Rand des Tabletts liegen, d. h. gemalt wurden. Solche Quodlibets waren im 18. Jahrhundert eine in Malerei, Graphik und Keramikdekor gern geübte Manie der Augentäuschung (trompe l'oeil). Auf den Bildreserven entfaltete die Meißener Malerstube mit Kauffahrteiszenen, Jagden und Chinesen die ganze Vielfalt der damals beliebten Motive.   H. J.

295 Willkomm in Form eines Schlüssels. Meißen, um 1714. Porzellan; H. 38,7. Inv. Nr. 1929.264.

Über die Verwendung des schlüsselförmigen Gefäßes gibt eine Eintragung auf der ersten Seite des Gästebuches der Meißener Porzellan-Manufaktur Aufschluß: »Heute dato, den 21. Aprilis, ao: 1714 früh umb 6 Uhr seynd Ihro Königl. Mayt (Majestät) in Pohlen, und Churfürst. Durchl. zu Sachßen, Herr Friedrich Augustus, als Sie auff die Leipziger Meße gegangen, ... auf Dero Schlosse Albrechtsburg allhier zu Meißen angekommen, alwo Sie in der großen Saal-Stube, das Frühstück eingenommen und dabey den neuen Willkommen der Schlüßel genant ausgetruncken ...« Wahrscheinlich wurde August dem Starken das Exemplar des Schlüssel-Willkomm gereicht, das sich noch heute in der Staatlichen Porzellansammlung im Dresdener Zwinger befindet. Der Hamburger Schlüssel hat Brandrisse im Boden; wegen dieses Fehlers kam er damals vermutlich aufs Lager. Später gelangte er in die Sammlung des deutschen Botschafters in Sankt Petersburg, Graf Pourtalès.   H. J.

293

294

295

296 Augustus-Rex-Vase. Meißen, um 1726/28. Porzellan; H. 66. Inv. Nr. 1978.79. Erworben mit Sondermitteln des Hamburger Senats und der Deutschen Nationalstiftung.

In den ersten Jahrzehnten stellte die 1710 gegründete Meißener Manufaktur vorwiegend Gefäße im chinesischen Stil her. Blaudekorierte Vasen oder Porzellan der ›famille verte‹ und ›famille rose‹ waren die bevorzugten Vorbilder. Nur gelegentlich hat man sich an den Reliefdekor gewagt, mit dem die Elemente einer weiten Flußlandschaft die große Vase überziehen; die Farben der ›famille verte‹ geben dem umlaufenden Bild ihr Gepräge. Wie wenig Pozellan mit solch aufwendigem Relief hergestellt wurde, ist auch dadurch belegt, daß außer dieser Deckelvase, die früher zur Sammlung Robert von Hirsch gehörte, lediglich sechs weitere Vasen mit Reliefdekor bekannt sind. Als eines der ersten Exemplare erhielt das große Prunkgefäß die gegen 1723 eingeführte AR-Marke, mit der das für den König bestimmte Meißener Porzellan gekennzeichnet wurde.   H. J.

296

297

297 Walzenkrug mit Hirschjagd (Ausschnitt). Meißen, um 1735/36, Malerei von Adam Friedrich von Löwenfinck (1714-1754). Porzellan; H. 20. Inv. Nr. 1922.143. Vermächtnis Eduard L. Behrens, Hamburg.

Im Alter von 13 Jahren begann Löwenfinck seine Keramikerlaufbahn 1727 als Malerlehrling ›in bunden Bluhmen‹ an der Meißener Porzellan-Manufaktur. Von solchen Anfängerarbeiten läßt sich heute kein Stück mehr identifizieren. Berühmt machten Löwenfinck die charaktervollen Fabeltiere und sein eigener Stil der Chinoiserie. Im Gegensatz zu Höroldts detailliert, beinahe tüftelnd ausgeführten Chinesenszenen, aktivierte Löwenfinck seine großzügig konturierten Gestalten in phantasievollen, farbintensiven Landschaften, in denen asiatische und europäische Elemente verknüpft sind. Der prachtvolle, von einer chinesisch-europäischen Hirschjagd in wild zerklüfteter Landschaft umzogene Walzenkrug ist Teil eines umfangreichen, heute über die Sammlungen der Welt zerstreuten Services, dessen einheitliches Kennzeichen ein schwarz-goldenes Band ist.   H. J.

298 Kavalier im Schlafrock, einer Dame mit Fächer eine Kußhand zuwerfend.
Meißen, 1736, Modell von Johann Joachim Kaendler (1706-1775). Porzellan; H. 14. Inv. Nr. 1922.180/181. Vermächtnis Eduard L. Behrens, Hamburg.

Mit den Krinolinengruppen schuf Kaendler eine neue Gattung der Kleinplastik, die als ›Kabinettstück‹ geeignet war, in gesonderter Aufstellung auf vergoldeten Konsolen oder kostbaren Möbeln zu paradieren. Die Anregung gaben Stichwerke nach Gemälden von Watteau, Lancret, Pater und verwandten französischen Malern. So entnahm Kaendler Haltung und Gebärde der Dame mit Fächer exakt einer Radierung von Pierre Filloel ›Le baiser rendu‹ (der zurückgegebene Kuß) nach einem Gemälde von Jean Baptiste Pater. Während alle späteren Krinolinengruppen auf plateauförmigen, meist ovalen Grassockeln, die dem empfindlichen Porzellan für den Verglühbrand größere Festigkeit verleihen, agieren, versuchte Kaendler bei dieser ersten Krinoline ohne stützende Hilfsmittel auszukommen. Dabei nutzte er geschickt den bis auf den Boden reichenden weiten Reifrock der Dame und den langen Schlafrock des Kavaliers als Standsicherungen der Figuren.   H. J.

298

299 Der Herzdosenkauf. Meißen, 1738, Modell von Johann Joachim Kaendler. Porzellan; H. 20,5, Br. 26,5. Inv. Nr. 1970.157. Stiftung Erich und Ilse Müller-Stinnes, Hamburg.

Daß diese Krinolinengruppe den Markgrafen von Ansbach oder gar August den Starken beim ›Herzdosenkauf‹ darstellen könnte, vermuteten erst die Interpreten des 19. Jahrhunderts. Wahrscheinlich ist eine Opernszene wiedergegeben oder einfach eine sich bei Hof häufiger wiederholende Begebenheit. Da erscheint die »Tyrolerin mit einem Schmuck-Kästgen« und bietet ihre Schätze an. Die Dame wählt eine Dose in Herzform, die sie dem Kavalier schmeichelnd hinhält. Seitlich tritt ein als Janitschar gekleideter junger Lakai hinzu, der auf einem Tablett neben rotem Gebäck einen Meißener Deckelbecher im Höroldt-Stil balanciert. Seinen besonderen Reiz erhält dieses Exemplar durch den tiefschwarzen, mit ›indianischen Blumen‹ dekorierten Reifrock der Dame, der in dieser exquisiten Bemalung selten vorkommt.'H. J.

299

300

300 Der Hofnarr Joseph Fröhlich. Meißen, 1739, Modell von Johann Joachim Kaendler. Porzellan; H. 24,3. Inv.Nr. 1922.145. Vermächtnis Eduard L. Behrens, Hamburg.

Der letzte Hofnarr der polnisch-sächsischen Könige August II. und August III. war ein bayerischer Müller, der sich stets auffällig in von Hosenträgern gehaltenen Pluderhosen, Stulpenstiefeln und hohem Spitzhut zeigte. So hat ihn Kaendler breitbeinig auf einem Postament dargestellt, in der ersten, vielleicht schon 1733 geschaffenen Fassung mit Eulen, »vor denen er einen lächerlichen Abscheu hatte«, auf der linken Schulter und dem rechten Arm. Doch 1737 datierte Fröhlich-Statuetten wurden bereits ohne Eulen ausgeformt. Wiederholt modellierte Kaendler den ›Hoftaschenspieler‹ Joseph Fröhlich und seinen Kompagnon ›Baron‹ Schmiedel in amüsanten Gruppen, so daß schon allein das in Porzellan festgehaltene Treiben der beiden Possenreißer vielerlei Aufschluß über die Geselligkeit am Dresdener Hof überliefert. H.J.

301 Zwei Harlekine. Meißen, um 1739/40, Modelle von Johann Joachim Kaendler. Porzellan; H. 18,4 und 16,3. Inv.Nr. 1922.148/149. Vermächtnis Eduard L. Behrens, Hamburg.

In keiner seiner figürlichen Schöpfungen zeigt sich das mimische Talent Kaendlers intensiver als in der Reihe der Harlekine, von denen das Museum allein vier besitzt. Sie schäumen über von Lebenslust und wissen sich vor Tollheit nicht zu lassen. In völlig verschiedenen Typen werden ihre Temperamentsausbrüche und Posen variiert. Während der eine in ulkiger Verrenkung mit Pritsche, Flöte und der am Gürtel befestigten Tabaksdose jongliert, entlockt der andere seinem Mops, dem er als Drehleier den Schwanz verdreht, die jämmerlichsten Laute. Durch dicke Schminke erhielten die Gesichter maskenhafte Starre, die jede Veränderung des Ausdrucks ins Groteske steigert. H.J.

302

302 Achteckiger Teller mit Landschaften. Meißen, 1740, Malerei wahrscheinlich von Johann Georg Heintze (geb. 1707). Porzellan; Dm. 34. Inv.Nr. 1900.49. Legat Siegd. R. Warburg, Hamburg.

Mit einem Gegenstück im Victoria & Albert-Museum in London galt dieser Teller lange Zeit als einziger Beleg für ein umfangreiches Service, das 1740 in Meißen für ein Mitglied der Orléans-Dynastie hergestellt wurde; erst 1970 tauchten weitere 61 Teile im Londoner Kunsthandel auf, die somit die vollendete Pracht dieses in satten Farben, Gold und Purpur nuancierten Meißener Geschirrs deutlich machen. Eine Schüssel ist 1740 datiert. Die Bemalung ersetzt hier entschieden die üblichen kleinen Höroldtschen Kauffahrteiszenen durch weite Landschaften mit Figurengruppen der Zeit. Bei der Darstellung von Gebäudekomplexen benutzte der Maler Augsburger ›Prospecte‹ von Johann Wilhelm Baur und Melchior Küssell aus den Jahren 1681 und 1682, die vorwiegend italienische und österreichische Paläste und Schlösser wiedergeben. H.J.

301

**303 Zwei Chinesenbuben mit Kohlblatt-
   hüten.** Meißen, 1749, Modell von
Johann Joachim Kaendler. Porzellan;
H. 23,8. Inv. Nr. 1975.56.

Wiederholt hat Kaendler seinen Figuren-
kanon durch witzige und originelle Schöpfungen erweitert. Nicht selten variierte er dabei ältere oder zeitgenössische Vorbilder. Zu
dem munter einherschreitenden Chinesen-
paar bildeten wahrscheinlich die porzellane-
nen Darstellungen nackter stehender oder
hockender Kinder der K'ang-hsi-Zeit (1662
bis 1722) die Anregung, wie sie in der Königlichen Porzellansammlung in Dresden vor-
handen gewesen sein mögen. Auch Kaendler betonte durch die prallen Bäuche und
runden Gesichter den Körper seiner Figuren.
Aber erst die mit ›indianischen‹ Blumen bemalten, weiten Hemden und die schatten-
spendenden Kohlblätter als Hüte geben seinen Figuren den Charme bezaubernder Kuriositäten, wie sie das 18. Jahrhundert besonders schätzte.   H J.

303

304 Teller aus dem ›holländischen Service‹.
Meißen, um 1766/67. Porzellan; Dm. 24,3.
Inv. Nr. 1906.213.

Die vollendete Schönheit von Meißener Porzellan hat wiederholt zu Bestellungen aus
dem Ausland geführt. Genaue Unterlagen
über das umfangreiche Tafelservice für Wilhelm v., Erbstatthalter der Niederlande (re-
gierte 1766-1795), fehlen im Archiv der Manufaktur. 1766 und 1767 werden jedoch meh-
rere Geschirrlieferungen nach Holland genannt. In goldenen Rocaille-Kartuschen sind
Teller und Schüsseln mit farbigen Veduten
bemalt. die reizvolle Ansichten von niederländischen Städten und Schlössern sowie
von überseeischen Besitzungen wiedergeben. Aus der rückseitigen Beschriftung er-
fährt man, daß die schnurgerade geschnittene Allee auf diesem Teller zu dem »Lusthuis
welte vreede by Batavia« führt. Ein strahlen-
förmiger, leuchtend blauer Rand bindet bunte Blumen und Gold zu kühler, vornehmer
Farbstimmung. H. J.

304

305 Einsatztasse. Wien, Du Paquier, um
1730-1735, Schwarzlotmalerei vielleicht von
Johann Karl Wendelin Anreiter (1702-1747).
Porzellan; H. der Tasse 7,5, Br. des Tabletts
16,1. Inv. Nr. 1920.53.

In kaum einer Porzellan-Manufaktur wurden
so viele verschiedenartige Einsatztassen
(Trembleuses) hergestellt wie in Wien. Für
die ›zitternde Hand‹ waren die Unterschalen
mit einem erhöhten Einsatzring oder einem
durchbrochen gebildeten Gitterreif versehen. Die hohe Tasse faßte man mit beiden
Händen an den gegenständigen Henkeln, um
sich so genußreich dem aromatischen Geschmack und Duft der heißen Schokolade
hingeben zu können. J. K. W. Anreiter von
Zirnfeld war neben Jacobus Helchis und Anton Schulz einer der besten Wiener Porzellanmaler jener Zeit, die ihre Tätigkeit sowohl
in der Manufaktur als auch selbständig als
sogenannte Hausmaler ausübten. H. J.

305

306 Terrine. Wien, Du Paquier, um
1730-1740. Porzellan; H. der Terrine 14,
Br. der Schüssel 30,2. Inv. Nr. 1890.503.
Vermächtnis John R. Warburg, Hamburg.

Die Kenntnisse eines desertierten Meißener
Arkanisten verhalfen dem Wiener Hofkriegs-
ratsagenten Claudius Innocentius Du Paquier
bereits 1719 zu erstem eigenem Porzellan.
Trotz der Abhängigkeit von Meißen und Ost-
asien besitzt Du-Paquier-Porzellan durch seinen phantasievollen, plastischen Schmuck
und den vorwiegend auf Eisenrot, Purpur
und Grün abgestimmten malerischen Dekor
einen unverwechselbaren Charakter. Bei der
vierpaßförmigen Terrine sorgen vor allem
die gewundenen Schlangengriffe und der
genüßlich seinen Kaffee schlürfende Orien-
tale auf dem Deckel für amüsante Kontraste.
Silberbemalte Ränder vermitteln den Eindruck einer kostbaren Metallfassung. H. J.

306

307 Harlekine. Wien, um 1755, Modell wahrscheinlich von Leopold Dannhauser († 1786). Porzellan; H. 15,2. Inv. Nr. B 54. Leihgabe Ernesto und Emily Blohm.

Wie die ersten Figurenschöpfungen Kaendlers in Meißen agiert die Wiener Harlekine ohne den schwerfälligen Sockel. Geschickt nutzte der Modelleur die weite Krinoline als sicheren Stand, dem durch die Spitze des vorgesetzten Fußes alle Schwere genommen zu sein scheint. Zu dem großflächigen Muster des Rocks kontrastieren die leichte Neigung des Oberkörpers, die grazile Wendung des Kopfes und die koketten Gebärden der Hände wirkungsvoll. Für die seit 1744 der Hof-Banco-Deputation unterstellte, nunmehr kaiserliche Manufaktur bildeten Dannhausers Krinolinenfiguren einen ersten Höhepunkt. In ihrer ungezwungenen Haltung eröffnen sie die lange Reihe der anmutigen Porzellanplastik des Wiener Rokoko. H. J.

307

308 Zwei Schraubflaschen. Breslau, um 1725, Hausmalerarbeit von Ignaz Bottengruber (tätig um 1720-1736). Meißener Porzellan; H. 17. Inv. Nr. 1927.271.

Von den Manufakturen ihrer Zeit oft als lästige Konkurrenz angesehen und als ›Pfuscher‹ oder ›Winkelmaler‹ beschimpft, gelten die als selbständige Miniaturisten, Emailleure oder Goldschmiede tätigen ›Hausmaler‹ heute als die besten Schöpfer feinsinniger und farbenprächtiger Dekors auf Porzellan und Fayence. Fertige, unbemalte Gefäße beschafften sie sich anfangs, oft mit List, aus den Chinaimporten, von Meißen und Wien. Unter den Porzellan-Hausmalern ist Ignaz Bottengruber der bedeutendste. Lange Zeit wurde sein Name geradezu als Synonym für ›Hausmalerei‹ überhaupt verwendet. Obwohl Bottengruber die Flächen des Porzellans dicht mit Ornamenten überzog, wahrte er eine klar überschaubare Gliederung. In den farblich differenzierten Kartuschenfeldern huldigte er auch auf diesen Flaschen seinem Lieblingsthema: fröhliche Bacchanten- und Puttenszenen in arkadischen Landschaften. H. J.

308

310 Dottore Baloardo. Fürstenberg, 1753 bis 1754, Modell von Simon Feilner (1726-1798). Porzellan; H. 20,3. Inv.Nr. B 255. Leihgabe Ernesto und Emily Blohm.

Der 1753 von Höchst nach Fürstenberg übergesiedelte Simon Feilner war der erste bedeutende Modelleur der Manufaktur an der Weser. Allerdings sind nur wenige seiner Figuren eigene Erfindungen. Nicht selten kopierte Feilner Modelle von Meißen und Höchst oder Elfenbeinskulpturen aus der Sammlung des Braunschweiger Herzogs; meistens benutzte er aber Stiche als Vorlagen. So wiederholen Feilners 15 Fürstenberger Komödianten eine um 1725 in Augsburg entstandene Kupferstichfolge, von der lediglich ein Exemplar ausgeschnittener Figuren im Victoria & Albert Museum in London erhalten ist. Obwohl sie die Bewegungen der graphischen Vorbilder genau nachvollziehen, besitzen Feilners Porzellanausformungen durch ihre ausdrucksvolle Mimik und die hervorragende Bemalung, die dem Staffierer Johannes Zeschinger zugeschrieben wird, vitale Kraft, sprühende Energie und Originalität. Sie kennzeichnen ihren Schöpfer zumindest als einen geschickten Kompilator. H.J.

310

309

309 Vierkantige Flasche. Kronstadt (Böhmen), um 1730, Hausmalerarbeit von Ignaz Preissler (geb. 1676). Wiener Du-Paquier-Porzellan; H. 18. Inv.Nr. 1882.213.

Anfangs für einen adeligen Herrn in Breslau tätig, arbeitete Ignaz Preissler danach offenbar mehr als ein Jahrzehnt ausschließlich für den Grafen Franz Karl Liebsteinsky von Kolowrat in Kronstadt (1729-1739). Mit Schwarzlot, dem er durch Goldhöhung räumliche Tiefe zu geben wußte, bemalte er sowohl Gläser als auch Porzellan aus China, Meißen und Wien. Seit den 1720er Jahren bevorzugte er Dekor mit dichtem Laub- und Bandelwerk, in das er vignettenartig kleine Szenen mit Putten oder Allegorien, Chinesen oder Landschaften einfügte. Die Bildszene mit dem Amoretto, der genüßlich beobachtet, wie die Fliegen in blindem Eifer auf das grelle Licht der Kerze zuströmen und sich die Flügel versengen, wird als Sinnbild der Liebe gedeutet. H.J.

311

312

311 Der Schlummer der Schäferin. Höchst, um 1760/65, Porzellan; H. 22, Br. 32,5. Inv. Nr. 1970.245. Stiftung Erich und Ilse Müller-Stinnes, Hamburg.

Neben der Gruppe ›Amyntas befreit Sylvia‹ ist der ›Schlummer der Schäferin‹ eine der vollendetsten Schöpfungen der Höchster Porzellan-Manufaktur. Mit wenigen Veränderungen in der Staffage wurde das Motiv einem Kupferstich der Serie ›Les amours pastorales‹ von Claude Augustin Duflos (1752) nach Vorlagen von François Boucher übernommen. In der wesentlichsten Aktion hat der Deutsche den Franzosen jedoch korri-

giert. Auf dem Stich zieht der verliebte Schäfer seiner angebeteten schlafenden Thémire das Brusttuch zur Seite, um sich an der Schönheit ihres vollen Busens zu berauschen; der erhobene Finger des Höchster Jünglings dagegen bittet um Ruhe für den ›Schlummer der Schäferin‹. Über den Modelleur besteht Unklarheit, da der 1767 als 20jähriger zum Modellmeister bestellte Johann Peter Melchior seine Laufbahn kaum mit solch einem Meisterwerk begonnen haben kann, heute aber häufig als Schöpfer dieser Gruppe bezeichnet wird.   H. J.

312 Der chinesische Kaiser. Höchst, um 1765. Porzellan; H. 38. Inv. Nr. 1909.633. Geschenk von Herrn und Frau Ludwig Hansing, Hamburg.

Die Höchster Version der Chinamode zeigt französischen Charme: unter einem Thronhimmel der Kaiser, dem die Künste und Wissenschaften in Gestalt knabenhafter Gelehrter huldigen. Ihre Embleme – Palette, Bildhauerkopf mit Meißel, Stechzirkel, Winkelmaß und Merkurstab – zieren die Stufen. Die Macht des Kaisers symbolisiert ein winziger Löwe zu seinen Füßen. Vielleicht gab der Kupferstich ›L'empereur chinois‹ von Gabriel Huquier nach Watteau die Anregung zu dem Aufbau. Es scheint überhaupt, daß nach der großen Porzellanbestellung des Pariser Kaufmanns Bazin Anfang 1756, welche die finanziellen Schwierigkeiten der Höchster Manufaktur zeitweise zu überwinden half, französischer Einfluß die Oberhand gewann; vielleicht hat sogar ein französicher Bildhauer die in dem Jahrzehnt bis 1766 entstandenen hervorragenden Modelle geschaffen. Nach seinem Hauptwerk wird dieser Anonymus als ›Chinesenmeister‹ tituliert.   H. J.

313 Pantalon. Nymphenburg, um 1759/60, Modell von Franz Anton Bustelli († 1763). Porzellan; H. 17,9. Inv. Nr. 1906.189.

»Pantalon, ein Bürger und reicher Kaufmann aus Venedig, trägt ein langes rotes Kleid mit schwarzer Zimarra, einen dünnen Bart, türkische Pantoffeln und Wollmütze, ohne Maske. Er ist alt, verliebt, geizig ud wird immer betrogen.« In der Commedia dell'Arte will er seine Tochter Isabella mit dem großsprecherischen Capitano verheiraten; sie ist aber in Liebesgeschichten mit dem jungen Cinthio verwickelt. Diese Ausgangsposition liefert den Stoff für ein wechselhaftes Stegreifspiel, das schließlich mit dem Sieg des Liebespaares endet. Bustelli gab den ›16 Stukh Pantomin Figuren‹, die er in Nymphenburg modellierte, in Gebärde und Bewegung den Liebreiz eines höfischen Gesellschaftsspiels.
H. J.

313

314 Leda und Capitano. Nymphenburg, um 1759/60, Modelle von Franz Anton Bustelli. Porzellan; H. 19,5. Inv. Nr. 1940.31/32. Vermächtnis Ludwig Hansing, Hamburg.

Durch ihre Schweifungen geben die dünnen Sockelplatten den Komödianten Bustellis etwas Schwebendes. Die mit der Stütze emporstrebenden Rocaillen scheinen die Figur zu heben, ihr Rhythmus die Bewegungen des Körpers vorwegzunehmen. Fast immer ist der Oberkörper in eine andere Richtung gedreht als Beine und Unterleib; Kopf und Armstellungen sind so modelliert, daß stets eine spannungsvolle Harmonie entsteht. In diesem vielseitigen Bewegungsablauf stellen die Komödianten den Höhepunkt der Porzellanplastik des Rokoko dar. Sie sind ein Abbild der höfischen Gesellschaft, die sich im Spiel selbst verkörpert. Die Geste des forschen Capitano Spavento. , der den Dolch zieht, um sich auf den von Isabella begünstigten Rivalen zu stürzen und die entsetzt abwehrende Gebärde der Leda, ihr Schrei, bleiben Pantomime. H. J.

314

315

315 Terrine mit Blumen und Insekten. Nymphenburg, um 1760-1765, Modell wahrscheinlich von Franz Anton Bustelli. Porzellan; H. 20, Br. 31,5. Inv. Nr. 1908.30.

Ob Bustelli auch Entwürfe für Geschirr gemacht hat, ist nicht bekannt. Verschiedene der sich in üppigen, vollplastischen Ornamenten erschließenden Modelle von Weihwasserbecken und Taschenuhrenständern sind jedoch zweifellos von dem Linienrhythmus Bustellischer Schöpfungen geprägt. Bei der Terrine kann man einen ähnlich harmonischen Aufbau und die gleiche logische Abfolge in den rahmenden Rocaillen wiedererkennen. In gegenäufigen Schwüngen umgreifen Ornamentstege von den tragenden Füßen bis zu den eingerollten Henkeln das passig geschweifte Gefäß wie ein Gestell. Durch diese phantasievolle Kombination unterscheidet sich die Terrine deutlich von anderen, gewöhnlich glattwandigen Nymphenburger Geschirren. H. J.

316 Toilette der Venus. Frankenthal, um 1758, Modell von Johann Wilhelm Lanz (tätig um 1748-1761). Porzellan; H. 32. Inv. Nr. 1940.36. Vermächtnis Ludwig Hansing, Hamburg.

Die ›Venus‹ des ersten Frankenthaler Modelleurs besitzt in verschiedenen Ausformungen eine aus Rocaillen und Gitterfeldern aufsteigende Laube, deren Duktus dem Linienspiel des Sockels entspricht. Besser als an jenen ornamental gebundenen Figuren erkennt man in den freigestellten Personen des Hamburger Exemplars die wohlgerundeten Formen der über 50 cm hohen weiblichen Allegorien wieder, die der Bildhauer für die Straßburger Fayence-Manufaktur geschaffen hat. Von üppigem Körperbau, in faltenreiche, farbenfrohe Gewänder gekleidet, betrachtet die Liebesgöttin selbstgefällig ihr Bildnis im Spiegel, den ein nackter Putto emporhält. In ihrer eher passiven denn aktiven Pose erscheint die nicht weniger reizvolle Zofe wie ein Spiegelbild ihrer Herrin. H. J.

316

317 Okeanos und Thetis. Frankenthal, um 1765, Modelle von Konrad Linck (1730-1793). Porzellan; H. 28,5 und 26,5. Inv. Nr. 1922.226–227. Vermächtnis Eduard L. Behrens, Hamburg.

317

Als Kurfürst Carl Theodor 1762 die verschuldete Frankenthaler Manufaktur in eigene Regie übernehmen mußte, fand er in Konrad Linck den Modelleur, der geeignet war, neue, künstlerisch hervorragende Porzellanfiguren zu erfinden und damit die Produktion wesentlich zu verbessern. Linck gab seinen Figuren unmittelbare Frische, Aktivität und Spannung durch einen die Gestalten vollständig erfassenden Bewegungsrhythmus, den er durch Faltenbahnen von Gewändern und Tüchern verdeutlichte. Aus einer unwirklichen Welt scheint Okeanos zu kommen, fremdartig ist sein Gewand, wundersam sind die Gebilde, die ihn schmücken. Majestätisch umgreifen Blick und Gebärde die Umwelt. Okeanos und Thetis, der weise alte Mann und die jugendlich schöne Gemahlin, stellen eines der großartigsten Figurenpaare der Porzellanplastik des ausklingenden Rokoko dar. H. J.

318

318 Kaffeetrinkerin. Ludwigsburg, um 1765-1766, Modell von Johann Christian Wilhelm Beyer (1725-1806). Porzellan; H. 17,5. Inv. Nr. 1922.210. Vermächtnis Eduard L. Behrens, Hamburg.

Den bei Porzellanfiguren üblichen Natursokkel aus Steinen, Gras und Blumen ersetzte Ludwigsburgs Modellmeister Johann Christian Wilhelm Beyer durch eine rechteckige, von einem fransenbesetzten Teppich überspielte Plinthe. Indem er seine Komposition außerdem einer strengen Dreieckskontur einpaßte, realisierte er als einer der ersten Porzellanmodelleure klassizistische Maßstäbe in der Porzellanplastik. Dennoch bewahrte er seiner Schönen im Négligé eine ungezwungene Haltung beim morgendlichen Levé: das kokette Spiel mit dem wippenden Fuß und die stumme Zwiesprache mit dem Hündchen, das brav die Pfote hebt. Mit Wilhelm Christian Meyer in Berlin, Johann Peter Melchior in Höchst und Konrad Linck in Frankenthal gehört Beyer zu den bedeutendsten Porzellanmodelleuren des Klassizismus. H. J.

319 Teekanne ›Neuglatt‹ aus dem Service für Schloß Sanssouci. Berlin, 1769/70. Porzellan; H. 12,5. Inv. Nr. 1922.264. Vermächtnis Eduard L. Behrens, Hamburg.

Schon als Kronprinz interessierte sich Friedrich der Große lebhaft für die Experimente, die in Berlin und Brandenburg zur Herstellung von Porzellan unternommen wurden. Seit seinem Regierungsantritt (1740) unterstützte er jede Bemühung zur Errichtung einer eigenen Berliner Manufaktur. Nachdem sich die Kaufleute Wegely und Gotzkowsky daran finanziell ruiniert hatten, erwarb der König 1763 den Manufakturbetrieb für 225 000 Taler. Für die Schlösser in Berlin, Potsdam, Sanssouci und Breslau ließ er eigene Service entwerfen, die heute als die »künstlerisch vollendetsten deutschen Rokokogeschirre« angesehen werden. Von dem Service für Sanssouci besitzt das Museum außer der Teekanne noch eine Terrine und einen Teller. Entsprechend der pagodenartigen Anlage des Schlosses wurden alle Serviceteile – nach Vorlagen von Boucher – mit feinen Chinesenszenen bemalt. H. J.

319

320 Pasquariello und Squaquara. Fulda, um 1768-1770, Modelle von Wenzel Neu (um 1708-1774). Porzellan; H. 13,4 und 14,3. Inv. Nr. 1927.259-260. Geschenk von Ludwig Hansing, Hamburg.

In Wenzel Neu besaß Fulda einen erfahrenen Modelleur, der in der Bischofsstadt schon Fayencestatuetten gemacht hatte und kurze Zeit in der Hildburghäuser Porzellan-Fabrik Kloster Veilsdorf tätig gewesen war. Für seine Komödianten benutzte er Jacques Callots Kupferstichfolge ›Balli di Sfessania‹ (um 1622) als Vorlage. Allerdings milderte er die wilde Agitation von Callots Gauklern, die in skurrilen Gebärden ihre Muskeln spielen lassen und mit langen Hakennasen, wippendem Federschmuck und flatternden Gewändern protzen, zu einem manierlichen Possenspiel, in dem Temperamente durch Gesten eher gezügelt als frei entfaltet werden. Die dekorfreie Staffierung bringt diesen Bewegungsrhythmus jedoch expressiv zur Wirkung. Bisher sind die beiden kapriziösen Fuldaer Figuren der Commedia dell'Arte nur in dieser einen Ausformung bekannt. H. J.

320

321

321 Maria Immaculata. Fulda, um 1770, Modell von Wenzel Neu. Porzellan, der Sockel aus vergoldetem Holz; H. 43,5, H. der Figur 26,5. Inv. Nr. 1905.581. Legat W. M. von Godeffroy, Hamburg.

Das vergoldete, holzgeschnitzte Postament und die Strahlengloriole scheinen Maria von der Erde zu entrücken und die Konzeption von Wenzel Neu vollendet zu realisieren. Auf die Herkunft dieser einzigen so kostbar montierten Fuldaer Immaculata verweisen die Initialen an drei Seiten des Sockels: CSI = Collegium Societatis Jesu, das Kolleg der Gesellschaft Jesu in Fulda. Die Frontseite schmückt das Marienmonogramm; Putten symbolisieren mit ihren Attributen die Elemente, die der Himmelskönigin untertan sind, wie die Erdkugel, auf deren Globus drei wichtige Regionen nahmentlich fixiert wurden: Moscau/Africa/Walac (Walachei). Im Fuldaer Preiskurant von 1786 wird das ›Marienbild‹ für 18 Gulden angeboten. H. J.

322 Harlekin, Pantalon und Pierrot beim Kartenspiel. Capodimonte, um 1750, Modell von Giuseppe Gricci (†1770). Porzellan; H. 14,5. Inv. Nr. B 60. Leihgabe Ernesto und Emily Blohm.

An den kleinen ausdrucksvollen Köpfen sind die Modelle Giuseppe Griccis leicht zu erkennen. Körper und Beine wirken eher gelängt. Gerade diese eigenwillige Proportionierung läßt die Figuren zierlich erscheinen. Für die Commedia dell'Arte hat Gricci Situationen des Bühnenstücks häufig in mehrfigurigen Gruppen konzipiert. Dabei konnte er die einzelnen Typen, ihre Haltung und Bewegung enger aufeinander abstimmen und die Expressivität der Gebärden noch steigern. Die Möglichkeit mehrerer Ansichtsseiten strebte er dabei offensichtlich nicht an. Wie bei einem Relief bleibt die Geschlossenheit der Komposition nur bei frontaler Betrachtung erhalten. Diese Gestaltungsweise kam Gricci bei seinen Wandreliefs für die Porzellanzimmer im Schloß von Portici und in Aranjuez zustatten, den wohl großartigsten, ganz auf das Medium Porzellan abgestimmten Raumschöpfungen. H. J.

322

323 Allegorie des Herbstes aus einer Folge der Jahreszeiten. Christoff Ertel, Sachsen, um 1720. Achat, kalt bemaltes Elfenbein, grünes Glas, Muschelkameen, Glasflüsse, Silber, vergoldet und emailliert. H. 19,2, Br. 9,6, T. 5,5. Inv. Nr. 1926.54c.

Unter einem Baldachin, der in Aufbau und Schmuck an barocke Theaterdekorationen erinnert, thront eine Frauenfigur, durch Hunde und Jagdgerät als Herbstallegorie gekennzeichnet; vielleicht ist es Diana selbst. Das köstliche, spielzeugkleine Kabinettstück ist ohne die Vorbilder der Dresdener Dinglingerwerkstatt nicht denkbar. Ertels Jahreszeitenfolge unterscheidet sich jedoch von Vergleichbarem dadurch, daß das Pretiose, die juwelenhafte Wirkung, nicht durch kostbare Materialien erreicht ist, sondern durch meisterhafte Imitation derselben in einfachen Grundstoffen. B. Ht.

324 Solitaire mit Fruchtgehängen. Sèvres, 1777, Malerei von Taillandier (1737-1790). Porzellan; Dm. des Tabletts 22,8. Inv. Nr. 1886.89.

Für das Boudoir oder Tête-à-tête entwickelte die Königliche Porzellan-Manufaktur in Sèvres reizende Solitaires und Déjeuners. Als Dekor schätzte man einen farbigen Fond, in dem kartuschengerahmte Reserven Platz für Detailmalerei boten. Seit etwa 1757 setzte jedoch eine Auflockerung des Fonds durch

323

Gitter, Rauten oder Blüten ein. Als besonders delikat galt das Punktmuster ›oeils-de-perdrix‹ (Rebhuhnaugen), das bei diesem mit farbigen Fruchtgehängen bemalten Solitaire auf den Dreiklang von Weiß, Hellblau und Dunkelblau abgestimmt ist. Für alle Gebiete der Porzellanmalerei – Blumen, Früchte, Vögel, Landschaften, Figuren, Porträts – bildete die Manufaktur Spezialisten heran, die wie die Vergolder ihr Zeichen an jedem der von ihnen dekorierten Stücke anbrachten. H. J.

324

325 Im Comptoir. Nicolaus Michael Spengler (1700-1776), Darmstadt, 1754. Hinterglasmalerei; 30,5 × 23. Inv. Nr. 1893.74.

An einem französischen ›bureau plat‹ empfängt ein wohlhabender Kaufherr seinen Geschäftsfreund und einen Schiffskapitän. Die Komposition geht auf ein Gemälde von Jean Baptiste Descamps zurück, das durch den Stich von Jacques Philippe Lebas ›Le Négociant‹ weite Verbreitung fand. Die Umsetzung des Themas durch den Darmstädter Hofglasmaler Spengler, dessen Monogramm links auf dem Buchdeckel zu lesen ist, verleiht der Darstellung und dem ebenfalls im Museum befindlichen Pendant mit dem ›Advokaten‹ eine frische und transparente Farbigkeit. Hinterglasbilder, sonst zumeist die Domäne bäuerlich-naiver Maler, dienten nur ausnahmsweise als Medium für ambitionierte Künstler. Die Arbeiten von Spengler gehören zu der relativ kleinen Zahl erhaltener Hinterglasbilder von künstlerischem Niveau. A. S.

325

326

326 Wandteppich ›Diana auf der Wildschweinjagd‹. Flandern, vielleicht Brügge, gegen 1700. Wirkerei aus Wolle, Seide und Leinen; 315 × 520. Inv. Nr. 1958.6.

Der große Teppich ist das Mittelstück einer Diana-Serie, deren seitliche Pendants bei gleicher Höhe wesentlich schmaler gehalten sind. Alle besitzen die gleiche vielfarbige Blumenbordüre, in die seitlich antikisierende Medaillons, in die obere und untere Borte je ein von Hunden gehetzter Hirsch eingefügt sind. Eindrucksvoller als die Figuren wirken die mächtigen Baumgruppen mit ihrem raumgreifenden Laubwerk sowie die wuchernden Pflanzen. Selten stellten flämische Teppichzeichner solche urwüchsige Natur in den Vordergrund ihrer Komposition, ohne zugleich einen Ausblick auf die gestaltete Landschaft mit Schloß und Park zu gewähren, vor deren Panorama hier die Jagdgöttin mit ihren Gehilfen ein Wildschwein erlegt.
H. J.

327 Wandteppich ›Komödianten‹. Charles Vigne († 1751), Berlin, um 1748. Entwurf vielleicht von Antoine Pesne (1683-1757). Wirkerei aus Wolle, Seide und Leinen; 330 × 505. Inv. Nr. 1952.117.

Von den anderen Teppichen der Molièrschen Komödien, die teilweise Kupferstiche nach Watteau und Lancret als Vorlagen verwendeten, unterscheidet sich die Figurengruppe dieses Behangs durch die gemessenen Bewegungen. Zwar ist auch hier die Rückenfigur des Gilles von Watteau entlehnt, doch verweist Vigne in einem Schreiben an den Würzburger Fürstbischof Friedrich Karl von Schönborn ausdrücklich auf Entwürfe seiner ›figures du théatre italien‹, die er von ›Mr. Pesne peintre‹ habe anfertigen lassen. Im Hintergrund ist das von Schlüter erbaute Landhaus Kamecke in einen französisch stilisierten Park einbezogen. Arkaden und Säulenstellungen schaffen in Verbindung mit Blütengirlanden einen bühnenartigen Rahmen.
H. J.

327

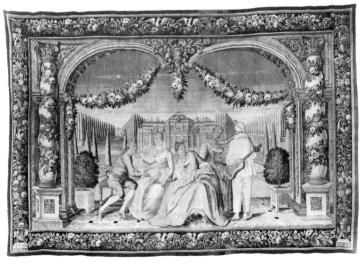

328 Seidengewebe (Ausschnitt). Frankreich,
um 1711-1713, Damast mit Broschierung;
Rapport 44 × 26, Webbreite 53.
Inv. Nr. 1956.28.

Der Kleiderstoff, kupferfarben mit Blautönen
und broschierten Gold- und Silberfäden, gehört einer späten Gruppe der sogenannten
›Bizarren Seiden‹ an, welche zwischen 1695-
1720, vornehmlich in Frankreich, entstanden
sind. In asymmetrischer Flächengliederung
zeigt das meist großflächige Muster schwer
zu beschreibende exotisch-fernöstliche For-
mationen, deren ›Bizarrerie‹ oft schattenhaft
durch eine Damast- oder Gros de Tours-Mu-
sterung des Grundes akzentuiert wird. In den
späten Seiden überwiegen vegetabile Kom-
ponenten, wobei das florale Dekor immer naturalistischer wird. Typisch für die Über-
gangszeit sind, wie hier, die zierlichen Blatt-
und Blütenranken, welche die Bogenkompo-
sition mit Schaumkronen-Motiv und voluten-
stieligem Blattbüschel umspielen.   M. P.

328

329 Klöppelspitze (Ausschnitt). Brüssel,
1. Viertel 18. Jahrhundert. Feines Leinengarn;
26 × 370. Inv. Nr. 1973.141.

Auf unregelmäßigem Steggrund umschlie-
ßen phantastisch geformte, lebhaft geschwungene Blätter zwei Bildmotive: einen
Engel mit Bischofsstab und Mitra und das
Wappen eines Kardinals. Dieser mag der
Auftraggeber der Spitze gewesen sein, die,
Besatz eines Chorrockes oder einer Albe, zu
den klassischen Arbeiten der Brüsseler Klöp-
pelkunst der ersten Jahrzehnte des 18. Jahrhunderts zählt. Der weiche Leinenfaden,
hauchdünn aus nur wenigen Flachsfasern
zusammengesponnen, ist von einer Qualität,
die nur das damalige Flandern herzustellen
vermochte. Das für Brüssel charakteristische
Relief (brode) ist nur sparsam verwendet. Der
Leinenschlag (toilé), der bandartig das Muster zeichnet, wird stellenweise von kleinen
Löchern unterbrochen, die den ›portes‹ der
Nadelspitze nachgebildet sind.   M. P.

329

330

330 Kattundruck (Ausschnitt). Hamburg (?),
Mitte 18. Jahrhundert. Krappfärbung;
Rapport 68 × 50. Inv. Nr. 1908.357.

Verschiedene Arbeitsvorgänge einer Kattun-
druckerei des 18. Jahrhunderts sind veranschaulicht. Die Bildmotive mit stark niederländischem Einschlag ergeben in vier Blök-
ken den Rapport. Die erste Szene zeigt das
Auftragen der Beize. Die Bildgruppe darüber
führt Arbeiten im Freien vor: das Bespren-
gen der Kattune auf der Bleiche und das
Klopfen der Tücher. Gegenüber wird die
Krappfärbung im beheizten Kessel vorgeführt. Der Färbemeister bewegt die Flotte,
während ein an der Winde tätiger Arbeiter
einer Spindelpresse den Rücken kehrt. Das
Ziehen der Stoffbahnen über einen Kachel-
ofen scheint dem Glätten zu dienen. Das letzte Bild gibt einen Kalander wieder, der über
eine hölzerne Welle von einem Pferd ange-
trieben wird.   M. P.

331

331 Damenkleid ›à la française‹. Europa, um 1755-1760. Gros-de-Tours-Seide mit Broschierung; H. 152. Inv.Nr. 1951.14.

Die Kleiderstoffe des Rokoko sind hell, pastellfarben und haben grazile Muster. Diese zeigen Girlanden und Bouquets, oft umspielen kleinblumige Blütenranken schräggeführte Bänder oder vertikale Streifen, die bei diesem Stoff, anstelle eines Farbwechsels, nur durch die Bindung hervortreten. Die teils verspielte Verzierung des Kleides durch Volants und Applikationen aus gezogenen Bandstreifen des Kleiderstoffes konzentriert sich auf die sichtbare Partie am Rock, am ›Stecker‹ und an den vorderen Kanten des Manteaus. Die großzügige Linie dieses Obergewandes wird im Rücken durch die sogenannte Watteau-Falte bestimmt, die dem Kleid die füllige Weite gibt. Der Name geht auf den Maler Antoine Watteau zurück, der in seinen ›fêtes galantes‹ die Damen so gekleidet darstellte.   M.P.

332 Damenschuh. Deutschland, um 1740 bis 1760. Rauhleder mit Seidenstickerei; 13 × 27. Inv.Nr. 1920.184.

Wie für alle Bereiche der Mode im 18. Jahrhundert war Frankreich auch für die chaussure der Dame bestimmend. Zur Zeit Ludwig XV. bekam der Schuh statt des hohen Stöckelabsatzes einen etwas niedrigeren, geschweiften Absatz, der, gleichsam nach vorne gerutscht, einen kleineren Fuß vortäuschte. Die Spitze blieb betont oder wurde leicht abgerundet. Bevorzugte Materialien waren gemusterte Gewebe oder einfarbige Seidenstoffe und gefärbte Leder, beide meist reich bestickt. Alle Ränder wurden mit Band oder Tresse eingefaßt und auch die Nähte damit besetzt. Man fütterte den Schuh mit weicher Polsterung aus weißem Ziegenleder. Dieses wurde mitunter noch bis gegen 1765 als Paspel zwischen Oberleder und Schuhsohle gesetzt.   M.P.

333

334

333 Damenkleid ›à l'anglaise‹. Europa, um 1775-1780. Taft mit Gaze-Applikation und Seidenstickerei; H. 140. Inv. Nr. 1979.146 (alter Bestand).

In der zweiten Hälfte des 18. Jahrhunderts wechselte der Reifrock mehrmals sein Profil. Nach einer flachen, seitlich weit ausladenden Ellipsenform setzte sich eine von England kommende, bequemere Mode durch, welche die paniers über den Hüften verschwinden ließ. Wie bisher wurde über dem weiten Rock das Oberkleid (manteau) getragen, das nun die Taille betonte und statt der Watteau-Falte die ringsum eng anliegende corsage hinten in geschweifter Spitze der ›tournure‹ aufsitzen ließ. Die daran angekrauste Stoffülle endete meist in einer kleinen Schleppe. Das Muster des Kleides zeigt hier ein Streifendekor aus aufgenähten Gazebändern und zarter Stickerei. Ausputz sind gerüschte Besatzspitzen, kleine Schleifen und plastisch abstehende Drahtblüten. M.P.

334 Musterstück für einen Herrenrock. Lyon, um 1780. Seidenstickerei auf Seidensamt; 27 × 38. Inv. Nr. 1882.55.

Der Herrenrock war im Laufe des 18. Jahrhunderts allmählich etwas knapper und anliegender geworden. Die Schöße wurden vorne schräg beschnitten und die Ärmel länger und enger geschneidert. Der Knopfverschluß, teils nur noch fingiert, wurde in den Dekor einbezogen, der in phantasievollen Mustern Stehkragen, die vorderen Kanten und Rockschöße sowie Ärmelaufschläge und Taschenpatten überzog. Die Stickerei auf ausgesuchten Tuchen, Samten und schweren Seiden vereinte Einfallsreichtum und Perfektion. Manufakturen beschäftigten Seidensticker und nahmen an Hand von Musterstücken Aufträge entgegen. Vor allem Lyon war darin führend. Diese Musterprobe zeigt – in Anwendung dreier verschiedener Stickarten – pastellfarbene Doldenblüten auf dunklem, in Lichtpunkten reflektierendem Seidensamt ›velour en mignatures‹. M.P.

332

335 Beweinung Christi. Josef Thaddäus Stammel (1699-1765), Admont, um 1740. Holz mit farbiger Fassung. H. der Mittelgruppe 55. Inv. Nr. 1956.120/St.1. Kunst-Stiftung.

Aus einer Kapelle des Stiftes Admont stammt die stürmisch bewegte Beweinungsgruppe des Bildschnitzers Stammel, der für die Kirchen und Klöster der Steiermark, vor allem aber für Admont selbst, wo er seit 1726 lebte, eine Vielzahl von religiösen Bildwerken schuf. Von der Verfeinerung des Rokoko kaum berührt, orientierte er sich zwar an Vorbildern der höfischen Florentiner Kunst, übertrug aber deren hochpathetische Ausdrucksweise in die volkstümlich-leidenschaftliche Theatralik des alpenländischen Barock. Wesentlichen Anteil an der ›aufrührenden‹ Wirkung der Andachtsbild-Gruppe hat die kräftige, in Einzelheiten fast dissonante farbige Fassung, die wie bei anderen Bildwerken Stammels der Maler Anton Pöttschnik aufgetragen haben wird.   J. R.

335

336

337 Reliquien-Tabernakel. Andrea Brustolone (1662-1732), Veneto, vollendet 1715. Buchsbaum-, Zirbel- und Ebenholz; H. 95, Br. 82. Inv. Nr. 1877.434.

Der hölzerne Reliquienschrein in Form eines Tabernakels entstand im Auftrag des Bischofs von Feltre, des Kardinals Giovanni Antonio Polcenigo. Zur Bergung von Reliquien der hl. Innocentia bestimmt, mag er in einer Kapelle als Altaraufsatz gedient haben. Der berühmte Holzschnitzer aus Belluno, der vor allem das venezianische Patriziat mit phantasievollen und virtuos geschnitzten Prunkmöbeln belieferte, hat auch sakrale Bildwerke geschaffen; der Innocentia-Schrein verbindet die beiden Bereiche miteinander. Die in kraftvoll-geschmeidigen Lineaturen geführte Grundform und der an keiner Stelle drückende Reichtum der glänzend entworfenen Dekoration steigern einander im ›barocken‹ Effekt.   J. R.

338

336 Haupt des hl. Laurentius auf dem Rost. Paul Egell (1691-1753), Mannheim, 1744. Lindenholz; 39,6 × 36 (ohne Rahmen). Inv. Nr. 1893.136.

Zusammen mit einem anderen Relief im Besitz des Museums, das den Kopf Johannes d. T. auf der Schüssel darstellt, und einem größeren mit den Halbfiguren der hll. Ignatius von Loyola und Franz Xaver gehörte das Werk zur Ausstattung eines Kapellenzimmers in Schloß Sarstedt bei Hildesheim. Die Tafeln enthielten in den Ebenholz-Rahmen Reliquien der jeweils wiedergegebenen Heiligen. Die Inschriften nehmen auf ihr Sterben Bezug, so beim Kopf des hl. Laurentius, der den Martertod auf einem glühenden Rost erlitt, der Psalmenvers: »Du hast mich im Feuer geprüft und hast mich bewährt gefunden«. Die Reliefbildung ist bestimmt von Zurückhaltung und nuancierender Sensibilität: Eigenschaften des Bildschnitzers Egell, der wie kein anderer Maßstab und Richtung für die Skulptur des Rokoko in Deutschland geben konnte.   J. R.

337

338 Madonna mit Kind. Giovanni Maria Morlaiter (1699-1781) zugeschrieben, Venedig, um 1750. Terracotta; H. 47. Inv. Nr. 1956.121/St.4. Kunststiftung.

Ob das Bildwerk als Bozzetto, also im Hinblick auf eine Ausführung in größerem Format und anderem Material, oder ohne konkrete Verwendungsabsicht entstand, muß offen bleiben: das Weiche, skizzenhafte Malerische, Verfließende der Tonplastik wurde im Zeitalter des Rokoko auch als ästhetische Qualität geschätzt. Die Muttergottes, von mädchenhafter, etwas spröder Anmut, den Blick wie sinnend an dem Christkind vorbei in die Ferne gerichtet, bewahrt doch bei aller Leichtigkeit die Würde der Himmelskönigin. Giovanni Maria Morlaiter, dem die Figur aufgrund stilkritischer Erwägungen zugeschrieben werden kann, hat mit ihr ein Gemälde des Venezianers Giovanni Battista Piazzetta (von 1725/27) paraphrasiert.   J. R.

339

339 Genius mit Ziegenfisch (Personifikation des Winters). Edme Bouchardon (1698-1762), Paris, um 1739-1745. Terracotta; H. 47. Inv. Nr. 1958.50.

Das Hauptwerk Bouchardons, neben der 1792 zerstörten Reiterstatue Ludwigs XV. auf der Place de la Concorde, ist die große Brunnenfassade in der Rue de Grenelle in Paris, die ›Fontaine des Quatre-Saisons‹. Für die dort befindliche Statue des Winters scheint das Terracotta-Bildwerk unseres Museums als Modell oder ›Maquette‹ gedient zu haben. Zögernd, mit hängenden Flügeln, schreitet der schwermütig zurückblickende Jüngling über den Ziegenfisch (Steinbock), das Monatszeichen des Jahreswechsels, hinweg. So sinnfällig und geschlossen in der Komposition wie präzise in der fließenden Modellierung, vertritt die Figur einen frühen Klassizismus, dem Anmut und sinnliche Lebensnähe noch nicht verloren gegangen sind.   J.R.

340

340 Neptun und Amphitrite. Adam Ferdinand Dietz (1708-1777), Bamberg, um 1748. Lindenholz, mit farbiger Fassung; H. 43 cm. Inv. Nr. 1885.145.

Für den Schloßgarten von Seehof bei Bamberg schuf Dietz mit seiner Werkstatt im Auftrag des Bamberger Fürstbischofs mehr als vierhundert Bildwerke aus Sandstein. In der Reihe der Vier Elemente, die am Anfang des enormen Skulpturenprogramms standen, personifizierten der antike Meeresgott Neptun und seine Gemahlin Amphitrite, am Sockel von Tritonen begleitet, das Element des Wassers. Für diese Gruppe hat sich in unserem Stück der Bozzetto, der vom Meister gewiß ganz eigenhändig ausgeführte Entwurf in weichem Lindenholz, erhalten. Die farbige Fassung – aufgetragen, nachdem das Stück seinen eigentlichen Zweck erfüllt hatte – steigert mit ihren hellen, porzellanartigen Pastelltönen die festlich-heitere Inszenierung dieser ›mythologie galante‹ des Rokoko.   J.R.

341

341 Bildnisbüste des Dichters Friedrich Gottlieb Klopstock. Landolin Ohmacht (1760-1834), Hamburg, um 1795/97. Alabaster; H. 12,1. Inv. Nr. 1911.123a. Geschenk von Otto Blohm, Hamburg.

Die kleine antikisierende Büste von der Hand des Schwaben Ohmacht, der von 1794 bis 1797 in Hamburg lebte und hier einige seiner besten Werke schuf, gibt mehr zu erkennen als die sachlich registrierte Physiognomie eines zahnlosen Greises. Sie teilt auch das Pathos mit, das für die Zeitgenossen von der Existenz des seit 1770 in Hamburg lebenden, ersten deutschen ›Nationaldichters‹ ausging: in der Büste seien, so der Domherr Meyer, »der Geist des erhabenen Dichters und der Charakter des edlen Greises, stiller hoher Ernst und Seelenruhe« ausgedrückt. Der Berliner Bildhauer Johann Gottfried Schadow ließ sich Jahre später, während der Arbeit an seiner großen Klopstock-Büste für die Walhalla bei Regensburg, das kleine Alabaster-Bildwerk von Ohmacht eigens aus Hamburg schicken.   J. R.

342

342 Bildnisbüste des Johann David Doormann. Johann Christoph Ludwig von Lücke (um 1703-1780), Hamburg, wohl um 1764. Elfenbein; H. 13. Inv. Nr. 1957.61/St.94. Kunst-Stiftung.

An der Büste des offenbar recht blasierten jungen Hamburger Patriziers bewährte sich die Fähigkeit des vielseitigen und hochbegabten Künstlervaganten Lücke zu scharfsichtiger Charakterisierung. Die Wiedergabe eines betont inoffiziellen Habitus, den man im Zeitalter der beginnenden Aufklärung einzunehmen liebte, steht in zweifellos ironisch gemeintem Gegensatz zu der Formelhaftigkeit der im spätbarocken Sinne überhöhenden Draperie. Mit den durch Prägnanz und trockenen Witz ausgezeichneten Werken Lückes kam die Entwicklung der kleinplastischen Bildschnitzerei in Deutschland zum Abschluß. J.R.

343 Bildnisbüste des Edme Mentelle (Ausschnitt). Jean-Antoine Houdon (1741-1823), Paris, 1801. Terracotta; H. 63.5. Inv. Nr. 1959.188/St.141. Kunst-Stiftung.

Edme Mentelle (1730-1815) war Professor für Geschichte und Geographie an der ›École militaire‹ in Paris und Mitglied des 1795 aus den ehemaligen königlichen Akademien zusammengefaßten ›Institut de France‹. In der unter Napoleon eingeführten Uniform des Instituts wollte er sich offenbar hier dargestellt sehen. Houdon, der im Louvre neben Mentelle wohnte und wie dieser im Salon der Prinzessin von Salm verkehrte, ist dem kargen und trockenen Wesen des Gelehrten vorzüglich gerecht geworden. Die für Houdon ungewöhnlich kühle, fast lapidare Wirkung der Büste war überdies nach dem Geschmack des Klassizismus. Nichts freilich ist verlorengegangen von der einzigartigen Befähigung Houdons, ein menschliches Gesicht so zu modellieren, daß die Physiognomie dem Betrachter genauso unverwechselbar erscheint wie der durch sie offenbare Charakter. J.R.

343

344 Kunstkammerschrank aus dem Braunschweiger Schloß. Braunschweig, vor 1728. Nußbaumholz, vergoldetes Messing; H. 224, Br. 127. Inv. Nr. 1882.113.

In seinem ›Tagebuch einer Spazierfahrt ... in die braunschweigischen Lande‹ (1728) berichtet der weitgereiste Frankfurter Patrizier Johann Friedrich Armand von Uffenbach auch über seinen Besuch im Braunschweiger Residenzschloß. Dabei fiel ihm auf, daß die Kostbarkeiten wie Uhren, Perlmuttstücke, Elfenbeinstatuen, geschnittene Steine in ›aparten Schränken‹ aufbewahrt wurden. Diese hatte Herzog August Wilhelm von Braunschweig-Wolfenbüttel zur Unterbringung seiner Sammlung von Kleinkunstwerken anfertigen lassen. Heute kennt man noch neun in den vergoldeten Ziergittern variierte Exemplare. Zentralmotiv dieses ungewöhnlichen Möbelschmucks bildet das herzogliche Wappen oder einzelne seiner Embleme, die in reiche Bandelwerkornamente eingebunden sind. Obwohl alle Schranköffnungen zusätzlich verglast wurden, hatten diese Gitter gewiß auch schützende Funktion. H.J.

345 Schreibschrank. Dresden, um 1745 bis 1750. Nußbaumholz und Palisander, facettierte Spiegel, vergoldete Bronzebeschläge; H. 236, Br. 100. Inv. Nr. 1908.505.

Seit 1734 forderte die Dresdener Tischlerzunft den Schreibschrank als Meisterstück. Bis nach 1800 blieb er das beliebteste Repräsentationsmöbel des gehobenen Bürgertums. Daß er auch vom Adel geschätzt wurde, belegt dieses Beispiel, dessen Fassade mit facettierten Spiegeln, Messingbändern, vergoldeten Maskarons und muschelförmigen Beschlägen prunkvoll ausgestattet ist. Ein noch reicheres Gegenstück fertigte der Dresdener Tischler Johann Gottfried Leuchte 1744-1746 für den kurfürstlich-sächsischen Hof. Wie dort bildet eine dreischübige Kommode das Unterteil; darüber leitet ein zum Schreiben herabklappbarer Pultdeckel zu dem etwas zurückstehenden Aufsatz über. Kleinere Schübe und Fächer zum Aufbewahren von Briefen und Dokumenten bieten sowohl der Schreibteil als auch der Innenausbau des Aufsatzes. H.J.

346

346 Tisch zur Kaiserkrönung Karls VII. (Ausschnitt). Johann Georg Wahl (1702-1773), Osthofen bei Worms, 1742. Nußbaumholz-Marketerie mit Elfenbein und Messing; H. 73, L. 102. Inv. Nr. 1956.46.

In der Mitte der Tischplatte prangt der kaiserliche Doppeladler mit kurbayerischem Herzschild, goldenem Vlies und Hausorden des Heiligen Georg. Ein Schriftband verkündet: »Es lebe Ihro Kaiserliche Mayestaet Carolus der Siebende. Der Herr segne die gekroente Haeupter Maria Amalia in Ruh und Friede.« So dokumentiert die kunstvolle Intarsie

selbst, daß dieses Möbel zur Krönung des Kurfürsten Carl Albrecht von Bayern zum Kaiser hergestellt und dem Wittelsbacher wahrscheinlich vom Kurfürsten von der Pfalz als Huldigungsgeschenk übersandt wurde. Der in Osthofen tätige Johann Georg Wahl fertigte seine mit reichen Einlegearbeiten verzierten Möbel vorwiegend für den kurpfälzischen Hof in Mannheim. Bei dem Kaisertisch bezog Wahl noch die Figuren von Glaube und Liebe sowie von Gerechtigkeit und Stärke symbolhaft in seine Komposition mit ein.   H. J.

344

345

347 Dielenuhr. Hamburg, um 1760. Das Werk von Johann Emmerich. Lindenholz; H. 255, Br. 87. Inv. Nr. 1886.254. Geschenk von Frau Wilhelm Behrens Wwe., Hamburg.

Eine solche üppig wuchernde Rokoko-Ornamentik ist in dem eher zurückhaltenden Hamburg schwer zuzubringen. Dennoch scheint die Provenienz durch die Kennzeichnung des Hamburger Uhrmachers Johann Emmerich und den vieljährigen Standort in einem Billwärder Wirtshaus gesichert. Allerdings benutzte der Schnitzer die Vorlagenstiche des Berliner Bildhauers Johann Michael Hoppenhaupt (1709– um 1755), der maßgeblich an der künstlerischen Ausformung des friderizianischen Rokoko beteiligt war. So gelang auch hier durch die Klarheit der tektonischen Gliederung sowie die wirkungsvolle Kontrastierung von glatten Flächen und bildnerischem Schmuck eine meisterhafte Verschmelzung von Ornament und Naturform, die durch eine vorsichtige farbige Lasierung noch unterstützt wird. H. J.

349 Schreibschrank (Ausschnitt). J. G. Fiedler, Berlin, 1775. Nußbaumholz-Marketerie; H. 232, Br. 160. Inv. Nr. 1879.71.

Wahrscheinlich hat J. G. Fiedler diesen mit seinem Namen signierten und 1775 datierten Schreibschrank als sein Meisterstück gearbeitet, denn der Aufbau entspricht im Wesentlichen dem seit 1768 von der Berliner Tischlerzunft geforderten Typus. Von dem Vorbild behielt er die Schweifungen der Flächen bei, bemühte sich jedoch um eine streng lineare, dem klassizistischen Empfinden entsprechende Kontur. Auch in den Intarsien, die den eigentlichen Reiz des Möbels ausmachen, prägt sich das Unentschiedene im Stilistischen deutlich aus: Teilweise umspielen noch Rocaillen die an Boucher orientierten Schäferszenen, andererseits sind diese bereits in antikisierende, geometrisch gemusterte Rahmen gefaßt. Klassizistisch sind auch die Medaillons mit dem Bildnis Friedrichs des Großen als antik bekränzter Caesar im Mittelpunkt. H. J.

348

348 Schnupftabaksdose. Johann Christoph Klang (1727-1770). Frankfurt am Main, 1763. Holzintarsie, Gold. Br. 8,6. Inv. Nr. 1979.44.

Die Kombination von Gold und Holzintarsie erscheint nur dann sinnvoll, wenn die Einlegearbeit in subtilster Feinheit ausgeführt wird. Vor David Roentgen (1743-1807) beherrschte diese Kunst vor allem der Frankfurter J. C. Klang, der, als er 1755 den Bürgereid ablegte, schwören mußte, daß er den einheimischen Schreinern keine Konkurrenz machen würde, vielmehr »sich begnügen wolle, seine erlernte Kunst als Ebenist zu treiben«. Für eine ›Chatoulle mit historischen Vorstellungen‹ soll ihm der König von Spanien 100 Dukaten bezahlt haben. Die »bis zur äußersten Accuratesse« intarsierten Chinesenszenen dieser Dose zeigen eine gewisse Verwandtschaft mit den Hoeroldt-Chinoiserien auf Meißener Porzellan. H. J.

347

349

**350 Vertäfelung aus dem Haus Katharinen-
straße 17 in Hamburg.**Bordeaux,
um 1775. Eichenholz, vergoldet und versilbert, teilweise farbig gefaßt; H. der Vertäfelung 441. Inv. Nr. 1877.29.

Offenbar kam der Hamburger Kaufmann und
Ratsherr Nicolaus Gottlieb Lütkens († 1788)
durch seine Handelsbeziehungen zu Frankreich in den Besitz der Vertäfelung für einen

großen Saal in der Belle Etage seines Hauses. Mit ihrer harmonischen Gliederung und
dem Kontrast von Gold und Weiß gibt sie
dem Raum festliches Gepräge. Spiegelappli-
quen und cartellartige Chronometer beiderseits der Türen akzenturieren die durch Lise-
nen getrennten Felder. In vergoldeter Relief-
schnitzerei repräsentiert eine Supraporte
»Die Segnungen des Handels«. Vermutlich
war diese Raumausstattung die einzige
Louis-XVI-Vertäfelung in Hamburg.   H. J.

350

351

351 Standuhr. David Roentgen (1743-1807), Neuwied bei Koblenz, 1789. Das Uhrwerk von Peter Kinzing (geb. 1745). Mahagoni, vergoldete Bronze; H. 193,5, Br. 63. Inv. Nr. Lg. 70. Ungenannter Leihgeber.

An den Möbeln des bedeutendsten deutschen Kunstschreiners David Roentgen schätzten seine Kunden neben dem klassischen Aufbau und den Intarsien vor allem die mechanische Inneneinrichtung. Diese war zu einem großen Teil das Werk des Neuwieder Uhrmachers Peter Kinzing, mit dem Roentgen seit etwa 1770 zusammenarbeitete. Auch diese Standuhr ist auf dem Zifferblatt von beiden Künstlern signiert. Im Spielwerk, das aus Walzen, Pfeifen und einer Harfe besteht, hat noch ein dritter eine Bleistiftnotitz hinterlassen: »Christian Meyl a Neuwied 1789«; vielleicht war er Mitarbeiter der Kinzing-Werkstatt. Durch das dichtgemaserte Mahagonifurnier wirkt die Standuhr in Verbindung mit den goldenen Bronzeleisten wie aus Marmor gefertigt. Der turmartige Aufbau mit der abschließenden Galerie verleiht ihr den Charakter einer denkmalhaften Architektur, eine Wirkung, die Roentgen seit den 1780er Jahren vor allem bei seinen aufwendigeren Möbeln anstrebte.   H. J.

352 Aufrechter Hammerflügel. Leopold Sauer, Prag, um 1790-1800. Mahagoni. H. 239, Br. 106. Inv. Nr. 1953.22

Aufrechtstehende Tastinstrumente kannte man schon im späten Mittelalter; die erste Erwähnung findet sich in einer Baseler ›Musica‹ von 1511. Auch aus den folgenden Jahrhunderten sind ›Clavicitheria‹ nachgewiesen. Am beliebtesten waren ›Giraffen‹-, ›Lyra‹- und ›Pyramiden‹-Flügel jedoch im Klassizismus und Biedermeier. Das von Leopold Sauer in Prag gebaute Instrument kaschiert seinen pyramidalen Oberkorpus mit einer abwechslungsreichen Fassade aus Gitterwerk, Säulenarkaden und Giebel. Mit Schwarzlot gemalte, weite Flußlandschaften auf Wiener Porzellanplatten machen in Verbindung mit Goldbronzebeschlägen und polierten Stahlnägelköpfen den Reiz des Mahagonimöbels aus. In dem unteren Porzellanmedaillon läßt Sauer den lyraspielenden Apollo unübersehbar auf seine Signatur hinweisen.   H. J.

353

352

353 Sektretär. Hamburg, um 1800-1810. Mahagoni, Alabaster, Spiegel, vergoldete Bronze; H. 181, Br. 106. Inv. Nr. 1910.475.

Der Aufbau des Schreibmöbels in kommodenartigen Sockel, Schreibteil und Aufsatz entsprach auch im Empire und Biedermeier noch dem Grundschema des Schreibschranks aus dem 18. Jahrhundert. Nach dem Vorbild des französischen ›secrétaire à abattant‹, dem Jean Henri Riesener in Paris schon gegen 1770 die klassische Form gab,

354

wurden alle Teile einer vornehm schlichten Fassade untergeordnet. Erst nach Herunterklappen der Schreibplatte zeigt sich ein größerer Reichtum an Schüben und Fächern, der die Architektur des Aufsatzes mit vergoldeten Bronzereliefs, Spiegeln und Alabastersäulen variiert. Auf die antikisierenden Motive der seitlichen Türen bereitet an der Front der Verschlußklappe ein gemaltes Ovalmedaillon vor, das in Wegdwood-Manier weiß auf blauem Fond die ›Erziehung des Bacchus‹ wiedergibt. H. J.

354 Anrichte. Hamburg, um 1830-1835. Mahagoni; H. 181, Br. 305. Inv. Nr. Lg. 61. Leihgabe von Dr. Franz-Joseph Crasemann, Hamburg.

An diesem großbürgerlichen Möbel zeigt sich die Fähigkeit norddeutscher Schreiner, mit wenigen Mitteln hanseatisches Selbstbewußtsein würdig zu repräsentieren. Nach architektonischem Konzept sind die Eckbauten vorgesetzt und überhöht, durch verschieden gemusterte Goldleisten die Horizontalen gegliedert; ein gleichmäßiges Raster intensiviert die Rückfront. Erst die detaillierte Untersuchung läßt erkennen, daß lediglich für die empirehafte Gitterbekrönung der Rückwand und den Blütenzierat der mittleren Pilaster vergoldete Bronze verwendet wurde, die übrigen Goldmuster aber kostensparend aus Holz geschnitzt sind. H. J.

355

355 Kabinett aus dem Landhaus des Syndikus Karl Sieveking in Hamburg-Hamm. Hamburg, 1830-1833. Malerei von Erwin Speckter (1806-1835). Birkenholz-Vertäfelung; H. 285. 1956 von der Hamburger Kunsthalle übernommen.

Zur Erinnerung an die Schiffskabine, die ihn bei seiner Reise nach Brasilien während der zwei Monate dauernden Seefahrt beherbergt hatte, ließ Karl Sieveking in sein von Alexis de Chateauneuf (1799-1853) erbautes Hammer Landhaus ein in den Ausmaßen ähnliches Kabinett mit mehrsitzigem Sofa einfügen. Wie bei der gleichzeitigen Ausstattung des Stadthauses für Dr. August Abendroth (1831-1835), dessen Balkonzimmer ebenfalls ins Museum übertragen worden ist, bewährte sich die Zusammenarbeit des Architekten mit Erwin Speckter auch bei dieser Aufgabe. Die Felder der Vertäfelung schmückte der Hamburger Maler mit den Gestalten von ›Amor und Psyche‹ sowie die Tageszeiten symbolisierenden weiblichen Genien. Mit anderen Biedermeierzimmern ist das Sieveking-Kabinett eines der intimsten Beispiele für die an Sinnbildern orientierte, dekorativ feinsinnige Raumgestaltung der norddeutschen Romantik. H. J.

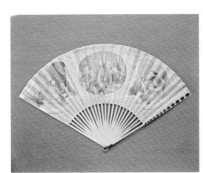

356

356 Fächer. Oberitalien, um 1760-1765.
Elfenbein und Schwanenhaut; L. 28.
Inv. Nr. 1973.31.

Selten sind Fächer so detailliert mit familiä-
ren Szenen bemalt. Daher möchte man annehmen, daß bei diesem mit feiner Schwanenhaut bezogenen Exemplar kein berufs-
mäßiger Fächermaler, sondern ein Außen-
seiter, vielleicht ein Bildnis- oder Miniaturmaler, am Werk war. In ihrer kühlen Farbgebung und der sachlichen, doch anmutigen
Charakterisierung der Personen erinnern die
Darstellungen an Bilder des Veronesers Pietro Rotari (1707-1762). In Punktiermanier
sind mit dem Farbstift in vier Bildfeldern offenbar die Lebensalter charakterisiert: Kinder beim Spielen und ein jugendliches Liebespaar bilden die Rahmenszenen für ein Interieur mit einem nachdenklich den Kopf auf-
stützenden am Schreibtisch sitzenden Mann
›in den besten Jahren‹, während das umseiti-
ge Ovalfeld einen Münzwäger mit einer den
Rosenkranz betenden Greisin zeigt.   H.J.

357 Tabatière. Gabriel-Raoul Morel (tätig
1798-1813), Paris, um 1809-1813. Gold,
Email, Achat. 7,6 × 5,6. Inv. Nr. 1970.114.

Die brillante Ausführung der polierten Relief-
ranken vor mattpunziertem Fond und die
glitzernde Farbigkeit des Goldes ›à quatre
couleur‹ rechtfertigen den Ruf des Pariser
Goldschmieds Gabriel-Raoul Morel als einen
›hervorragenden Techniker‹. Feine, blau
emaillierte Kanten profilieren die Seitenflä-
chen und den Boden; sie fügen auch den antikisierenden Frauenkopf dezent dem Dosen-
deckel ein. Sicherlich hat Morel diesen, in er-
habenem Relief geschnittenen, mehrfarbigen Kameo fertig von dem Auftraggeber
oder dem Steinschneider erhalten. In dem
durchsichtig wolkigen Fond des Achats wirkt
das Bildnis wie mit dem durchschimmern-
den Gold verwachsen. Ursprünglich befand
sich die Dose im Besitz des Freiherrn Laß-
berg, dem Schwager der Annette von
Droste-Hülshoff.   H.J.

357

358 Tablett ›La Garde impériale au Champ de Mars‹. Sèvres, 1813, Malerei von Jaques François Joseph Swebach (1769-1823). Porzellan; 33,9 × 45,1. Inv. Nr. 1912.1533. Geschenk von J. H. Garrels, Hamburg.

Daß die Kaiserliche Porzellan-Manufaktur in Sèvres 1802 einen der besten Schlachtenmaler zum ›premier peintre‹ berief, entsprach dem Wunsch Napoleons nach repräsentativen Servicen, auf denen seine Soldaten und Feldzüge verherrlicht wurden. Großzügig verschenkte er solches Geschirr an Diplomaten und Damen seiner Gunst. Jacques Swebach übte dieses Amt bis 1813 aus; zahlreiche hervorragend dekorierte Geschirre jener Zeit tragen seine Signatur. Das am 1. April 1813 in Sèvres vollendete Tablett mit der auf dem Marsfeld exerzierenden Kaiserlichen Garde machte Napoleon seiner Schwester Elisa, Großherzogin von Toscana, zum Neujahrstag 1814 zum Geschenk. H. J.

358

359 Spiegel aus einer Toilette-Garnitur. Jean George Humbert (1770-1837), Berlin, 1822. Silber, vergoldet; H. 75,6, Br. 98. Inv. Nr. 1950.41a.

Zur Hochzeit der preußischen Prinzessin Alexandrine mit Großherzog Paul-Friedrich von Mecklenburg-Schwerin wurde ihr eine umfangreiche Toilette-Garnitur geschenkt, die nach dem Krieg ins Museum kam. Aus diesem Ensemble stammt der Spiegel. Derart repräsentatives Gerät ist von den reichen Empire-Garnituren der Pariser Goldschmiede beeinflußt, die für den französischen Kaiserhof gearbeitet wurden. Der Spiegel Humberts ist eine der hervorragendsten Leistungen der Berliner Goldschmiedekunst in der Zeit des Klassizismus. Die prachtvollen Koren als Trägerfiguren und die Schönheit des reichen, antikisierenden Dekors gehen auf den Einfluß Karl Friedrich Schinkels, vielleicht sogar auf seine Vorzeichnungen selbst zurück. B. Ht.

359

360 Prunktisch (Ausschnitt). Carl Friedrich Heinrich Plambeck (1814-1879), Hamburg, 1851. Palisanderholz mit Intarsien aus Nuß-, Ahorn-, Rosen- und Ebenholz, graviertem Messing, Zinn, Elfenbein, Perlmutter und gefärbten Pasten; H. 72, Dm. 134. Inv. Nr. 1893.453. Geschenk von Frau Ida Schmidt, Hamburg.

Seine erstaunlichen, mit einer Preismedaille honorierten Fähigkeiten als ›Marquetteriearbeiter‹ demonstrierte der Hamburger ›Tischler, Decoupeur und Graveur‹ mit diesem Prunktisch auf der ersten Weltausstellung 1851 in London. Mit allen nur denkbaren Materialien und Mitteln wurden hier die technischen Möglichkeiten der Intarsie genützt. Als Hauptattraktion und in der Wahl des Themas ganz der neuerwachten Vorliebe für die Renaissance angemessen, bietet die Tischplatte eine höchst ornamental ausgebreitete historische Bildfolge mit Karl V., Franz I., Päpsten und Mitgliedern des Hauses Farnese. Als Vorlage diente die Kupferstichfolge ›Illustri fatti Farnesiani‹ (1744/46) von Georg Kaspar von Prenner nach den Zuccari-Fresken von 1565/68 im Palazzo Farnese in Caprarola bei Rom. H. J.

360

361 Prunkvase. Berlin, um 1832-1840. Porzellan; H. 79. Inv. Nr. 1973.38. Erworben mit Hilfe von Spenden zahlreicher Museumsbesucher.

In der Berliner Porzellan-Manufaktur wurde dieses Modell als ›Münchener Vase‹ geführt. Vermutlich geht die Bezeichnung auf die vor allem zwischen 1822 und 1835 in Nymphenburg besonders für den bayerischen Hof gefertigten Prunkvasen zurück, die meistens antike Formen wiederaufnahmen und damit der damals einsetzenden Sammelleidenschaft für antike Vasen entsprachen. Im allgemeinen bestand der Dekor aus Ansichten oder Porträts. Die ornamentale, von Bildern durchsetzte Staffage macht den besonderen Reiz dieses Exemplars aus: Genien in Blütenkränzen symbolisieren die Jahreszeiten, die auch auf der Gefäßschulter in bildlichen Darstellungen eine variierte Ausdeutung finden; an der Wandung korrespondieren vier antikisierende Kampfszenen zwischen Amazonen und Kriegern mit entsprechenden Wiedergaben schwebender Siegesgöttinnen. H. J.

361

362

362 Tisch mit Arkadenbögen (Ausschnitt). Etienne Simon Eugène Roudillon (geb. 1820, tätig bis um 1890), Paris, 1873. Nußbaumholz, Zinneinlagen; H. des Tisches 75, Br. 109,5. Inv. Nr. 1873.290.

Der Tisch gehört zu den 1873 auf der Wiener Weltausstellung erworbenen modernen Kunstwerken. Wahrscheinlich schätzte Brinckmann an dem Möbel eben das, was ein Kritiker über Roudillons Arbeiten damals schrieb: »An Gediegenheit der handwerkli-chen Ausführung, an vollendeter Übung der technischen Künste …, an künstlerischer Durchführung des Ornamentalen wie des Fi-gürlichen wird er von keinem übertroffen.« Daß Roudillons Werk frei von ›kokettem Raf-finement‹ ist, empfindet man auch heute an dem historische Vorbilder frei variierenden Intarsientisch als besonders angenehm. Der Pariser Ebenist benutzte nicht nur wie hier Stilelemente des 16. Jahrhunderts, sondern beherrschte ebenso die Stilwandlungen vom Louis XIV. bis zum Louis XVI.   H.J.

363

363 Kabinettschrank (Ausschnitt). Alexan-der Albert (tätig um 1873-1900), Wien, um 1875-1880. Entwurf von Alexander Wiele-mans von Monteforte (1848-1911). Ebenholz, Elfenbeinintarsien, Ölmalerei; H. des Schran-kes 179, Br. 98. Inv. Nr. 1978.2.

Das auf einem Untersatz stehende Kabinett verbirgt hinter seinen beiden Türen eine Fol-ge von Schubladen, die sich symmetrisch um ein Mittelfach gruppieren. Wie dieser Aufbau folgt die aufwendige Verzierung mit Elfenbeinintarsien sowohl Vorbildern der Spätrenaissance als auch dem seit der Welt-ausstellung von 1867 wieder zu Ruhm ge-langten italienischen Prunkmobiliar aus Ebenholz mit Elfenbeineinlagen. In Wien füg-te man bei ähnlichen Möbelschöpfungen diesem Zweiklang gern farbige Malereien hinzu. So schmückte der Wiener Maler Ru-dolf Geyling (1839-1904) die Außentüren die-ses von Kaiser Franz Joseph seinem Hofar-chitekten geschenkten Kabinetts mit den Al-legorien von Labor (Arbeit) und Abundantia (Überfluß).   H.J.

364 Spitzenschal (Ausschnitt). Bayeux (?),
Auguste Lefébure (?), um 1870. Seidene
Chantilly-Spitze; 141 × 280. Inv. Nr. 1975.80.

Im 19. Jahrhundert versuchten die Handspit-
zen-Fabrikanten sich gegen die übermächti-
ge Konkurrenz der Maschinenspitzen-Indu-
strie durch Steigerung der Qualität und
durch nicht kopierbare, technische Details zu
behaupten. In seinen Anstrengungen um immer raffiniertere Designs und allerfeinste
Textur machte sich Auguste Lefébure als
Hersteller der schwarzen, geklöppelten
Chantilly weltweit einen Namen; seine Firma
war von Paris nach Bayeux (Calvados) übergesiedelt. Um 1867 brachte Lefébure als
Neuerung das ›ombré‹, eine Eigenheit, die
auch diesen Schal auszeichnet. Im ›point de
raccroc‹ aus Teilen zusammengesetzt, mit
Rosengrund-Ziernetz und im ›fond clair‹ ein-
gearbeitetem Konturfaden, könnte dieser
Schal mit seinem eleganten Muster eine
Kreation dieses Hauses sein.   M. P.

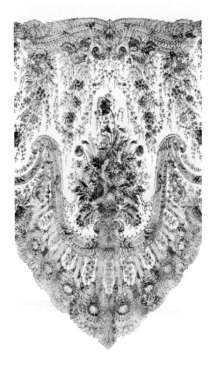

364

365 Puppe. Deutschland, um 1880-1885.
Stoffbalg mit Wachskopf; H. 35.
Inv. Nr. 1979.39 (alter Bestand).

Die französische Puppenindustrie des
19. Jahrhunderts hatte sich u.a. durch vorzüglich gearbeitete und nach neuesten Mo-
deentwürfen geschneiderte Puppen-Garde-
robe profiliert. Der Erfolg veranlaßte auch
einige deutsche Firmen der Spielzeugindu-
strie, sich auf Puppen-Bekleidung zu speziali-
sieren. In sorgfältigst genähter Unterwäsche
führt diese Puppe im pompösen Promena-
denkleid, Chevreaux-Schuhen und ausge-
putztem Hut den Modetrend der achtziger
Jahre vor. Nur der Wachsguß-Brustkopf mit
lieblichem Mädchengesicht und Schlafaugen
mag in den zwanziger Jahren unseres Jahrhunderts entstanden sein und ist vermutlich
Ersatz für einen Kopf aus Biskuitporzellan,
dem Material der Arme.   M. P.

365

366 Teller mit ›Mädchen und Amoretto‹.
Stoke upon Trent (Staffordshire)/England,
1872; Dekor: Marc Louis Solon (1835-1913),
Ausführung: Minton & Co. Porzellan;
Dm. 23,6. Inv. Nr. 1873.53.

Auf den Weltausstellungen kaufte Justus
Brinckmann für das Museum mit Vorliebe
Kunstwerke, die in neuartigen Techniken
ausgeführt waren. Dazu gehörte in Wien
1873 auch das Pâte-sur-pâte-Porzellan. Erfunden waren diese ›durch den Pinsel in Relief aufgetragenen Figuren‹ 1849 in Sèvres
und dort durch Marc Louis Solon zu einem
feinsinnigen, am antiken Cameo-Effekt orientierten Dekorationsverfahren entwickelt worden. Seine besten Leistungen in dieser
›Kunst des Pinselreliefs‹ vollbrachte Solon
aber, nachdem er wegen der Kriegsereignis-
se 1870 Frankreich verlassen hatte, an der
damals bedeutendsten englischen Porzellan-
fabrik Minton & Co. In den zart modellierten
Reliefs stellte Solon bevorzugt mytholo-
gisch-erotische Szenen dar, wie auf diesem
Teller ein kniendes Mädchen in dünnem, flat-
terndem Umhang, das nach einem Amoretto
greift.   H. J.

366

367 Schale und Teller. J. & L. Lobmeyr,
Wien, 1873. Glas mit Email- und Golddekor;
H. Schale 16,9, Dm. Teller 30,8.
Inv. Nr. 1873.127 und 128.

Die Firma Lobmeyr zählt zu den wenigen, bedeutenden Betrieben in der 2. Hälfte des
19. Jahrhunderts, die sich mit großem Erfolg
der Fertigung kostbaren Kunstglases widme-
ten. Als Vorbilder dienten den Entwerfern
und den zumeist in Böhmen gelegenen, für
die Firma tätigen Hütten das islamische und
venezianische Emailglas und die böhmisch-
schlesischen Schnittgläser. Der gespinstartig
die Wandung umziehende Dekor orientiert
sich an Renaissanceornamentik, wie auch
die Schale auf eine um 1500 geläufige venezianische Glasform zurückgreift. Für die auf
der Wiener Weltausstellung von 1873 erworbene Gruppe gilt eine Beschreibung von
1874: »Eine gute monochrome Ornamentik
wurde bei Lobmeyr durch opak weiße Zeichnung auf dunkelblauem, durchsichtigem
Glas erzielt ... Das angewandte Renaissance-
ornament gewinnt durch diese Technik einen
eigentlichen, etwas stumpfen Charakter.«
   A. S.

367

368 Vase mit fischschwänzigen
Meerwesen. Meißen, um 1890-1895.
Porzellan; H. 22,5. Inv. Nr. 1979.2.

Auf den Weltausstellungen brillierte Meißen
vorwiegend mit seinen Porzellanschöpfungen im Stil des 18. Jahrhunderts. Erst ver-
hältnismäßig spät besann man sich auf die
Aufgaben einer ›Musteranstalt‹ und die Entwicklung neuer Dekore. Unter anderem gaben die Erfolge der Pâte-sur-pâte-Technik in
Sèvres und Minton den Anreiz zu eigenen
Versuchen in dieser ›Kunst des Pinselreliefs‹.
Die ersten 60 Proben stellte die Manufaktur
1888 auf der Deutsch-Nationalen Kunstge-
werbe-Ausstellung in München vor. Allgemeine Bewunderung erregten ihre Arbeiten
1893 auf der Weltausstellung in Chicago. Wie
der Hauptmeister auf diesem Gebiet Marc
Louis Solon in Minton, kombinierte man antikisierende Darstellungen in weißem, trans-
parentem Relief vor pastellfarbenem Fond
mit dezenten Renaissance-Ornamenten in
Gold.   H. J.

368

369

369 Wandteller mit Frauenbildnis. Théodore Deck (1823-1891) und Raphael Collin (1850 bis 1916), Paris, 1879. Fayence, der Rahmen aus schwarz gebeiztem Holz; Dm. des Tellers 62, Rahmen 77 × 77. Inv. Nr. 1974.12.

Der 1887 zum künstlerischen Leiter der Porzellan-Manufaktur in Sèvres berufene Théodore Deck war der bedeutendste französische Keramiker des 19. Jahrhunderts. In zahlreichen Versuchen erforschte er die besten keramischen Techniken der Vergangenheit und nutzte sie zu eigenen brillanten, neuen Schöpfungen. Der Wandteller gehört zu einer Folge von bildmäßig bemalten Fayenceplatten mit Goldgrund, die Deck in Zusammenarbeit mit dem Maler Raphael Collin nach einer Venedigreise unter dem Eindruck italienischer Lüstermajolika und der Goldmosaiken von San Marco seit den 1870er Jahren fertigte. Die ersten auf der Pariser Weltausstellung von 1878 gezeigten Exemplare brachten Théodore Deck den Grand Prix und die Ernennung zum Offizier der Ehrenlegion ein.   H. J.

371

371 Wandbehang mit Hochzeitszug (Ausschnitt). Hermann Schmidt (1833-1899), Hamburg, um 1885-1889. Seidenstickerei; 210 × 204. Inv. Nr. Glgb. IV, 3572. Geschenk von A. L. Lorenz Meyer, Hamburg (1946).

Als der Wandbehang mit zwei gleichartigen 1889 auf der Hamburger Gewerbeausstellung gezeigt wurde, erweckte er ›als Meisterwerk der Kunststickerei‹ große Bewunderung. Eine Goldmedaille ehrte jedoch nicht nur ›eine hervorragende künstlerische Leistung in Stickerei‹, sondern die ›Gesamtleistung auf dem Gebiete der dekorativen Kunst‹. Hermann Schmidt war hauptsächlich als Kirchen- und Dekorationsmaler hervorgetreten. Für die im Stil der Neurenaissance erbaute Villa ›Haus Hauhopen‹ des Hamburger Kaufmanns A. O. Meyer hatte er zu seinen Wand- und Deckenmalereien eines Festraums die ›in Brüstungshöhe aufgehängten gestickten Teppiche‹ entworfen und im eigenen Atelier sticken lassen. Auf rotem Fond zeigen sie in variationsreichen Figurenfriesen den Hochzeitszug eines jungen Brautpaars und auf den anderen Behängen sinnbildhaft Alltag und Festfreuden. H. J.

372 Schenkschieve. Norddeutschland, Neuengamme (Vierlande), 1599. Eichenholz; H. 300, Br. 173. Inv. Nr. 1891.266.

Welch gewaltige und mit Schnitzwerk reich ausgestattete Schränke wohlhabende Vierländer Bauern schon im 16. Jahrhundert besaßen, kann kein anderes Möbel sinnfälliger demonstrieren als diese drei Meter hohe Schenkschieve. Wie das umlaufende Gesims erkennen läßt, war sie nicht, wie sonst üblich, in die Wand eingebaut, sondern stand frei vor der Herdwand im Flett. Die in der Mitte angebrachte Falltür, die sogenannte Schenkscheibe, diente zum Anrichten des Tafelgeschirrs. In Rahmen gefaßte Rosetten und dichtes Faltwerk gliedern die Fassade übersichtlich. Den Cherubsköpfen am Gesims ist die eingeschnittene Entstehungsgeschichte übergeordnet: »Anno 1599 den 4 September hefft Harticht Roske un Becke Roscken hr (heirat) / hebben dit Schap (= Schrank) macken laten.« H. J.

372

370 La Prière. Albert Ernest Carrier-Belleuse (1824-1887), Paris, um 1875. Vergoldete Bronze, Elfenbein; H. 61,3. Inv. Nr. 1978.80.

Im Porträt und in der dekorativen Skulptur erzielte Carrier-Belleuse seine größten Erfolge, die mit dem Ankauf einer Bacchantin durch Napoleon III. 1863 begannen und mit der Berufung zum künstlerischen Leiter der Porzellan-Manufaktur in Sèvres 1876 ihren Höhepunkt erreichten. Was dem Bildhauer von Kritikern gelegentlich zum Vorwurf gemacht wurde, die Detailfreude seiner Arbeiten, findet jetzt erneut Anerkennung. Als einer der ersten versuchte er, seinen Figuren auch dadurch Natürlichkeit zu geben, daß er Gesicht und Hände aus dem der Hautfarbe ähnlichen Elfenbein gestaltete. Diese nicht reproduzierbaren Teile der Skulptur verleihen ihr in dem Kontrast zu der goldfarbenen, fein ziselierten Bronze einen eigenen Charakter und besonderen Liebreiz. H. J.

373

373 Mangelbrett. Hans Gudewerdt d. J. (um 1600-1671), Eckernförde, 1625. Birkenholz; H. 53,1, Br. 15,7. Inv. Nr. 1888.429.

»Wenn alle Waldvoglein gehen zu Niste, so ist noch mein Spatcieren mit Jungfrawen das Beste.« Hans Gudewerdt, der bedeutendste schleswig-holsteinische Bildschnitzer des Frühbarock, hat diesem Text in der Darstellung eines vornehm gekleideten Liebespaars sinnfälligen Ausdruck gegeben. Den Griff umrahmte er mit plastischem Rollwerk, Fruchtgehängen und einem Cherubskopf. Reich verzierte Mangelbretter gehörten vor allem in Nordeuropa zur Aussteuer jeder Braut. Mit diesem griffigen, flachen, an der Unterseite glatten Brett rollte man einen Knüppel, um den die Leinenwäsche gewikkelt war, unter starkem Druck so lange auf der Tischplatte hin und her, bis die Wäsche geglättet war. Das besonders fein geschnitzte Mangelbrett ist offenbar eine frühe Gelegenheitsarbeit des jungen Gudewerdt, die noch ganz in der Tradition der Werke seines gleichnamigen Vaters steht. H. J.

374 Wandtasche (Ausschnitt). Norddeutschland, Altes Land, 1696. Taftseide mit Seidenstickerei und geklöppelter Silberlitze; 70 × 25. Inv.Nr. 1903.598.

Das durch Taschen unterteilte sogenannte ›Komfoder‹ diente, neben der Verwahrung von Kämmen, auch der Aufnahme von Schriftstücken wie Briefen, Rechnungen und dergleichen. Es gehörte zur Aussteuer der Braut. Daher ist dieser ›nützliche‹ Wandschmuck stets liebevoll gefertigt und reich verziert worden. Die Flora der einheimischen Gärten wurde zur Vorlage symmetrischer Blumenornamentik; darin eingestreut ›malte‹ die Nadel einige Früchte des ertragreichen Marschlandes: Kirschen, Beeren, Birnen und Rettich. Symbolisch deuten Zitrone und Granatapfel, vor allem auch der Pelikan, auf die künftige Bestimmung der Braut. M. P.

374

375

375 Einsatz, Netzstickerei (Ausschnitt). Norddeutschland, Vierlande, um 1700. Weißes Leinengarn; 41,5 × 67. Inv. Nr. 1902.486.

Die für Netzstickereien gebräuchliche Bezeichnung ›Knüppel‹ in den Vierlanden läßt sich vermutlich aus deren Spitzencharakter vom Klöppeln herleiten. Die Besonderheit liegt im schräg genommenen Netzgrund, der bei frühen Arbeiten äußerst feinmaschig ist und daher eine feinere Stickerei mit weicherer Linienführung ermöglicht. Als Schmuckborten findet man sie an den rotgefärbten Hauben der Mädchen und Frauen, doch vor allem als Einsätze an Prunkhandtüchern, den sogenannten Handtweelen, und an Kissenbüren. Meist sind es dekorative Muster, und nur selten werden, wie hier, religiöse Themen als Bildmotiv genommen. Umgeben von allegorischen Frauengestalten sind in drei Kartuschen Szenen aus der Geschichte Davids dargestellt; abgebildet ist hier Davids Salbung zum König durch Samuel. M. P.

Deckelschüssel. Propstei (Schleswig-Holstein), 1704. Bleiglasierte Irdenware; H. 20,5, Br. 25,5. Inv. Nr. 1884.49. Geschenk von Graf Reventlow, Propst von Kloster Preetz.

Die Schüssel ist die älteste datierte Propsteier Töpferarbeit. Mit ihrer doppelten Wandung gleicht sie den Möschenpötten, die zum Warmhalten des Kinderbreis dienten. In dem terrinenartigen Gefäß wurde vermutlich der Wöchnerin die Suppe serviert, wobei der umgestülpte Deckel zugleich als Teller verwendet werden konnte. Wie die langen Inschriften bezeugen, wurde die aufwendig mit durchbrochenen Blütenranken verzierte Schüssel offenbar schon von dem Hersteller oder Schenker Jochim Sas als etwas Einmaliges empfunden. Sie schließt das Vermächtnis ein: »Die Frauw Engel Hamerrichs sohl diese Schale Jochim Sas zum Gedechtnis stihen lassen. Nach ihrem Tode sohl ihre liebe Jungfer Tochter Engel sie haben.« H. J.

376

377 Zweitüriger Dielenschrank (Ausschnitt). Schleswig-Holstein (?), um 1700-1710. Pflaumenbaum- und Ebenholzfurnier mit Intarsien; H. 210, Br. 230. Inv. Nr. 1875.97.

Der aus dem Dorf Schülp bei Rendsburg stammende Schrank besitzt eine bei schleswig-holsteinischen Möbeln seltene, vielfarbige Intarsienfassade. Zur Steigerung der Farbintensität wurde bei Blättern und Pflanzenstielen sogar grün gebeiztes Elfenbein benutzt. Ein dunkler Fond aus Ebenholzfurnier erhöht noch die Plastizität der Blumenvasen und Blütengehänge. Sicherlich kannte der talentierte Intarsiator die holländischen, reich mit Blumenmotiven eingelegten Möbel. Ausschließen kann man jedoch auch nicht ganz, daß der Schrank aus Holland importiert wurde. Seine schlichte Grundform mit glattem, vorkragendem Gesims und kräftigen Kugelfüßen war im Barock sowohl in Holland als auch in Norddeutschland verbreitet. H. J.

377

378 Truhe der Anna von Freuden. Norddeutschland, Land Hadeln, 1711. Eichenholz; H. 67, Br. 180. Inv. Nr. 1890.494. Vermächtnis Frau J. H. Hülsz Wwe., Hamburg.

Im allgemeinen verbindet sich die Vorstellung von Bauernmöbeln nicht mit solch qualitätvoller Schnitzerei. In einer der reichsten Marschen der Niederelbe, dem Lande Hadeln, hielt sich die Holzschnitzkunst jedoch bis ins 18. Jahrhundert auf großer Höhe. Stilistisch folgt die Truhenfassade weitgehend den Vorbildern der norddeutschen Renaissance: Ein mit vier Feldern durchsetzter Rahmen wird seitlich von Löwenkufen getragen, die durch ein schräg gestelltes Fußbrett verbunden sind. In hohem Relief gearbeitete Darstellungen der vier Evangelisten und fast vollplastisch gestaltete Cherubsköpfe geben dem Möbel in Verbindung mit flacherem Laubwerk und Blütengehängen eine ungemein lebhafte Front. Die Besitzerin Anna von Freuden ließ ihrem Namen auch ihren Stand zufügen: »Jfr.« (Jungfer). H. J.

378

379

379 Buckelschüssel. Norddeutschland, Altes Land, 1723. Bleiglasierte Irdenware; Dm. 49,5. Inv. Nr. 1896.37.

Auf den großen muldenförmigen Schüsseln des Alten Landes, jener am Südufer der Elbe nahe Hamburg gelegenen obstreichen Landschaft, sind häufig Paare dargestellt, die sich die Hand reichen. Volkstümlich bezeichnete man sie daher als Hochzeitsschüsseln. Wahrscheinlich bewahrt dieser Begriff die Tradition, daß derartige aufwendige Schüsseln Brautleuten zur Hochzeit geschenkt wurden. Die erhaltenen Exemplare datieren von 1691 bis 1742. Sie gehören damit zu den ältesten Beispielen kunstvoller Bauerntöpferei in Norddeutschland. Die Form des mit Buckeln gehöhten Randes kann von den niederländischen Fayence-Fächerplatten angeregt worden sein, die damals wie die holländischen Möbel in ganz Norddeutschland verbreitet waren und das heimische Handwerk beeinflußten. H. J.

380 Jagdschüssel. Derck Hammans (1705 bis 1781), Wickrath (Niederrhein), 1750. Bleiglasierte Irdenware; Dm. 66. Inv. Nr. 1911.45.

Als »die vornehmsten Werke der niederrheinischen Malerkeramik« und die »glänzendsten Schöpfungen deutscher Volkskunst« wurden die Arbeiten von Derck Hammans bezeichnet. Seine Werkstatt unterhielt der berühmte Töpfer in dem nördlich von Krefeld nahe der Abtei Kamp gelegenen Wickrath. Wie die anderen Meister am Hülser Berg und am Tönnisberger Höhenzug schuf er zahlreiche Wandteller mit religiösen Darstellungen. Doch gehört die Jagdschüssel zu seinen größten und ungewöhnlichsten Werken, detailliert in der Zeichnung, flächig und dekorativ in der Anordnung der Kavaliere bei der Jagd. Ihre faszinierende Ausstrahlung verleihen ihr jedoch erst die Rosetten und Sonnenräder auf dem breiten Rand, die die vielteilige Szenerie wie ein rotierendes Band umziehen. H. J.

380

381

381 Beiderwand. Schleswig, 18. Jahrhundert. Hohlgewebe in Leinenbindung aus Wolle und Leinen; Rapport 123 × 55. Inv. Nr. 1882.148.

Das beidseitig zu verwendende Gewebe wurde in Schleswig-Holstein, vor allem um Schleswig, in Angeln und in Nordfriesland für Wandbett-Vorhänge und als Festschmuck in der Diele verwandt. Außer geometrischen und pflanzlich-ornamentalen Mustern kam ein kleines Repertoire figürlicher Darstellungen immer wieder zur Anwendung, darunter vornehmlich Szenen aus der Bibel. Laut Überlieferung wurden bei Hochzeiten rote, bei Trauer schwarze Vorhänge aufgehängt. Die wiedergegebene Schriftstelle der »Samariterin am Jakobsbrunnen« (Joh. 4.) – mit der Stadt Sichar und den korbtragenden Jüngern – mag durch den Inhalt dieser Frohbotschaft, nämlich Christus als Lebensquell, sowohl für die Zeiten der Trauer wie der Freude Gültigkeit gehabt haben. M. P.

382

382 Fischschüssel. Norddeutschland, um 1800. Bleiglasierte Irdenware; Dm. 38. Inv. Nr. 1878.21.

Die Dreifischgruppe ist ein in ganz Europa verbreitetes Motiv, das nicht nur in der Keramik seine Ausprägung fand, sondern ebenso auf Zinngerät, Backformen, Waffeleisen u.a. vorkommt. Sowohl in protestantischen als auch katholischen Gegenden galt sie vielfach als Symbol der Heiligen Dreifaltigkeit. Der norddeutsche Töpfer drückt in seiner Umschrift allerdings ein ganz realistisches Verlangen aus: »In dieser Siesel sind trei fich, wan sie wern gebraten will ich alle laten« (essen?). Töpferarbeiten mit dunkelrotem Grund und leuchtender farbiger Bemalung sind aus Hohenwestedt westlich von Neumünster bekannt. Vielleicht ist dieser Ort auch die Heimat dieser ungemein dekorativ bemalten Fischschüssel. H.J.

383 Schultertuch. Norddeutschland, Winsener Marsch, frühes 19. Jahrhundert. Baumwollbatist mit Seidenstickerei; 84 × 84. Inv. Nr. 1905.375.

Beim Umlegen des Schultertuches, das zur Tracht der Winsener Elbmarsch gehört, hatte die Trägerin darauf zu achten, daß eine Ecke der dreieckigen oder zu einem Dreieck gelegten Tücher im Rücken bis zum Gürtel herunterhing, während die beiden Enden vorne im Mieder festgesteckt wurden. Die Ecken des Tuches, die sogenannten Timpen, waren reich bestickt, meist mit bäuerlichem Blumendekor in Art eines sich symmetrisch verzweigenden Blütenbaumes. Durch Verwendung unterschiedlicher Garnfarben, darunter schwarz für Trauer, blau-schwarz für Halbtrauer, konnte ein Tuch zu mehr als einer Gelegenheit getragen werden. Die ›Festtags-Ecke‹ zeigt hier Meerweibchen mit Schwimmhauthänden, die zum typischen Formgut der Winsener Marsch gehören und als Sinnbild des Guten und Schützenden zu deuten sind. M.P.

384 Kastentruhe des Harm Harden. Harm Harden (1787-1850), Norddeutschland, Neuengamme (Vierlande), 1811. Eichenholz mit Intarsien; H. 92, Br. 127. Inv. Nr. 1903.295.

Offenbar fertigte der Neuengammer Tischler Harm Harden diese Truhe 1811 zu seiner eigenen Hochzeit. Damals arbeitete er noch als

383

›zünftiger Geselle‹ bei dem Tischleramtsmeister Harm Peters, dessen Konzession 1819 auf ihn überging. Seine Truhe zeigt die Vierländer Intarsienarbeit in besonders ausgeprägter Form: im Zentralfeld eine Allegorie, hier »O Hoffnung du Erhalterinn des Lebens«, seitlich Blumenvasen, dazwischen in achteckigen Aufdoppelungen Vögel und Blütenranken. In der bekrönenden Leiste ist der Name des Besitzers und das Herstellungsjahr intarsiert. Seit etwa 1725 war bei Vierländer Truhen diese Aufteilung der Fassade gebräuchlich. Truhen dieser Art gehörten zur Aussteuer von Mann und Frau; sie bargen den vornehmsten Teil an Schmuck, Kleidung und Leinenzeug. H.J.

384

385

H. J.

385 Brustkette. Jan Onnen Janssen (tätig 1827-1871), Bergedorf (Vierlande), 1857. Teilvergoldetes Silber, Granat, Gouachemalerei; H. 7,8, Br. 14,2. Inv. Nr. 1902.217. Legat Frau G. L. Gaiser Wwe., Hamburg.

Bis zum Beginn des 19. Jahrhunderts verschnürten Vierländerinnen ihr Mieder mit Hilfe von Miederhaken und einer langen Silberkette. An diese Tradition erinnern noch die Verbindungsglieder der um die Mitte des Jahrhunderts über dem steifen Brustlatz getragenen dreiteiligen Brustkette, die Einheimische auch ›Strängenkeed‹ oder ›Schillerkeed‹ nennen. Die vergoldeten Seitenstücke, deren Haken und Öse am Mieder befestigt werden, sind aus Silber gegossen; das Mittelteil besteht aus Silberfiligran, das auf eine vergoldete Ovalplatte gelötet ist. Facettierte Granatrosetten und gemalte Blumensträuße auf blauem Grund verhelfen dem Brustschmuck zu einer ›schillernden‹ Farbigkeit. H. J.

386 Mantelschließe. Norddeutschland, Marne (Dithmarschen), 1861. Teilvergoldetes Silber, Granat; H. 8,6, Br. 15,7. Inv. Nr. 1884.148.

Lange und mehrreihige Halsketten bildeten den aufwendigsten Schmuck der Dithmarscher Frauentracht. Gewöhnlich wurden sie durch ein reich mit Filigran verziertes Kastenschloß gesichert. Filigran verwendeten die in Heide und Marne konzentrierten Goldschmiede auch für die Gürtel- und Mantelschließen. In vielfältigen Mustern überzieht es wie ein Netz die oft schildförmigen Grundplatten. Den Kontrast zum Goldfond reicherte man durch facettierte Granatsteine an. Bei dieser 1861 datierten Schließe sind die üblichen Rosetten durch Spiegelmonogramme ersetzt. Die punktierte Inschrift der Rückseite bezeugt den kostbaren Schmuck als ein »Gevattergeschenk von C.E. Denker an C.H.C. Busch«. H. J.

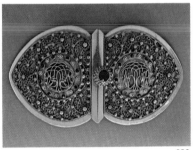

386

387

387 Festtracht. Norddeutschland, Vierlande, um 1850-1870. Hemd, Jacke, Rock, Schürze, Brusttuch, Halstuch, Gürtel, Hemdspange und Brustkette.

Die Vierländer Tracht war, wie viele Volkstrachten anderer Landschaften, einer strengen Kleiderordnung unterworfen. Für die verschiedenen Altersstufen, Lebensereignisse, Feste und Tätigkeiten galt ein genauer Kodex, dem sich die einzelnen Kleidungsstücke in ihrer bunten Farbigkeit unterzuordnen hatten, damit »alles tosamen kolörte«, wollte man sich nicht dem Spott der Nachbarn aussetzen. So konnte man den Bewohnern der vier Kirchspiele in den Vierlanden an ihrer Bekleidung ablesen, zu welchem Zweck diese angelegt war. Allein für den Kirchgang war zu unterscheiden, ob es sich um Teilnahme am sonntäglichen Gottesdienst, um Hochzeit, Taufe, Beichte oder Abendmahl handelte, ob man sich in Trauer oder Halbtrauer befand. M. P.

388

388 Anbetung der Könige. William Morris (1834-1896) und Edward Burne-Jones (1833 bis 1898), Merton Abbey, Surrey, 1890/1901. Gobelin, Wolle; 255 × 387. Inv. Nr. 1901.136.

Die beiden Freunde Morris und Burne-Jones entwarfen mit ihrem für ihr ehemaliges Exeter-College in Oxford als Geschenk bestimmten Bildteppich eines der um 1900 berühmtesten Werke der Arts-and-Crafts-Bewegung. Außer dem für Oxford bestimmten Exemplar entstand eines für das Hamburger Museum; ein weiteres gelangte in die Ermitage zu St. Petersburg. In Thema und Darstellungsform verrät sich die Begeisterung der beiden Präraffaeliten für das späte Mittelalter. In der Physiognomik und dem Interesse an der floralen Welt wird die Nähe von Jugenstil-Art Nouveau spürbar.   H. Sp.

389

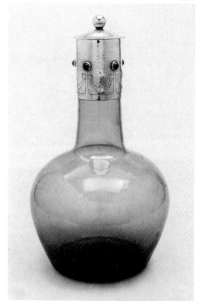

389 Karaffe. Charles Robert Ashbee (1863 bis 1942), London, 1903. Glas in Silberfassung; H. 21,4, Dm. 13,2. Inv. Nr. 1970.90.

Angeregt durch William Morris gründete der Architekt Ch. R. Ashbee 1886 die ›School of Handicraft‹, aus der 1888 die ›Guild and School of Handicraft‹ (Gilde und Schule des Handwerks) wurde. Ashbee wurde international vor allem durch seine Silberschmiede-Arbeiten bekannt, die er entwarf und die von Mitgliedern der Guild ausgeführt wurden. Ihr Stil verrät die Wegwendung von der Neu-Gotik des Morris-Kreises zu neuen, eigenständigen Formen hin.   H. Sp.

390

390 Vitrinen-Schrank. Paul Gauguin
(1848-1903), Kopenhagen, 1881. Erlenholz
mit bemalten Holzreliefs; H. 199, Br. 115.
Inv. Nr. 1978.90/St. 334. Kunst-Stiftung.

Das einzige große Möbel-Objekt Paul Gauguins entstand während seines Aufenthalts
in Kopenhagen für den privaten Bereich. Darauf deuten die Porträts seiner Kinder hin, die
er auf den Rahmen des Oberteils schnitzte.
Da der Künstler wegen dieser Zweckbestimmung keine Rücksichten auf Publikums-Ge-
wohnheiten zu nehmen brauchte, konnte er
für die Form des Schrankes und für seine Dekoration ungewöhnliche Lösungen wählen.
Wie wichtig Gauguins Beitrag zur Ausbildung des frühen Art-Nouveau-Stils war, zeigt
sich besonders an den Reliefs der Schubladen mit ihrer abstrakt-vegetabilen Struktur.
Sie nimmt – auch in der Farbigkeit – die Holz-
schnitzereien des Künstlers aus der Südsee
vorweg. H. Sp.

391 Jules Dalou. Auguste Rodin (1840 bis
1917), Paris, 1883. Bronze mit bräunlicher
Patina; H. 52. Inv. Nr. 1900.264.

Unter den Ankäufen von Meisterwerken auf
der Pariser Weltausstellung, die Justus
Brinckmann mit einer Sonderbewilligung
des Hamburger Senats tätigen konnte, befand sich die Büste von Rodins Freund, dem
Bildhauer Jules Dalou. Zusammen mit anderen Arbeiten – Bronzen, Bildwerken aus
Steinzeug und Zeichnungen – legt sie in
Brinckmanns ›Pariser Zimmer‹ den Akzent
auf die »Einheit des Künstlerischen«. Brinckmanns Entscheidung, Kunstwerke dieser Art
in die Aufstellung der Jugendstil-Sammlung
einzubeziehen, gibt bis heute der Präsentation neuerer Kunst im Museum für Kunst und
Gewerbe ihren besonderen Charakter. H. Sp.

391

392

392 Die große Loge. Henri de Toulouse-
Lautrec (1864-1901), Paris, 1897. Farblithographie; 51 × 40,1. Inv. Nr. E 1960.65.

Toulouse-Lautrecs seltene, in nur zwölf Exemplaren gedruckte Farblithographie repräsentiert in der Jugendstil-Sammlung zwei
exemplarische, in Breite und Vielfalt reich
vertretene Tendenzen: Die meisterliche
Handhabung des Mediums Lithographie und
die europäische Interpretation von Mitteln
des japanischen Holzschnitts. Die roten Lo-
genbrüstungen und die schwarzen Stuhlrük-
ken geben dem Blatt seine rhythmische Ordnung, in die die beiden Damen und der Zuschauer überlegt hinein komponiert sind.
Das Raffinement, mit der die Spannung zwischen den exzentrisch angeordneten Figuren
und den leeren Flächen ausgeglichen ist,
stellten Toulouse-Lautrecs Fähigkeit im Umgang mit japanisierender Artistik vor Augen. H. Sp.

393

393 Harper's March. Edward Penfield
(1866-1925), New York, 1897.
Farblithographie; 35,5 × 48,5.

Von etwa 1880 an gewann das Plakat als
Werbemittel seine große Bedeutung. Es
spiegelt die künstlerischen Tendenzen der
Jahrhundertwende wider. Der von England
beeinflußte Amerikaner Edward Penfield
warb mit diesem Blatt für das berühmte,
heute noch bestehende ›Harper's New
Monthly Magazine‹. Der hochgezogene Horizont, die als dekorativer Fries verwendete
Reihe wartender Kutschen und das Stehen-
lassen des Papiergrundes für die hellen Partien der Darstellung sind ohne Kenntnis japanischer Kunst nicht denkbar. Pierre Bonnard
muß das Plakat gesehen haben: In seinem
1899 gemalten Paravant (vgl. Nr. 394) greift
er motivisch und in der Komposition auf die
Arbeit Penfields zurück. B.Ht.

394 Wandschirm ›La Rue de Paris‹. Pierre
Bonnard (1867-1947), Paris, 1896/1899. Vier
montierte Farblithographien; je 146 × 44,5;
Gesamtgröße 147 × 186. Inv. Nr. 1961.328.
Kunst-Stiftung.

Die japanischen Anregungen, die sich im
Werk von Toulouse-Lautrec allgemein beobachten lassen, sind für Bonnards Wandschirm konkret nachzuweisen. Er kannte offenbar Werke von Ogata Korin, dem japanischen Maler der frühen Edo-Zeit, dessen
spannungsvolle Kompositionen mit Kontra-
sten von leeren Flächen und konzentrierter
Zeichnung im Fernen Osten ebenso geschätzt wurden wie im Europa des ausgehenden 19. Jahrhunderts. Arbeiten dieser Art
konnte Bonnard sowohl in Pariser Privatbe-
sitz oder im Pariser Handel kennenlernen.
Die erste Veröffentlichung der Lithographien
erfolgte 1896 in der englischen Zeitschrift
›The Studio‹. Es dauerte drei Jahre, bis der
Händler Malines 40 Exemplare zu Schirmen
montieren ließ und zum Verkauf brachte.
H.Sp.

394

395

395 Bretonische Frauen, Äpfel pflückend.
Émile Bernard (1868-1941), Pont Aven, 1892.
Dreiteilige Applikation aus filzartigem
Wollkörper; linker Seitenteil 223 × 120,
Mittelteil 226 × 239, rechter Seitenteil
232 × 125. Inv. Nr. 1970.141; 1971.1.

Émile Bernard, mit Cézanne freundschaftlich
verbunden, künstlerisch Paul Gauguin verpflichtet, orientierte sich aus religiösen und
künstlerischen Gründen an mittelalterlicher
Glasmalerei. Diese Vorliebe spiegelt sich in
den von seiner Frau ausgeführten Wandtep-
pichen. In der Applikation konzentriert sich
Bernard auf die Mittel der Fläche. Alle Bildelemente – die Bäume, die Bodenwellen mit
den Blumen, die in Tracht gekleideten Frau-
en – sind auf einfache Formen reduziert und
in dekorativer Reihung angeordnet. Zwei
Jahre nach William Morris' Gobelin ›Anbetung der Könige‹ (Nr. 388) wandte sich Bernard mit diesem Teppich der flächenhaften,
dem Materialcharakter adäquaten Form des
Bildteppichs zu; sie sollte um 1900 und während der ersten Hälfte des 20. Jahrhunderts
eine große Bedeutung gewinnen.   H. Sp.

396 Wandbrunnen. Ernst Barlach
(1870-1938), Altona, 1903. Steinzeug
mit grüner Bleiglasur, ausgeführt von der
Mutz-Werkstatt in Altona; H. 130, Br. 62.
Inv. Nr. 1975.121.

Der junge Richard Mutz, der durch Justus
Brinckmann energisch gefördert wurde, war
mit dem Bildhauer Ernst Barlach befreundet.
In Zusammenarbeit der beiden Freunde ent-
stand eine größere Zahl von keramischen
Bildwerken, darunter die Plakette auf Justus
Brinckmann. Der Brunnen, von dem nur zwei
Exemplare ausgeführt wurden, nimmt unter
Barlachs frühen Arbeiten eine hervorragen-
de Stelle ein. Vor allem in der kraftvollen
Form des Brunnenbeckens verrät sich das
Talent des Bildhauers.   H. Sp.

396

397 Selbstbildnis-Maske. Jean Carriès
(1855-1894), St. Armand, 1889. Steinzeug mit
grün-grau-brauner Glasur; H. 27,8, Br. 17,8.
Inv. Nr. 1893.211.

Carriès gelangte von der Bildhauerei aus
Geldmangel zur Keramik. Da ihm das Geld
für Bronzegüsse fehlte, behalf er sich zunächst mit Gipsabgüssen, dann mit glasier-
tem Steinzeug. Seine Selbstbildnis-Maske,
die er ihres Erfolges wegen später wiederholte, gehörte zu den ersten Erwerbungen
Brinckmanns auf dem Gebiet der neueren
Keramik. Neo-Renaissance-Tradition, japanisierende Tendenzen der Steinzeug-Keramik
und Naturalismus des späten 19. Jahrhunderts werden in der Maske auf eigentümliche
Weise integriert. H. Sp.

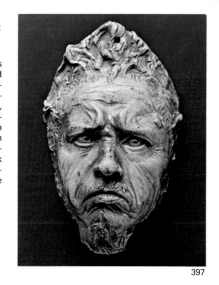

397

398

398 Vase. Jean Carriès (1855-1894),
St. Armand, um 1890. Steinzeug mit grauer
Glasur und grün-brauner Überlauf-Glasur;
H. 21, Dm. 14. Inv. Nr. 1893.213.

Zusammen mit dem Selbstbildnis gelangten
auch erste Gefäße von Carriès in die Sammlung. Sie demonstrieren, wie schnell der
Künstler sich von japanischen Vorbildern un-
abhängig machte. Er experimentierte mit
Oxyd-Glasuren, um die Wirkung von Reduk-
tions-Glasuren zu erreichen. Auf diese Weise
fand er Ergebnisse, die auf die moderne europäische Keramik vorausweisen. H. Sp.

399

399 Bodenvase. Auguste Delaherche
(1857-1940), Paris, Modell um 1892/93.
Steinzeug mit blauer und brauner Glasur;
H. 44,8. Inv. Nr. 1900.177.

Unter den Keramik-Künstlern, die die japanische Keramik zum Vorbild für ihre Arbeit
wählten, nimmt August Delaherche eine führende Stelle ein. Vielfalt in Glasur und Dekor
sind die Merkmale einer in sich homogenen
Produktion. Die große Vase mit den Plata-
nenblättern, die er in zwei oder drei weiteren
Ausführungen wiederholte, gehört zu seinen
vorzüglichsten Arbeiten. Sie vertritt exemplarisch die Auseinandersetzung mit dem japanischen Vorbild und übersetzt die fernöstlichen Anregungen in eine europäische Formensprache. Das Naturstudium ist die hier
offenkundige Voraussetzung für ein solches
Resultat. H. Sp.

400 Flaschenvase. Ernest Chaplet
(1839-1909), Choisy-le-Roy, um 1897/1900.
Steinzeug mit grüner Glasur; H. 17,9.
Inv. Nr. 1900.494.

Chaplet experimentierte nicht nur mit dem
Ziel, japanische Keramik zu paraphrasieren;
er beschäftigte sich auch früh mit Versuchen,
die chinesischen Glasuren der K'ang-hsi-Zeit
(1662-1722) herzustellen. Diese Experimente
führte er noch nicht methodisch-wissen-
schaftlich, sondern empirisch durch, so daß
ein geglücktes Objekt meist eine Reihe von
mißlungenen zur Voraussetzung hatte. Diese
jedoch wurden von den Zeitgenossen besonders geschätzt und gelten heute noch als
frühe keramische Meisterwerke in der neueren europäischen Entwicklung. Ungewöhnlich ist nicht nur die Glasur, sondern auch die
Verwendung des handgedrehten Porzellans.
Der dickwandig-weiße Scherben läßt die
Glasurfarbe leuchtender erscheinen als ein
Steinzeugscherben. H. Sp.

400

401 Schmuckkamm. Firma Vever Frères,
Paris, um 1899. Horn mit zwei Mistelzweigen
aus grün emailliertem Gold und mit 8
Früchten aus Perlen; H. 16,1, Br. 8,9.
Inv. Nr. 1900.445.

Der Kamm, zu dem es im Musée des Arts
Décoratifs, Paris, ein Gegenstück gibt, wurde
bereits auf der Weltausstellung 1900 sehr be-
wundert und seitdem in der Literatur wiederholt abgebildet. Selten hat ein Schmuckstück
der Art Nouveau verschiedene Materialien,
Funktion und Darstellungsform so selbstverständlich miteinander verbunden. Die Kom-
plexität der künstlerischen Idee vergißt der
Betrachter über der Suggestion, in die die
florale Darstellung naturnah und abstrakt,
einfach und elegant zugleich vor Augen
steht. H. Sp.

401

402 Halsschmuck. René Lalique (1860-1945), Paris, um 1899. Gold mit Fensteremail über Opalen, Perlen; L. 33,9. Inv. Nr. 1900.449.

Die Anregung zur Komposition der Schwalben im Schilf, die Lalique für die Schmuckplatte des Collier entwarf, gaben ihm vermutlich japanische Färbeschablonen. Mit dem Raffinement der Komposition verbindet er eine pretiöse Materialwirkung. Das kobaltblaue Fensteremail korrespondiert mit dem bläulichen Weiß des Opals, mit den Goldlinien der Email-Stege und mit den Perlen auf so wirkungsvolle Weise, daß allein dieses Beispiel deutlich macht, warum Lalique immer als einer der größten Künstler des französischen Art Nouveau gefeiert wurde. Es entstand für die Pariser Weltausstellung 1900 und gehört zu den am meisten abgebildeten Arbeiten des Künstlers. H. Sp.

402

403

403 Fächerblatt. Camille Pissarro (1831 bis 1903), Eragny, 1890. Wasserfarben auf Papier; Halbmesser 30,5. Inv. Nr. E 1969.326.

Die Anregung, Fächer zu bemalen, kam aus dem Kreis um Pissarro, der japanisierende Tendenzen förderte und deshalb auch japanisierende Fächer schätzte. Unter den Fächern, die Camille Pissarro 1890 in einem Brief an seinen in England lebenden Sohn Lucien erwähnt, scheint ihm der abgebildete als besonders gelungen erschienen zu sein, denn er beschreibt ihn ausführlicher als die anderen der Gruppe. Der Händler Durand-Ruel, dem Pissarro diesen Fächer wahrscheinlich zunächst anbot, zeigte an ihm ebenso wenig Interesse wie an den anderen. Auch auf der Ausstellung der ›Vingt‹ in Brüssel konnte er nicht verkauft werden. So ist die vollständige Erhaltung des unmontierten Fächerblatts in Form einer Lunette wahrscheinlich darauf zurückzuführen, daß sich kein Käufer fand. H. Sp.

404

404 Fächer. Ludwig von Hofmann (1861 bis 1945), Weimar, um 1898. H. 26,3. Br. 46. Inv. Nr. 1961.99.

Das Bemalen von Fächern war, als Folge fernöstlicher Anregungen, in Deutschland ähnlich beliebt wie in Frankreich. Während die französischen Maler meist auf Papier malten, benutzten die Deutschen häufig Seide oder andere, kostbare Materialien – Kokoschka z. B. sogenannte Schwanenhaut (vgl. Nr. 440). Der Fächer Ludwig von Hofmanns ist durch den fast ornamentalen Rhythmus der tanzenden Mädchenfiguren und die zarte Farbigkeit ausgezeichnet. Er gelangte kurz nach seiner Entstehung in den Besitz Henry van de Veldes – angesichts der kritischen Urteilskarft dieses Künstlers ein Hinweis auf die hohe Einschätzung dieser Arbeit durch die Zeitgenossen. H. Sp.

405

405 Seidenstoff. Edward Colonna (geb. 1862), Paris, um 1899. Seide und Baumwolle; L. 150, Br. 131. Inv. Nr. 1900.365.

Eine der extravagantesten Interieurs zeigte der in Paris lebende Kunsthändler Siegfried Bing mit seinem Salon-Boudoir auf der Pariser Weltausstellung 1900. Er hatte als Entwerfer der wichtigsten Teile einen aus Köln stammenden Künstler gewonnen, dessen Ruhm in einem eigentümlichen Mißverhältnis zur Kenntnis seiner biographischen Daten steht, von denen vergleichsweise wenige bekannt sind. Der Stoff stellt das Talent Colonnas, seine Begabung für Ornamentik, Farbigkeit und stoffliche Wirkung auf das schönste vor Augen. Kaum eine andere Gruppe von Werken der angewandten Kunst fand um 1900 in der Öffentlichkeit so viel Wiederhall wie der Beitrag Bings zum Art Nouveau, dem er den Namen gab, und wie die Entwürfe des Kölner Künstlers für diesen Promotor der Bewegung. H. Sp.

406 Vase in Blütenform. Louis Comfort Tiffany (1848-1933), New York, um 1896. Favrile-Glas; H. 34,7, Dm. 11.8. Inv. Nr. 1900.337.

Tiffany nutzte für sein Favrile-Glas ein in Böhmen erfundenes Verfahren: In einem Metallbehälter werden Metallsalze so auf die Oberfläche des Glases aufgeschmolzen, daß sie lüstrierend erscheint. Zunächst erzeugte man solchen Lüster in der Nachahmung der irisierenden Oberfläche von antiken Gläsern. Um 1900 wurde daraus ein eigener Wert, der das Bedürfnis der Zeit nach dem Ausgefallenen und Überraschenden erfüllte. Tiffany nutzte ihn in dieser Vase so, daß Farbe und Oberfläche der Form, einer Zwiebelblüte, entsprechen. H. Sp.

406

407

407 Blumenschale. Manufaktur Johann Lötz Wwe., Klostermühle, Böhmen, um 1899. Grünes Glas mit Fadenauflage; L. 27. Inv. Nr. 1900.341.

Das Lüsterglas, das in Böhmen erfunden worden war und durch Louis Comfort Tiffany als ›Favrile-Glas‹ weltberühmt wurde, fand um 1900 auch in Böhmen weite Verbreitung. Unter den böhmischen Manufakturen, die sich nicht in der Nachahmung von Tiffanys Vorbild erschöpften, ist vor allem die Werkstatt Lötz zu nennen. Die dickwandigen Gefäße mit plastischer Formgebung und Fadenauflagen waren ihr originärer Beitrag zur Glaskunst um 1900. H. Sp.

408

408 ›Les Lumineuses‹. Emile Gallé (1846 bis 1904), Nancy, um 1899. Mehrfach überfangener Glaskörper, geätzt und geschnitten, mit Maqueterie; H. 43, Br. 20,5. Inv. Nr. 1900.331.

Das gebrochen zartviolette Licht, das sich in der Wandung der Vase bricht, entspricht dem Inhalt des Gedichtes von Victor Hugo, das Gallé auf die Wandung schrieb: Es beschreibt die morgendliche Stimmung in einem Garten. Die Vase gehört zu den Spitzenleistungen des Künstlers, die er nur mit vielen Fehlergebnissen erreichen konnte und die er, zum Beweis der handwerklich-technischen Schwierigkeiten, neben seinen gelungenen Gefäßen auf der Weltausstellung in Paris 1900 ausstellte. H. Sp.

409

409 Vase. Glasmanufaktur Daum Frères (gegründet 1878), Nancy, um 1898/99. Klarglas, grün und violett überfangen; H. 26,6, Dm. 8,5. Inv. Nr. 1900.351.

Die Manufaktur der Gebrüder Daum nahm nach der Manufaktur von Emile Gallé um 1900 die zweitwichtigste Stellung unter den Kunstglas-Hütten in Frankreich und Lothringen ein. Ein Teil der Produktion steht in der Gallé-Nachfolge. Selbständig konzipiert sind vor allem die plastisch geformten Gefäße, von denen besonders schöne Exemplare auf der Weltausstellung in Paris, 1900, gezeigt wurden. Die Technik der plastisch geformten Glasobjekte hat die Firma Daum während der sechziger Jahre unseres Jahrhunderts wieder belebt. H. Sp.

410 ›**Pariser Zimmer**‹. Eckvitrine nach Entwurf von Georges Hoentschel, Tafelaufsatz nach Entwurf von Agathon Léonard, Möbel von Eugène Gaillard und Hector Guimard. Tapete nach Pariser Vorbild.

Mit der Darbietung seiner Ankäufe auf der Pariser Weltausstellung 1900 in einem geschlossenen Ensemble gab Justus Brinckmann den entscheidenden Anstoß für die Reform der Museums-Präsentation. Im ›Pariser Zimmer‹ – auch heute noch der zentrale Raum der Jugendstil-Sammlung – vereinigte er Objekte verschiedener Disziplinen. Er stellte in Vitrinenschränken, die als Möbel bemerkenswert sind, Pretiosen und Kleinkunst aus, darunter den berühmten Tafelaufsatz ›Das Schärpenspiel‹, von Agathon Léonard für die Manufaktur Sèvres entworfen. Während die Möbel das Naturstudium als eine Grundlage des Art Nouveau zu erkennen geben, sind die Porzellanstatuetten durch eine die Zeitgenossen begeisternde künstlerische Darbietung, die Schleiertänze der Loi Fuller, angeregt. H. Sp.

410

411 Erkerzimmer. Firma Damon et Colin, Paris, um 1899. Eichenholz mit Intarsien. H. des ganzen Erkers 396,5. Inv. Nr. 1900.384-391.

Das unversehrt und geschlossen über alle Ereignisse hinweg erhaltene Interieur zeigt exemplarisch die künstlerischen Neigungen französischer Einrichtungskunst um die Jahrhundertwende. Eine leichte, fast bühnenartige Konstruktion umschließt eine Sitzgruppe, die durch das große, bleiverglaste Fenster der Rückseite seinen besonderen Charme erhält. In einem Wohnhaus der Zeit konnte ein solches Ensemble schwerlich aufgestellt werden; vermutlich wurde es als eines der Prunkstücke für die Weltausstellung in Paris 1900 konzipiert. Ähnlich prachtvolle Möbel und Ensembles waren auch für die Weltausstellungen des Historismus ausgeführt worden und von diesen Ausstellungen aus oft unmittelbar in große Museen gelangt.   H. Sp.

411

412 Selette (Pfeilertischchen). Hector
Guimard (1867-1942), Paris, um 1899. Ebène
vert (mahagonifarbenes Tropenholz);
H. 144,5. Inv. Nr. 1900.382.

In den von Guimard entworfenen Eingängen
der Pariser Métro-Stationen sah Salvadore
Dali schon während der zwanziger Jahre eine Meisterleistung des Art Nouveau. Ihre ve-
getabil-plastische Bizarrerie nimmt Möglichkeiten des Surrealismus ebenso vorweg wie
Formen der abstrakten Skulptur. Die Hamburger Selette ist eines von Guimards vorzüglichen Möbeln, die mehr durch ihre plastische Qualität als durch ihre Funktion bestimmt sind; sie steht den Métro-Eingängen
sehr nahe. Die Üppigkeit der Volumina wird
durch die Eleganz des Materials und die Soli-
dität der handwerklichen Ausführung diszi-
pliniert.   H. Sp.

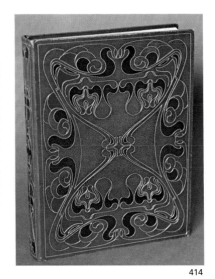

412

414

**413 Kabinett aus dem Haus Possehl, Trave-
münde.** Henry van de Velde (1863-1957),
Weimar, 1905. Ahornholz auf verputzten,
weiß gestrichenen Wänden; H. 322.
Inv. Nr. 1965.74.

Nach Vollendung seines in klassizistischen
Formen nach fremden Plänen errichteten
Wohnhauses in Travemünde beauftragte
1905 der Lübecker Senator Possehl Henry
van de Velde mit dem Entwurf der Innenaus-
stattung. Die fest eingebauten Teile konnten
1965 gerettet werden, als ein Umbau des
Hauses vorgenommen wurde. Für das klei-

413

nere der zwei erhaltenen Kabinette fand er eine überraschende Lösung: Er besetzte die Ecken der Wände, die Fußleisten und die Deckenkehlen mit Ahornleisten. Angeregt hat van de Velde offenbar japanische Architektur.   H.Sp.

414 Bucheinband. Henry van de Velde (1863-1957), Brüssel, 1895. Leder-Intarsie; 38,8 × 29,5. Inv.Nr. BZV 1900.418.

Auf dem Gebiet der Buchkunst hat sich Henry van de Velde immer wieder betätigt. Zu den schönsten Ergebnissen zählen, neben der Typographie seiner Nietzsche-Editionen, die Bucheinbände, die der Buchbinder Pieter Claessens in Brüssel nach seinem Entwurf ausführte. Der vegetabil-abstrakte Stil des jungen van de Velde tritt uns in der Linien-Zeichnung des Einbands mit großer Überzeugungskraft vor Augen. Er wurde ausgeführt für den voluminösen Katalog ›English Bookbinding in the British Museum‹.   H.Sp.

415 Weiher im Mondschein. Otto Eckmann (1865-1902), Scherrebeker Kunstwebschule, um 1896/97. Gobelin. Wolle; 267 × 165. Inv.Nr. 1962.190. Stiftung des Kunstgewerbe-Vereins Hamburg.

Seit der auf Initiative Justus Brinckmanns und des Pastors Jakobsen erfolgten Gründung der Kunstwebschule Scherrebek war Otto Eckmann mit Entwürfen für diese bekannte schleswig-holsteinische Manufaktur beschäftigt. Während in den Bordüren des Bildteppichs noch Volkskunst-Motive vorherrschen, verrät die Komposition des Mittelfeldes den Einfluß japanischer Holzschnitte, die Eckmann im Museum für Kunst und Gewerbe kennen gelernt hatte. Ähnlich den Malern der Kopenhagener Porzellan-Manufaktur übertrug Eckmann die japanisierende, flächige Darstellungsform auf Motive der nördlichen Landschaft.   H.Sp.

415

416 Porzellan-Kabinett. Gobelin von Frida Hansen, Möbel von Henry van de Velde und Porzellan europäischer Manufakturen. Tapete nach Entwurf von Otto Eckmann.

In der Raumfolge der Jugendstil-Sammlung setzt das ›Porzellan-Kabinett‹ mit dem durch Olivgrün gebrochenen Blau-Weiß-Klang einen besonderen Akzent. Ausgehend von dem auf der Pariser Weltausstellung 1900 berühmt gewordenen Gobelin der norwegischen Bildwirkerin Frida Hansen und Eßzimmer-Möbeln aus Henry van de Veldes Weimarer Zeit wurde der Farbklang durch eine blau-weiße Eckmann-Tapete und durch Gefäße verschiedener Manufakturen verstärkt. Die Abbildung zeigt vor allem Porzellane aus Kopenhagen und Sèvres. Der Gobelin stellt in figural-zeichenhafter Form ›Die Milchstraße‹ dar; er trägt auf der unteren Bordüre den hebräisch geschriebenen Text: »Am dritten Tag schuf Gott die Gestirne des Himmels«. H.Sp.

417 Die Nordlichttöchter. Gerhard Munthe (1849-1929), Kristiana, 1892 und 1897. Gobelin, Wolle; 184,5 × 224. Inv. Nr. 1898.293. Stiftung Frau Mathilde Reincke.

Die flächigen, durch norwegische Volkskunst-Wirkereien angeregten Bildteppiche von Gerhard Munthe bedeuteten eine Revolution der Textilkunst, die sich international auswirkte. Unter anderem gab sie die Anregung zur Gründung der ›Scherrebeker Kunstwebschule‹ in Südschleswig. In die Sammlung des Museums gelangten die ›Nordlichttöchter‹ als erster moderner Gobelin. Justus Brinckmann stellte dem Künstler die Wahl des Motivs frei. Munthe griff auf einen Entwurf des Jahres 1892 zurück – eine märchenhafte Darstellung dreier junger Mädchen mit Eisbären, für die es in der Literatur keine Parallele gibt. Er entspricht der Neigung der Zeit für das Stimmungsvoll-Poetische in einer nordisch-herben Paraphrase. H.Sp.

416

417

418 Kleiderschrank. Richard Riemerschmid (1868-1957), München, 1899. Birke, furniert; H. 181. Inv. Nr. 1961.135.

In den Möbeln von Richard Riemerschmid zeigt sich sein Interesse an handwerklich gediegener Ausführung von oft komplizierten Entwürfen. Die funktionale Gliederung des Schrankes bestimmt den Aufbau des Möbels in der großen Form und in den Details, etwa den abgestuften Höhen der Schubladen. Diese konstruktiv-zweckorientierte Haltung erhält ihre Lebendigkeit durch die Linienführung der Rahmen, der Füße und Deckplatte. Verstanden und geschätzt wurden solche Möbel nicht zuletzt von Künstlern; der Hamburger Schrank stammt aus dem Besitz des bekannten Plakatzeichners Schneckendorf.
H. Sp.

418

419

419 Vase. Kopenhagen, königliche Manufaktur, 1888. Porzellan mit Blaumalerei; H. 35,7. Inv. Nr. 1889.294.

Die in den späten achtziger Jahren entstandenen Porzellane der königlichen Porzellan-Manufaktur Kopenhagen erregten wegen ihrer Neuartigkeit unter den Zeitgenossen beträchtliches Aufsehen. Zum erstenmal wandte man sich in Europa von einer historisierenden Form des Porzellan-Dekors ab. Zwar reflektiert die Malerei der Vase noch japanische Vorbilder – die Welle erinnert an Hokusais berühmten Holzschnitt –, die Themen sind jedoch frei von Nachahmung dem dänischen Küstenalltag entlehnt: Ostseemöwen fliegen über einer bewegten See. Der Ankauf dieser Vase und der zugehörigen Schalen war der erste für die heutige Jugendstil-Sammlung des Museums.   H. Sp.

420

421

420 Vase. Manufaktur Rozenburg, Den Haag, 1900. Fayence; H. 27,8. Inv. Nr. 1900.315.

Die Manufaktur Rozenburg, die in den neunziger Jahren des vorigen Jahrhunderts bereits einen bemerkenswerten Aufschwung genommen hatte, erlebte den Höhepunkt ihrer Anerkennung mit der dünnwandigen Fayence, die an Feinheit dem Porzellan gleichkommt und es an Leichtigkeit übertrifft. Sie ist unter der Bezeichnung ›Eierschalen-Porzellan‹ populär geworden. Die niedrige Brenntemperatur erlaubte eine delikate, nuancenreiche Bemalung, die der Produktion der Manufaktur um 1900 ihre eigentliche künstlerische Bedeutung gibt.   H. Sp.

421 Vase. Manufaktur Sèvres, um 1898. Porzellan mit roter und grüner Glasur; H. 24,1. Inv. Nr. 1901.175.

Die Vase und ihr zugehöriges Gegenstück, das Pfauenfedern statt Farnblätter trägt, zeigen, wie vorzüglich die Techniker aus Sèvres um 1900 die Reduktionsglasur beherrschten. Die Vase wurde nach einer einleitenden oxydierenden Brennphase zunächst in stickstoffhaltiger Atmosphäre ›reduzierend‹ gebrannt, wobei der Farbton der Glasur von Grün nach Rot wechselte. Dann wurde etwas Sauerstoff in die Brennkammer gelassen, so daß die Oberfläche erneut in Grün umschlug. Durch Herausätzen der Blätter mit Flußsäure wurde der rote Grund wieder sichtbar; die dekorative Zeichnung tritt in leuchtendem Rot-Grün-Kontrast hervor.   H. Sp.

422

423

422 Wien-Hamburger Herrenzimmer. Möbel und Objekte von Josef Hoffmann; Kartons, Bücher und Tapeten von Carl Otto Czeschka; Wien, um 1908, und Hamburg, 1914.

Zwischen Wien und Hamburg gab es seit 1908 lebhafte Wechselbeziehungen, als eine Reihe von Wiener Lehrern, darunter Carl Otto Czeschka (vgl. Nr. 432), an die Hamburger Kunstgewerbe-Schule berufen wurden. In Hamburg entstand gleichsam eine ›Dependance‹ des Wiener Jugendstils der geometrischen Prägung. Sie war glänzend auf der berühmten Kölner Werkbund-Ausstellung mit der ›Hamburger Halle‹ 1914 zu sehen. Die Fensterkartons und die Tapeten erinnern an diesen Raum, während die schwarzen Möbel, die mit dem Schwarz-Weiß der Czeschka-Entwürfe korrespondieren, aus dem privaten Bereich stammen; sie wurden zeitlebens von Carl Otto Czeschka benutzt. Ihr Entwerfer ist Josef Hoffmann (vgl. Nr. 425), der mit ihnen durch Arbeiten seiner strengsten Phase repräsentiert ist.   H. Sp.

423 Zwei weibliche Figuren. Richard Luksch (1872-1936), Wien, 1907. Fayence mit weitmaschigem Craquelé und Bemalung; H. 205 und 202. Inv. Nr. 1967.139.

Kurz vor seiner Übersiedlung nach Hamburg und der Übernahme der Bildhauerklasse an der Kunstgewerbe-Schule Hamburg modellierte Richard Luksch die beiden überlebensgroßen Figuren im Auftrag von Josef Hoffmann, der je ein Exemplar im Gartenpavillon des Palais Stoclet in Brüssel aufstellte. Die beiden jetzt in das Museum gelangten Ausführungen mit zartgelben Farben im Haar und hellblauen Kanneluren am Sockel stellte Justus Brinckmann 1911 den Hamburgern in einer Luksch-Ausstellung vor. Die beiden Statuen gewinnen ihren Reiz durch den Gegensatz zwischen naturalistischen Einzelheiten und der Stilisierung der großen Form, in der sich die Bindung an die Architektur verrät. In dem leicht lasziven Charakter der beiden Mädchendarstellungen wird die Nähe von Gustav Klimt sichtbar.   H. Sp.

424

424 Reliefs vom Wiener Bürger-Theater.
Elena Luksch-Makowski (1878-1967),
Wien, 1905. Irdenware mit Glasurmalerei;
je 250 × 250. Inv. Nr. 1972.40.

Richard Luksch sollte 1905 für die Fassade
des neu erbauten Wiener Bürger-Theaters
drei Reliefs modellieren. Da der Bildhauer
sehr mit anderen Arbeiten beschäftigt war,
erhielt den Auftrag seine Frau, die Malerin
Elena Makowski. Sie führte die für sie neue
Aufgabe mit Bravour in kurzer Zeit aus. Auf
den Reliefs ist ein Theaterchor mit der Chor-
führerin dargestellt. In der bewegten Linienführung der Gruppen und Einzelfiguren
klingt die vorgeometrische Phase des Wiener
Jugendstils aus. Die monumentalen Reliefs
wurden beim Abbruch der Fassade nach den
Zerstörungen des Zweiten Weltkriegs gerettet, jedoch nicht wieder verwendet. Seit 1977
stehen sie im Südhof des Museums als Rückwand für Theater- und Konzert-Veranstaltun-
gen. H.Sp.

425 Teeservice. Josef Hoffmann (1870 bis
1956), Wien, um 1904. Silber mit Ebenholz-
griffen; Tablett L. 41, Teekanne H. 15.
Inv. Nr. 1975.4. Stiftung der BAT Cigaretten-
Fabriken GmbH.

Hoffmanns strenge Silbergeräte gehören zu
den besten Edelmetall-Arbeiten der Wiener
Werkstätte während ihrer geometrischen
Phase. Sie dürfen als Prototypen mancher
moderner Silberschmiede-Arbeiten gelten.
Wie viele andere, von Hoffmann entworfene
Objekte in der Hamburger Jugendstil-Sammlung, kommt das Service aus dem Nachlaß
von Carl Otto Czeschka, der es kurz nach der
Entstehung erwarb und zeitlebens benutzte.
Es erscheint heute noch wie neu – ein Beweis
für die vorzügliche handwerkliche Ausführung. H.Sp.

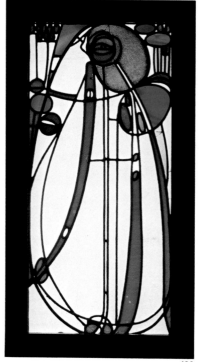

426 Glasfenster. Charles Rennie Mackintosh (1868-1928), Glasgow, um 1901. Farbglas mit Bleiverglasung; 69,5 × 34. Inv. Nr. 1978.50. Stiftung der INTERVERSA-Gesellschaft für Beteiligungen, Hamburg.

Für die Präsentation der Schotten auf der Turiner Weltausstellung des Kunstgewerbes entwarf Charles Rennie Mackintosh ein Paar Glasfenster mit den für ihn charakteristischen, schlanken Proportionen in abstrakt-geometrisierender Zeichnung. Eines der beiden Fenster schenkte er seinem Freund, dem Architekten Hermann Muthesius, der sich als Kulturattaché der deutschen Botschaft in London für die künstlerischen Kontakte zwischen England und Deutschland engagierte und später einer der Mitbegründer des ›Deutschen Werkbundes‹ wurde. Zur gleichen Zeit, in der das Fenster in das Berliner Haus von Muthesius eingebaut wurde, nahm Mackintosh großen Einfluß auf die künstlerische Entwicklung Wiens.   H. Sp.

426

427

425

427 Vitrinenschrank. Werkstatt Moser mit getriebenen Messing-Reliefs von Georg Klimt (1867-1931), Wien, nach 1901. Satinholz, Spiegelglas, die Messingbeschläge mit Opalen; H. 177, Br. 122. Inv. Nr. 1956.16. Campe-Stiftung.

1901 zeigten die Schotten ihren durch Makkintosh geprägten strengen, die Vertikale betonenden Stil in einer viel beachteten Wiener Ausstellung. Die Auswirkungen der Kunst der ›Glasgow-Boys‹ spiegelten sich bald darauf in den Erzeugnissen der ›Wiener Werkstätte‹. Der Vitrinenschrank variiert ein Vorbild aus dem Mackintosh-Kreis. Sein Entwerfer – und der eines entsprechenden Ensembles im Museum für angewandte Kunst in Wien – hat sich bis heute noch nicht ermitteln lassen.   H. Sp.

428

429

428 Frühlingsreigen. Hans Christiansen (1866-1945), Darmstadt, 1900/01. Gobelin, Wolle, 125 × 139. Inv. Nr. 1963.110.

Zu den Malern, die für die Kunstwebschule Scherrebek Entwürfe lieferte, gehörte der aus Flensburg stammende und durch Justus Brinckmann geförderte Hans Christiansen. Er hatte, bevor er 1899 an die Darmstädter Künstler-Kolonie berufen wurde, einige Jahre in Paris verbracht. Der Einfluß des französischen Art Nouveau spiegelt sich im Bildfeld des Gobelins, der im Katalog der Kunstwebschule als ›Pianinobehang‹ bezeichnet ist. Der schmale Gobelin-Streifen, der sich wie eine Bordüre ausnimmt, war als Abdeckung eines Klaviers gedacht. Das Motiv der tanzenden Mädchen mit wehenden Haaren und bewegten Kleidern auf einer Blütenwiese kann gleichsam als ein ›Topos‹ des Jugendstils gelten. H. Sp.

429 Möbel des Wohnzimmers aus dem Haus Schröder. Peter Behrens (1868 bis 1940), Hagen, 1908. Ahorn, furniert, mit schwarz gebeizten Füßen und Leisten; Schrank H. 189, Eßtisch Dm. 102. Inv. Nr. 1963.85. Stiftung der ›Hamburger Sparkasse von 1827‹.

Die Möbel repräsentieren die Wendung des in Hamburg geborenen Architekten vom Jugendstil der vegetativen Phase zur geometrischen Struktur des Neoklassizismus. Diese Wendung, die den Stil des Bauhauses vorbereiten half, wurde gerade während der Jahre um 1908 von großer Bedeutung für die zukünftige Entwicklung, weil in den Jahren von Behrens' Tätigkeit für Karl Ernst Osthaus in seinem Berliner Atelier auch Le Corbusier, Gropius und Mies van der Rohe arbeiteten. In den aus Rechtecken und Kreisen bestehenden Formen der Möbel hat die intensive

Beschäftigung mit Bauten der Florentiner Frührenaissance und des Klassizismus ihren Niederschlag gefunden. H. Sp.

430 Vorlegeplatte. Firma Engelbert Kayser, Krefeld, um 1897/98. Zinn; L. 62,4. Inv. Nr. 1959.156.

Die Übernahme von Jugendstil-Elementen in die industrielle Formgebung von Gebrauchsgeräten gelang nur selten auf überzeugende Weise; der Jugendstil fand seine beste Verwirklichung in der Einzelleistung. Zu den wenigen Ausnahmen, die genannt zu werden verdienen, gehören die Erzeugnisse der Firma Engelbert Kayser in Krefeld, die als ›Kayserzinn‹ bekannt sind. Die große Platte zeigt ihre Zweckbestimmung als Vorlegeplatte für Fisch und Dekor. Den Rand bilden Seerosen, Muscheln und Libellen. In den matten Reflexen des polierten Zinns tritt das Relief der Fische plastisch hervor. H. Sp.

430

431 Treppenhaus. Bruno Paul (1874-1968), 1920. Finnische Birke; Br. 594, T. 515. Inv. Nr. 1964.209.

1920 erbaute Bruno Paul am Süllberg in Blankenese das ›Haus Fränkel‹, in dem auch die Einrichtung weitgehend von ihm entworfen wurde, darunter das Treppenhaus. Die strenge, durch schwarz gebeizte Leisten betonte Linienführung seiner Vertäfelung steht zur bewegten Grundform des Raumes und dem üppigen Treppengeländer in einem korrespondierenden Kontrast, der für die traditionsgebundene, auf Jugendstil-Art Nouveau fußende Tendenz der zwanziger Jahre maßgebend ist. 1964 wurden beim Umbau des Hauses die Teile des Treppenhauses gerettet; 1978/79 konnten sie zwischen den Abteilungen Jugendstil und Moderne des Museums wieder eingebaut werden. H. Sp.

431

432

**432 Kronleuchter aus dem Haus Gilde-
meister.** Carl Otto Czeschka (1878-1960),
Hamburg, 1925. Silber mit Facetten aus
geschliffenem Kristallglas, ausgeführt von
Otto Stüber; H. 115, Dm. 112. Inv. Nr. 1962.2.

Der Kronleuchter entstand im Zusammenhang mit der Inneneinrichtung des Hauses
Gildemeister in Hamburg-Hochkamp. Zunächst entwarf Czeschka 1920 den Gobelin
›Tausendundeine Nacht‹, den seine Frau ausführte (Nr. 434). Wanddekoration, Möbel und
die übrige Ausstattung des Hauses lieferte er
in den folgenden Jahren. Diese Gesamtaus-
stattung ist Czeschkas wichtigster Beitrag zur
dekorativen Kunst der zwanziger Jahre, eine
Parallele zum heute wieder hochgeschätzten
›art déco‹. H. Sp.

434 Tausendundeine Nacht. Carl Otto
Czeschka (1878-1960), Hamburg, 1922/23.
Temperafarben auf Karton; 226 × 400.
Inv. Nr. E 1979.171. Geschenk von Herrn
Henner Steinbrecht aus dem Nachlaß von
C. O. Czeschka.

Der für das Haus Gildemeister entworfene
Gobelin gehörte nach Czeschkas eigener Einschätzung zu seinen herausragenden Arbeiten. Diesen hohen Stellenwert gab ihm der
Künstler zum einen wegen der subtilen farbigen und flächig-dekorativen Wirkung; zum
anderen war Czeschka auch stolz darauf, daß
er, zusammen mit seiner Frau Martha, für die
Ausführung ein neues Verfahren erfand, das
ein Patent erhielt. In der Geschichte der modernen Tapisserie vor Lurçat nehmen Entwurf und Teppich ohne Zweifel eine bedeutende Stelle ein. H. Sp.

433

434

433 Abendkleid. England, um 1926. Chiffon
mit Glasperlen und Pailletten; H. 109.
Inv. Nr. 1974.90.

Das Gesellschaftskleid um die Mitte der
zwanziger Jahre demonstriert – jede femini-
ne Rundung verleugnend – die schmale, tail-
lenlose Linie des Garçonne-Stils. Das ärmel-
lose, meist ausgeschnittene Hängekleid läßt
den tief angesetzten Rock zum Saum hin
glockig oder zipfelnd ausschwingen. Man
zeigt nicht nur viel Bein unter dem knielan-
gen Kleid, man ist beweglich und frei bei den
schnellen Rhythmen des Charleston. Durch
die zuckenden Bewegungen glitzern die mit
Straß verzierten, perlübersäten oder paillet-
tenbeschuppten ›eveningdresses‹ im wech-
selnden Spiel des Lichtes. Die derzeit vorwiegend geometrische oder stilisiert florale Musterung erzielt an diesem Kleid durch Ab-
schattierung von Schwarz und Silber einen
besonders starken graphischen Effekt. M. P.

435 Eßzimmer. Felix Del Marle (1889-1952),
Paris, 1927. Schrank, H. 224; Tisch, H. 75,5.
Inv. Nr. 1978.39.

Über dem dominierenden Ergebnis von
Mondrians Malerei wird zu leicht vergessen,
daß es sein und das Ziel der Maler des ›Stijl‹
war, die Umwelt mit Hilfe derselben Ord-
nungsprinzipien zu gestalten, die auch die

Malerei der Bewegung bestimmten. Beispiele hierfür haben sich nur in geringer Zahl erhalten. Das Eßzimmer von Felix Del Marle gehört zu den wenigen heute noch vorhandenen Zeugnissen. Während in der kubischen Architektur des Schrankes die stereometrisch-plastischen Momente dominieren, behauptet sich auf der Tischplatte die Malerei, der die Stühle durch ihre Bemalung ein linear-graphisches Moment hinzufügen.
H. Sp.

436 Stehende mit aufgestütztem Kinn. Erich Heckel (1883-1970), Dresden, 1912. Ahornholz z. T. mit schwarzer Bemalung; H. 141. Inv. Nr. 1966.118. Gestiftet vom Kunstgewerbe-Verein Hamburg und von Freunden des Museums zum 70. Geburtstag von Herrn Eberhard Thost.

Der bekannte Hamburger Sammler Gustav Schiefler schenkte einen Ahornstamm, der beim Bau seines Hauses in Hamburg-Mellingstedt gefällt wurde, an Ernst Ludwig Kirchner und Erich Heckel. Heckel schnitzte daraus zwei Figuren im lapidaren Stil der ›Brücke‹; seine Frau stand ihm Modell. Die erste erwarb Max Sauerlandt 1930; sieben Jahre später wurde sie als ›entartete Kunst‹ beschlagnahmt; seitdem ist sie verschollen. Die zweite, Heckels größtes erhaltenes Bildwerk, gelangte mit freundschaftlicher Förderung durch den Künstler 1966 in die Sammlung und erinnert dort an Sauerlandts Eintreten für die deutsche Malerplastik des 20. Jahrhunderts zu einem Zeitpunkt, an dem diese noch kaum geschätzt wurde. H. Sp.

436

435

437 Gottfried Benn. Gustav Heinrich Wolff (1886-1934), Berlin, 1927. Kunststein; H. 31. Inv. Nr. 1929.238.

Die Sammlung moderner Kunstwerke, die Max Sauerlandt erwarb, ging dem Museum durch die Aktion ›Entartete Kunst‹ verloren. Zu den wenigen Objekten, die durch den Hausmeister Emil Pfeiffer gerettet wurden, gehört das Porträt des Arztes und Lyrikers Gottfried Benn. Es wurde beim Wiederaufbau der Sammlung zu einem Kristallisationspunkt für die Moderne. Der Bildhauer Gustav Heinrich Wolff, der wieder, wie vor 1933, in dieser Sammlung vorzüglich repräsentiert ist, gelangte von einer expressiven und elementaren, zu einer naturhaften Skulptur, in denen Ideen von Henry Moore vorweggenommen wurden. H.Sp.

437

438

438 Bildnis einer jungen Künstlerin. Moissey Kogan (1879-1942), Düsseldorf, 1929. Terrakotta; H. ohne Sockel 31,2. Inv. Nr. 1966.94. Stiftung des Kunstgewerbe-Vereins Hamburg zum 70. Geburtstag von Herrn Eberhard Thost.

Die Zeichnungen und größeren Bildwerke des von Max Sauerlandt geförderten bessarabischen Bildhauers Moissey Kogan gingen dem Museum durch die Aktion ›Entartete Kunst‹ verloren. Das Bildnis der jungen Frau, das zusammen mit anderen Kunstwerken zur Restitution des Verlorenen in die Sammlung gelangte, gehört zu den seltenen Zeugnissen von Kogans Porträt-Kunst. Kogan beherrschte den Negativ-Schnitt in meisterlicher Weise. Freunde Kogans berichteten, daß sie gelegentlich gesehen hätten, wie der Bildhauer in erstaunlich kurzer Zeit auch Porträtbildnisse negativ in einen Gipsblock geschnitten habe. H.Sp.

439

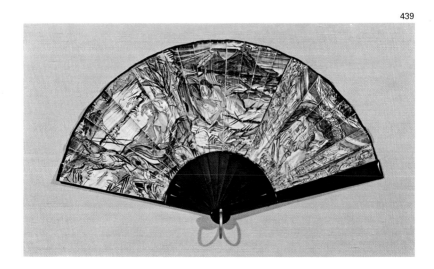

440

439 Fächer für Alma Mahler. Oskar Kokoschka (geb. 1886), Wien, 1913. Wasserfarben und Tusche auf ›Schwanenhaut‹ (dünnes Pergament), mit Ebenholz montiert. Halbmesser 21,5. Inv.Nr. 1968.27/St.263c. Kunst-Stiftung.

Unter den sechs Fächern, die Oskar Kokoschka zwischen 1912 und 1914 als Geburtstags- und Weihnachtsgeschenke für Alma Mahler malte, nimmt der dritte vom Frühjahr 1913 eine besondere Stelle ein. Er zeigt neben der Ausfahrt – dem Aufbruch zu einer Frühlingsreise nach Italien – und neben einer Opernaufführung im Teatro San Carlo Neapel eine erste Idee zum berühmten Gemälde ›Die Windsbraut‹, das bis zu seiner Beschlagnahmung 1937 der Hamburger Kunsthalle gehörte. Angeregt durch einen Sturm in der Bucht von Neapel stellte Kokoschka sich selbst mit Alma Mahler in einem von Wellen hin- und hergetriebenen Boot dar. H.Sp.

440 Mädchen im Pelz. Otto Dix (1891-1969), Dresden, 1927. Aquarell; 56,5 × 39. Alte Inv.Nr. 1930.55, neue Inv.Nr. 1966.296. Gestiftet vom Kunstgewerbe-Verein Hamburg zum 70. Geburtstag von Herrn Eberhard Thost.

Das Aquarell von Otto Dix, von Max Sauerlandt 1930 für die Sammlung erworben, wurde 1937 als ›entartete Kunst‹ beschlagnahmt, jedoch 1966 als bisher einzige der damals beschlagnahmten Arbeiten zurückgekauft. In dem Blatt tritt das Aggressive von Dix' Kunst der zwanziger Jahre hinter dem Malerischen zurück. Der Kolorist ist hier entschiedener gegenwärtig als der engagierte Kritiker. Max Sauerlandt bemerkte zur Zeit der Erwerbung des Blattes gelegentlich, daß einige Aquarelle von Dix nach einem größeren zeitlichen Abstand den Blättern Emil Noldes verwandt erscheinen könnten; seine Feststellung gewinnt angesichts dieses Mädchenbildnisses an Schlüssigkeit. H.Sp.

441

441 Die Zauberflöte. Oskar Kokoschka (geb. 1886), Villeneuve, Schweiz, 1965. Farbstift-Entwürfe. Inv. Nr. E 1970.48-50. Gobelin, Wolle; 316 × 244. Inv. Nr. 1970.130. Gestiftet von den BAT Cigaretten-Fabriken GmbH., von Herrn Wilhelm Reinold und vom Künstler.

Auf Kokoschkas Anregung und Initiative hin wurde sein Entwurf des Bühnenvorhangs der Genfer Zauberflöten-Aufführung 1965 für das Museum für Kunst und Gewerbe als Gobelin verwirklicht. Die Bordüren zeichnete er eigens zu diesem Zweck. Der Beginn der Oper – Taminos Flucht vor der Schlange – und ihr zeichenhafter Gehalt – Taminos Wanderung und Taminos Warten im Tempel – bestimmen die Darstellung. Während die obere Bordüre einen dekorativen Charakter besitzt, spiegelt die untere die Wirkung der Musik auf die Tierwelt: Der Faun als der Melancholiker interpretiert den Künstler im Sinn humanistischer Überlieferung.   H. Sp.

442 Prometheus. HAP Grieshaber (geb. 1909), Reutlingen und Mössingen, 1967. Serigraphie auf Leinen; 180 × 90. Inv. Nr. 1969.206. Gestiftet von Herrn Eberhard Lohss, Aumühle.

Anstelle einer ursprünglich geplanten Holzschnittfolge für die Aufführung des ›Prometheus‹ von Carl Orff zeichnete HAP Grieshaber sieben große mehrfarbige Serigraphien auf Folien. Zu dieser innerhalb seines Oeuvre ungewöhnlichen Technik war Grieshaber gezwungen, nachdem ihm die Arbeit in Holz infolge eines schweren Sturzes vorübergehend verwehrt war. Er zeichnete, malte, stempelte auf den Folien, alles benutzend, was ihm im Atelier zur Hand war. Die Serigraphien wurden zwar in einer mehrfachen Auflage, jedoch in jeweils individueller Farbstellung gedruckt – gemeint als eine ironisierende Demonstration gegen die Kölner Ausstellung ›Ars multiplicata‹: Auch mit den Mitteln der Multiplikation könnten Unikate hergestellt werden.   H. Sp.

442

443

443 Modell des Reliefs für das Bowcentrum Rotterdam. Henry Moore (geb. 1898), Much Hadham, Herfordshire, 1955. Bronze; H. 45, Br. 59,5. Inv. Nr. 1967.273 b/St. 258. Kunst-Stiftung.

1931 erwarb Max Sauerlandt die ersten Arbeiten von Moore für ein Museum; wie fast alle modernen Werke wurde auch dieses 1937 beschlagnahmt. In Erinnerung an Sauerlandts Pionier-Ankauf überließ Henry Moore dem Museum zwei der Relief-Modelle, die er für das monumentale Ziegel-Relief des Bowcentrum in Rotterdam konzipierte. Die elf Figuren auf dem Relief sind gleichsam ein Kompendium von Moores Darstellungen der menschlichen Gestalt. Sie sind in der Ausführung geometrischen Strukturen gegenübergestellt.   H. Sp.

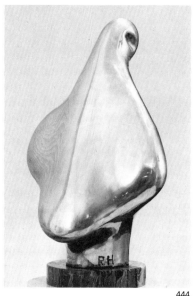

444

444 Junger Adler (morgenrötliche Erhebung). Richard Haizmann (1896-1963), Niebüll, 1963. Neusilber; H. 72,1. Inv. Nr. 1968.106. Stiftung der Justus Brinckmann Gesellschaft anläßlich der Eröffnung der Modernen Abteilung.

Im Jahre 1961 gab der Kunstgewerbe-Verein Hamburg zur Feier seines 75jährigen Bestehens die Lebenserinnerungen von Richard Haizmann heraus. Diese Edition, eine Erinnerung an das Wirken Max Sauerlandts, ließ für den Künstler seine Hamburger Zeit und seine Verbindung mit dem Direktor des Museums wieder lebendig werden. Er begann wenig später mit dem Modell einer lebensgroßen, abstrahierten Adler-Plastik, in der er eines seiner wichtigsten Bildwerke der Hamburger Zeit variierte. Das jüngere Bildwerk gibt in gleicher Abstraktion wie die ältere Plastik ein gerade flügge gewordenes Tier wieder, dessen Haltung Scheu und eine gewisse Befangenheit verrät. H. Sp.

445 ›La Terre‹ (Die Erde). Jean Lurçat (1892–1965), Aubusson, 1943. Gobelin, Wolle; 295 × 285. Inv. Nr. 1965.91. Gestiftet von Herrn Wilhelm Huth, Hamburg.

Der Entwurf zu ›La Terre‹ gehört zu den frühen Kartons von Lurçat. Kosmologische Themenstellung und Flächengestaltung dieser Gobelins knüpfen bewußt an mittelalterliche Traditionen an. Das Mittelfeld zeigt den nackten Menschen umgeben von Blattwerk und Tieren – unter ihnen Lurçats Lieblingstier, der Hahn – auf der von Wasser und Land bedeckten Erdkugel gegenüber Sonnen und Gestirnen. Das girlandenförmige Blattwerk, von Tieren belebt, und die an Feuerzungen und Wasserströme erinnernden Zierformen der Bordüre verkörpern die Kräfte der Natur. Mit wenigen Tönen, auf die der Künstler sich aus ästhetischen wie ökonomischen Gründen beschränkte, ist der Eindruck reicher Farbigkeit erreicht. H. Sp.

445

446

446 Paravent. Marc Chagall (geb. 1887), Paris, 1964/65. Vier Farblithographien auf Holztafeln montiert; 147 × 190. Inv. Nr. 1965.63.

Ähnlich wie Bonnard hat auch Chagall bei der Konzeption seines Wandschirmes eine einheitliche, über vier Felder ausgebreitete Komposition gewählt. Sie nimmt in ihrer Gliederung auf die technisch bedingten Unterteilungen Rücksicht. Blumenstrauß, Vogel, Sonne auf dem linken Blickfeld und das Fenster mit dem Ausblick auf dem rechten Feld rahmen die beiden Mittelfelder mit dem Liebespaar, das über einer Stadt schwebt. Die mit Lithotusche aufgetragene, schwarz gedruckte, vorwiegend hell kolorierte Zeichnung trägt der gefalteten Form des Schirms Rechnung; so nimmt der zeichnerische Duktus die Bewegung der gewinkelten Oberfläche auf. H. Sp.

447

447 Jacqueline. Pablo Picasso (1881-1973), Mougins 1964 und Calcutta 1968. Knüpfteppich, Wolle; 185 × 226. Inv.Nr. 1967.140. Gestiftet von der ›Hamburger Sparkasse von 1827‹.

Zu den von der Galerie Au Pont des Arts seit Beginn der sechziger Jahre in unlimitierter Auflage herausgebrachten Teppichen nach Entwürfen moderner Maler lieferten u.a. Picasso, Ernst und Cocteau die Vorlagen. Picasso ließ sich bei seinen Entwürfen für ›Jacqueline‹ durch die Schatten anregen, die auf den Boden oder die Wand fallen. Figuren, Objekte eines Interieurs, Pflanzen werden teils in Schattenriß-ähnlicher Vereinfachung, teils in reflexhafter Umformung sichtbar. Die Farbigkeit – ein kräftiges und gebrochenes Blau – entspricht dieser Bildidee und fördert die Assoziation an die Schatten bei südlicher Sonne. Am Rand des Teppichs erscheint das Profil von Picassos Frau, deren Name dem Teppich seinen Titel gegeben hat.   H. Sp.

448 Liegende Taube. Pablo Picasso (1881-1973), Vallauris, 1953. Irdenware mit Engoben-Malerei; H. 14,7, L. 24,5. Inv.Nr. 1967.222/St. 225. Kunst-Stiftung.

Unter den keramischen Bildwerken Picassos nehmen die modellierten Tauben die erste Stelle ein. Er knetete die im Maßstab meist lebensgroßen Bildwerke aus schlauchartigen Tonwandungen. Die Spontaneität der Erfindung und des Machens ist der freien, großzügigen Form abzulesen. Die abstrake, von naturalistischer Genauigkeit sich frei haltende Bemalung, mit lockeren, schnellen Pinselstrichen aufgetragen, steigert die Vorstellung von einem individuellen Tierbildnis und spiegelt Picassos präzise Beobachtung. H. Sp.

448

449

449 Illustration zur ›Tauromaquia‹.
Pablo Picasso (1881-1973), Paris, 1959.
Radierung; 19 × 29. Inv.Nr. BZV 1967.294.

Keines von Picassos Büchern ist so berühmt
geworden wie seine Interpretation des Stier-
kampfbuches von Pepe Illo ›La Tauromaquia,
o arte de torear‹, das unter anderem auch
schon Goya illustrierte. Der Ruhm dieser Fol-

ge ist angesichts der fanatischen Genauigkeit von Picassos Beobachtung bei gleichzei-
tiger Freiheit und Leichtigkeit der Darstellung
verständlich. Die Radierungen erscheinen
wie spielerisch ausgeführte Tuschzeichnun-
gen. Die Folge der 26 Illustrationen wirkt wie
die aneinandergereihten Szenen eines Films,
in dem jede einzelne bis zur Vollkommenheit
geprobt ist und die jeder Zuschauer in einer
idealen Darstellung erlebt.   H. Sp.

450

450 Sonnenuntergang. Max Ernst
(1891-1976), Seillans, 1963. Knüpfteppich,
Wolle; 147 × 203. Inv. Nr. 1969.155. Gestiftet
von Herrn Wilhelm Huth, Hamburg.

Unter einem hochgelegenen Horizont mit einer roten Sonne in einer Mandorla schweben
in einem Raum von unbestimmter Tiefe blü-
tenartige große Muscheln. Die Punktstruktur
des Knüpfteppichs gibt der Zeichnung und
der Komposition trotz aller Ruhe eine sich
scheinbar unendliche fortsetzende Vibration.
Max Ernst nutzt, wie in seinen Bildern, auch
Handwerk und Technik des textilen Mediums
zur Verdichtung des Gehaltes: Die unterge-
hende Sonne beleuchtet rätselhafte Gegenstände, die unter und im Wasser schweben.   H. Sp.

451 (65) Maximiliana. Max Ernst (1891 bis
1976), Paris, 1964. Vierzehn Feder-
zeichnungen mit Collagen; 44,2 × 45,0.
Inv. Nr. E 1969.354-422/St. 274. Gestiftet von
den BAT Cigaretten-Fabriken GmbH durch
die Kunst-Stiftung.

Unter dem Titel ›(65) Maximilana‹, der Bezeichnung des von Ernst Wilhelm Leberecht
Tempel entdeckten 65. Planeten, hat Max
Ernst eine verschlüsselte Selbstdarstellung
gegeben. In dem Schicksal des Lithographen
und Amateur-Astronomen Tempel, der von
den Vertretern der Wissenschaft nicht aner-
kannt wurde, deshalb Deutschland verlassen
mußte und im Ausland – in Frankreich und
Italien – eine späte Anerkennung seiner Arbeit fand, sah Max Ernst eine Parallele zu seinem eigenen Leben. Für das Buch zeichnete
der Künstler 14 Tafeln mit einer kalligraphi-
schen, bildhaft wirkenden Scheinschrift.
    H. Sp.

451

452 Gilgamesch-Illustrationen. Willi Baumeister (1889-1955), Stuttgart, 1955. Farbige Serigraphie; 32 × 27,5. Inv. Nr. E 1964.1199.

Das Gilgamesch-Thema beschäftigte Willi Baumeister seit den dreißiger Jahren. Auch nach der umfangreichen Folge von Handzeichnungen, die gegen Ende des Zweiten Weltkrieges entstanden, ließ es ihn nicht los. In den Bildern, die in einer abstrakten Figurensprache Zustände, Typen und Aktionen zeigen, spiegelt sich das stoische Weltverständnis des Künstlers. In den letzten Monaten vor seinem Tode entstanden einige farbige Blätter als Beginn einer längeren Folge, die nicht zu Ende geführt wurde; nur wenige Probedrucke von 8 Serigraphien konnte der Künstler vollenden. Das abgebildete Blatt veranschaulicht Gilgamechs Eindringen in die Unterwelt durch eine lichtlose Schlucht.
H. Sp.

452

453 ›Ramure‹ (Geweih). Hans Arp (1887-1966), Aubusson, 1964. Gebelin, Wolle; 119 × 143. Inv. Nr. 1967.246. Gestiftet von Herrn Wilhelm Huth, Hamburg.

Arp hat sich neben der Skulptur und Graphik während seines letzten Lebensjahrzehnts besonders intensiv mit dem Bildteppich beschäftigt. Der Entwurf des im Atelier Tabard in Aubusson ausgeführten Teppichs geht auf das Jahr 1962 zurück. Arp konzipierte ihn in drei Farbstellungen, in Schwarz auf Grau, Schwarz auf Blau und in Schwarz auf Gelb. Die amöbenhafte Zeichnung des Teppichs erinnert an Urzustände des organischen Lebens, die sich in ständiger Veränderung befinden und noch nicht als eine Kategorie des Lebens identifiziert werden können. Der Titel ›Ramure‹ (Geweih) umschreibt die Assoziation an eine Naturform, er bezeichnet nicht ein für den Entwurf maßgebendes Naturvorbild. H. Sp.

453

454 Drei Gelb – drei Quadrate. Josef Albers
(1888-1976), New Haven und Aubusson,
1966. Gobelin, Eoll; 176,5 × 170,5.
Inv. Nr. 1969.160. Gestiftet von Herrn
Wilhelm Huth, Hamburg.

Josef Albers, der ehemalige Bauhaus-Mei-
ster, reduzierte sein Bildprogramm mit
wachsender Methodik auf die Darstellung
des Quadrats. Der Gobelins gehört zu den
Variationen des Motivs im textilen Medium.
Die Ästhetik des Teppichs ist nur durch die
Proportion der drei Quadrate zueinander und
die farbigen Valeurs – drei helle Gelbtöne –
geprägt. Zum Programm seiner Kunst hat
sich der Künstler wiederholt geäußert, in einer eher mystischen als rationalen Sprache.
Albers gibt zu erkennen, daß die Reduktion
der formalen und farbigen Bildelemente für
ihn ein Mittel der Weltdarstellung ist, wie es
einer auf den Pythagoräern und auf Plotin
fußenden Tradition entspricht. H. Sp.

454

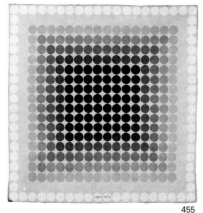

455

455 CTA 103 ARGENT. Victor Vasarély
(geb. 1908), Aubusson, 1966/67. Gobelin,
Wolle mit Silberfäden; 200 × 197,5.
Inv.Nr. 1967.57. Gestiftet von Herrn
Wilhelm Huth, Hamburg.

Die Reihe von Serigraphien ›CTA‹, die Victor
Vasarély 1966 konzipierte, variiert in verschiedenen Farbstellungen die Anordnung
gleich großer Kreisflächen in einem quadratischen Raster. Die Helligkeit ist auf diesen
Blättern durch eine stufenweise Graduation
entsprechend der densitometrischen Skala
bestimmt. Dem Gobelin ›CTA 103 ARGENT‹
liegt ein ähnliches Programm zugrunde wie
dem entsprechenden Blatt mit Silberfond in
der graphischen Folge. Im Unterschied zur
Graphik hat Vasarély bei den Angaben für
den Teppich den sinnlicheren Charakter des
textilen Materials hervorgehoben. Sein Interesse an den Gesetzen der optischen Wahr-
nehmung äußert sich auch im textilen Medium mit größter Bestimmtheit. H. Sp.

456

456 Diagonale Spektralstruktur.
Anka Kröhnke (geb. 1940), Hamburg, 1972.
Transparentgewebe, Baumwolle. Hanfwerg-
garn, 268 × 153. Inv. Nr. 1973.157.

Mit ihren Transparentgeweben hat sich Anka
Kröhnke unter den deutschen Textil-Künst-
lern einen Namen gemacht. Sie wurde mehrmals mit ersten Preisen und einer Goldmedaille für diese Arbeiten ausgezeichnet. Die
Kettfäden liegen bei den Bildteppichen teilweise offen. In die halbtransparente Struktur
sind geschlossene Flächen eingewirkt, oft
präzis-geometrisch, meist in leuchtenden
Farben. Während einer Entwicklung, in der
räumliche Textilien von den Künstlern bevorzugt wurden, beharrte Anka Kröhnke auf
dem flächigen Charakter des Bildteppichs.
  H. Sp.

457

457 Kundry, Fugurine zu Wagners ›Parzifal‹.
Ernst Fuchs (geb. 1930), Wien, 1975. Aquarell; 32,5 × 23,5. Inv. Nr. E 1978.9. Stiftung der INTERVERSA-Gesellschaft für Beteiligungen, Hamburg.

Die Inszenierung von Wagners ›Parzifal‹ in der Hamburgischen Staatsoper machte durch die Ausstattung von Ernst Fuchs Theatergeschichte. Nach einer Phase der abstrakten Darbietung der Wagnerschen Musikdramen begann mit dieser Inszenierung eine anschaulichere, gegenständlichere, sinnlichere Interpretation der Bühnenwerke. Fuchs hob den zauberhaften, unwirklichen Charakter des ›Parzifal‹ hervor und bezog in diese Auffassung auch die Kostüme der Darsteller ein. H. Sp.

458 Hemdärmelschnitt. Friedensreich Hundertwasser (geb. 1928), Tonada, Mexiko, 1976. Gobelin, Wolle; 205 × 230. Inv. Nr. 1978.40.

In Wien und in Mexiko hat Friedensreich Hundertwasser, der 1952 in Wien als Folge einer Wette seinen ersten Bildteppich webte, seit 1966 eine Reihe von Gobelins ausführen lassen. Als Vorlage wählte er Bilder in kleinerem Maßstab, deren unkomplizierte, dekorative Struktur für die Übersetzung in das textile Medium besonders geeignet war. Im Gegensatz zur Praxis der französischen Manufakturen der Gegenwart gibt es von diesen Hundertwasser-Gobelins nur je ein Exemplar. Der Titel der Hamburger Teppichs bezieht sich nicht auf den gegenständlichen Gehalt, sondern auf die Form-Assoziation. Dem Betrachter steht frei, die Darstellung als Fest oder als phantastische Architektur zu begreifen. H. Sp.

458

459

459 Porta d'amore (Ausschnitt). Gustav Seitz (1906-1969), Berlin und Hamburg, 1947 bis 1969. Bronze; H. 298, Br. 180. Inv. Nr. 1973.138. Erworben mit Hilfe eines Vermächtnisses von Wilhelm Huth, Hamburg, und der Justus Brinckmann Gesellschaft.

Gustav Seitz hinterließ nach seinem Tod die Reliefs für eine Bronzetür, deren Anordnung er nicht mehr vornehmen konnte. Im Auftrag des Museums übernahm sein Schüler Edgar Augustin diese Aufgabe. Er führte 1979 auch das Relief für das steinerne Bogenfeld über der Tür aus, die seit dem Sommer 1979 den Nordwest-Zugang zum Museum akzentuiert. Liebespaare, Säulenbasen und architektonische Kompositionen bilden die wichtigsten Themen der Bildfelder. Hinzu kommen einige Reliefs mit Kopfformen, die durch Bildberichte über die Mondlandung 1969 angeregt sind. H. Sp.

460

460 Selbstbildnis – Radierung für die Vorzugsausgabe des Buches ›Nocturno‹.
Horst Janssen (geb. 1929),
Hamburg, 1976. Bleistift und Farbstifte;
23,5 × 17. Inv.Nr. E 1978.3404i. Kunst-Stiftung.

Unmittelbar nach der ersten öffentlichen Vorstellung des Buches ›*Nocturno*‹ konnte das Museum alle Vorarbeiten für dieses Werk erwerben, das der Zeichner Horst Janssen mit der Photographin Birgit Jacobsen gestaltet hatte. Das Buch hält in einer Folge von Photographien einen nächtlichen Künstlerspaß, Verkleidungsszenen und den Kleiderwechsel der Photographin, fest. Janssen paraphrasierte das Thema mit Stilleben, Selbstbildnissen und Tierdarstellungen; er schrieb dazu einige Texte von Ernst Jünger. Zum erstenmal sind mit dieser Folge alle Vorarbeiten des Künstlers für eine Publikation in eine öffentliche Sammlung gelangt.   H. Sp.

461

461 Fragmentraum – Bild 28. Johannes Schreiter (geb. 1930), Frankfurt, 1975. Glas; 127,8 × 47,2. Inv. Nr. 1980.1. Stiftung der INTERVERSA-Gesellschaft für Beteiligungen, Hamburg.

Die Fensterzyklen von Johannes Schreiter haben den Künstler international bekannt gemacht. Das abgebildete Beispiel gehört zu einer Gruppe von Alternativ-Entwürfen der Verglasung in der Kirche St. Lubentius, Dietkirchen an der Lahn. Wie alle Fenster von Schreiter sind auch diese in enger Zusammenarbeit mit der traditionsreichen Firma Derix, Rottweil und Taunusstein, entstanden, die die nuancierte und präzise Verwirklichung der Konzeption Schreiters ermöglichte. Der Entwurf lebt von der Spannung zwischen modulierten Flächen und Linien, von gebrochenen und leuchtenden Farbtönen.
   H. Sp.

462

462 Arm des Narziß. Erwin Eisch
(geb. 1927), Frauenau, Bayerischer Wald,
1970/71. Silberverspiegeltes Glas; H. 42,5.
Inv.Nr. 1971.63. Geschenk des Künstlers.

Für eine größere Ausstellung seines Werkes
im Museum verwirklichte Erwin Eisch zwei
Environments zum Thema »Narziß«. Das eine stellte die klassische Version des Mythos
dar – Narziß stirbt, in sein Spiegelbild verliebt, aus seinem Blut wachsen Blumen –, die
andere Version zeigt den modernen Narziß –
der sich selbst bespiegelnde Intellektuelle
wird zur Figur aus Spiegelglas. Zusammen
mit den großen Szenerien entstanden Stu-
dien und Fragmente für die Figuren-Darstel-
lungen. Zu ihnen gehört das Rumpffragment
mit einem Arm – ein Hinweis auf die maka-
bre Komponente des Narziß-Mythos.   H.Sp.

463 Schale. Klaus Moje (geb. 1936) und
Isgard Moje (geb. 1941), Hamburg, 1971.
Glas; Dm. 23. Inv.Nr. 1972.82. Stiftung der
Justus Brinckmann Gesellschaft.

Die Technik des irisierenden Glases, die während des Jugendstils populär war, wurde in
jüngerer Zeit selten geübt. Unter den deutschen Glaskünstlern haben Klaus und Isgard
Moje mit der Wiederbelebung dieser Technik
ihren anerkannten Platz gefunden. Auf das
Glas werden Metallsalze aufgetragen, die
beim Brand eine lüsterartige Oberfläche erhalten. Im Gegensatz zu der älteren Praktik,
den Lüster kräftig zu entwickeln, behandeln
die beiden Hamburger Künstler diese Möglichkeit zurückhaltend, so daß die Farben rein
in Erscheinung treten.   H.Sp.

463

464

464 Objekt. Jiří Suhájek (geb. 1943), Prag,
1973. Hellblaues Glas; H. 43,7.
Inv.Nr. 1975.9.

Das traditionsreiche böhmische Glas hat sich
in den letzten zwanzig Jahren auf moderne
Formvorstellungen hin entwickelt. Handwerkliche Perfektion stellen die tschechischen Künstler in den Dienst künstlerischer
Phantasie. Das Objekt von Jiří Suhájek weckt
Assoziationen an eine sich aufrichtende
Schnecke, ohne daß es abbildenden Charakter besitzt. Die Wirkung des Materials ›Glas‹
ist den meisten tschechischen Künstlern
wichtiger als Funktionalität oder Bestimmtheit der Form. Der handwerkliche Umgang
mit dem Material ist ihr eigentliches Stimu-
lans.   H.Sp.

465

465 Schale. Robert Coleman (geb. 1943), New York, 1976. Farbloses Glas mit grünem Überfang; Br. 22,5. Inv. Nr. 1976.87.

In den Vereinigten Staaten hat die Bewegung des sogenannten Studio-Glases zu bemerkenswerten Ergebnissen geführt. Die Künstler arbeiten nicht in Hütten, sondern mit Hilfe kleinerer Öfen, die ihnen viele individuelle Freiheiten lassen. Der experimentelle Charakter ist für diese künstlerische Tätigkeit charakteristisch; das Normative, das europäisches Glas auszeichnet, tritt in den Hintergrund. In der Schale von Robert Coleman verbindet sich eine einfache Grundform mit einem frei aufgelegten Überlauf, der das dickwandige Glasmaterial großzügig in Erscheinung treten läßt.   H. Sp.

466

466 Teeservice. Wilfried Moll (geb. 1940), Hamburg, 1972. Sterlingsilber; Teekanne H. 18,2, Tablett L. 21,6. Inv. Nr. 1972.9. Erworben mit Unterstützung von Herrn Eberhard Lohss, Aumühle, und der Justus Brinckmann Gesellschaft.

Die präzise Form der Silberarbeiten Wilfried Molls ist handwerklich hergestellt, jedoch verrät keine Unregelmäßigkeit ihre Entstehung. Funktionalität, geometrische Bestimmtheit und abgewogene Proportion sind die maßgebenden Merkmale der Gefäße und Geräte. In ihnen lebt eine Tradition fort, die mit den Silberschmiede-Arbeiten nach Entwurf von Josef Hoffmann begann (vgl. Nr. 425) und über das Bauhaus und den Lehrer Molls, Andreas Moritz, bis in die Gegenwart führt.   H. Sp.

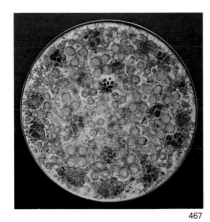

467

467 Emailteller. Ragna Sperschneider (geb. 1928), Hamburg, 1967. Zellenschmelz; Dm. 38,4. Inv. Nr. 1967.257.

Die Goldschmiedin Ragna Sperschneider gehört zu den führenden, international anerkannten Email-Künstlern. Sie fand sowohl wegen ihrer delikaten Dekore als auch wegen der phantasievollen Gefäßformen Anerkennung. Der große Teller nutzt die einfache, strenge Form für eine farbig reiche, abstraktornamentale Zeichnung, die Assoziation an Blüten und Blumen wachruft. Getragen wird die Farbigkeit durch den kupfernen Metallgrund, der durch die halbtransparenten Emails durchscheint. An Arbeiten dieser Art zeigt sich exemplarisch, daß Funktionalität für das neue Kunsthandwerk kein ausschlaggebendes Kriterium darstellt. H. Sp.

468 Vase. Albrecht Hohlt (1928-1960), Katzbach b. Rott am Inn, 1960. Porzellan mit rotvioletter Glasur; H. 18,5. Inv. Nr. 1964.167 a. Gestiftet von Frau Margarete Hohlt, Katzbach.

Ebenso wie von Jan Bontjes van Beek besitzt das Museum auch eine umfangreiche Werkgruppe von Albrecht Hohlt. Das Œuvre des jung verstorbenen Töpfers entstand in wenigen Jahren. Es umfaßt überwiegend Gefäße mit sogenannten Reduktionsglasuren, die beim Brand in einer stickstoffhaltigen Atmosphäre entstehen – leuchtende, intensive Farben, die in keiner anderen Glasurtechnik erzielt werden können. Die abgebildete Vase, kurz vor dem Tod des Künstlers entstanden, zeigt dies in exemplarischer Weise; die färbenden Metall-Elemente sind hier Kupfer und Titan. H. Sp.

468

469 Dose. Jan Bontjes van Beek (1899-1969), Fischerhude bei Bremen, um 1925. Steinzeug mit braun gefleckter, lüstrierender Glasur; H. 17,5, Dm. 17,5. Inv. Nr. 1966.6.

Mit den frühen Steinzeugarbeiten von Bontjes van Beek begann für die moderne deutsche Keramik eine neue Phase. Ausgehend von ostasiatischen, vor allem chinesischen Glasuren entwickelte der Töpfer systematisch und auf wissenschaftlicher Grundlage eine moderne keramische Ästhetik: bestimmte, proportional abgewogene Formen und variationsreiche, nuancierte Glasuren. Die hier abgebildete Dose steht am Beginn eines umfangreichen Werkes, das Bontjes van Beek in den dreißiger und frühen vierziger Jahren in Berlin fortsetzte und in Hamburg abschloß. Das Museum bewahrt hieraus einen repräsentativen Querschnitt mit mehr als 60 Objekten aus allen Schaffensperiden des Künstlers. H. Sp.

469

470 Vase. Antoni Cumella (geb. 1913), Granollers, Prov. Barcelona, 1971. Steinzeug mit rosafarbener Glasur; H. 17,3. Inv. Nr. 1971.45. Stiftung der Justus Brinckmann Gesellschaft.

Während im Werk der meisten modernen europäischen Töpfer ostasiatische Töpferkunst unmittelbar oder mittelbar reflektiert wird, hat der Katalane Antoni Cumella die spanische Volkskunst-Keramik zur Grundlage seiner Arbeit gemacht. Er paraphrasiert die Formen der Kantaros und Botichos Kataloniens und der Levante in freier Weise. Ein ausgeprägter Sinn für die mathematische Schönheit von Fruchtformen, die von Steinen und Halbedelsteinen ausgehende Faszination sind andere Grundlagen dieser keramischen Kunst. Cumella gehört zu denjenigen modernen Künstlern, die eine alte Tradition erneuern, indem sie ihr einen neuen Sinn geben. H. Sp.

470

471 Kumme. Karl Scheid (geb. 1929), Büdingen-Düdelsheim, 1974. Porzellan mit Seladon-Glasur; H. 9,2. Inv. Nr. 1975.25.

Seit dem Ende des Jugendstils hat das Ornament in den Werkkünsten immer mehr an Bedeutung verloren; einige wenige Künstler, die darin eine Verarmung künstlerischer Möglichkeiten sehen, bemühen sich um eine Erneuerung von Dekor und Ornamentik. Karl Scheid setzt hierfür eine hohe handwerkliche Perfektion und außerordentliche Sensibilität für Form, Scherben, Glasur und Oberfläche ein. Die Kumme trägt ein geschnittenes Relief, das an pflanzliche Strukturen erinnert und durch die Glasur, die an den Rändern dünner erscheint, seine Zeichnung erhält. Der weiße Porzellan-Scherben läßt die eisenhaltige Seladon-Glasur besonders leuchtend erscheinen. H. Sp.

471

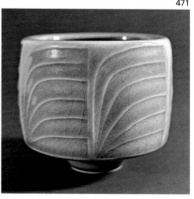

472

472 Bodenvase. Hans Coper, (geb. 1920), Frome, Somerset, 1972. Steinzeug mit sandfarbener und brauner Glasur; H. 41,5. Inv. Nr. 1973.70. Stiftung der Justus Brinckmann Gesellschaft.

Der in Chemnitz geborene Hans Coper, war zunächst Bildhauer, wandte sich dann aber unter dem Einfluß der aus Wien stammenden Töpferin Lucie Rie der Keramik zu. Die beiden Künstler haben auf die jüngere englische Töpfer-Generation außerordentlichen Einfluß ausgeübt. Coper montiert seine Gefäße aus gedrehten Formen. Das plastische Volumen ist ihm wichtiger als die Funktion: Die Gefäße erinnern nicht selten an Stelen oder Kopfformen. Der steinartige Charakter der Oberfläche trägt diesem bildnerischen Charakter der Form Rechnung; Coper ätzt die Glasuren mit Flußsäure. H. Sp.

473

473 Turnier. Jörn Pfab (geb. 1925), Hamburg, 1967. Chrom-Nickel-Molybdänstahl, geschweißt; H. 152,5. Inv. Nr. 1970.110. Stiftung der BP Benzin- und Petroleum AG.

Das Bildwerk ist das Modell für eine mehr als sechs Meter hohe Skulptur vor der Sporthalle in Hamburg-Alsterdorf. Jörn Pfab wählte ein ungegenständliches, der Zweckbestimmung Rechnung tragendes Motiv: Zwei aufeinander zugerichtete, sich nicht berührende Spitzen, von kugelartigen, scheinbar zerschellenden Formen umgeben, wecken die Vorstellung eines sportlichen Wettkampfs, eines Turniers. Der zeichenhafte Charakter wird durch das Material und die Monumentalität der Form nachdrücklich hervorgehoben. Der blanke und helle rostfreie Stahl unterstreicht die Schärfe und Präzision der Lanzettspitzen, die Monumentalität steigert Wucht und Energie der Konfrontation.
  H. Sp.

474 Lichtobjekt. Gerhard von Graevenitz (geb. 1934), München, 1969. Holz, Aluminiumplatten, Plexiglas, Glübirnen, Elektromotor; 120 × 120. Inv. Nr. 1969.161. Gestiftet von Herrn Wilhelm Huth, Hamburg.

Unter den Künstlern, die Licht und Bewegung zum Medium wählten, nimmt Gerhard von Graevenitz eine führende Stellung ein. Seinen Objekten liegen präzise mechanisch-mathematische Programme zugrunde. Lichteinfall, Drehbewegungen verschiedenster Art und Reflexe hat Graevenitz mit dem Programm dieses Objekts so zusammengefaßt, daß nur alle 10000 bis 20000 Jahre dieselbe Konstellation sich wiederholen könnte. Aus verdeckt angebrachten Lichtöffnungen fallen weiße Lichtbahnen in einen kreisrunden Raum von relativ geringer Tiefe, in dem sich polierte Aluminiumplatten regelmäßig, jedoch gelegentlich stockend oder im Lauf einhaltend oder plötzlich losschnellend, um ihre eigene Achse drehen. Jede Lichtbahn wird durch die Aluminiumplatten vielfach gebrochen und reflektiert. H. Sp.

474

475 Stereo-Objekt. Ludwig Wilding (geb. 1927), Hamburg, 1976. Holz mit Dispersionsfarbe, Gummibänder; 150 × 150. Inv. Nr. 1978.110.

Optische Interferenzen und Irritationen des Betrachters sind das Thema der Objekte von Ludwig Wilding. Mit planimetrisch angeordneten Linien, die in minutiöser Präzision aufgetragen sind, und mit gespannten Streifen – meist Gummibändern – erzielt er erstaunliche Wirkungen, die stereoskopisch wirken, jedoch vom Betrachter auch ohne stereoskopische Brillen räumlich erlebt werden. Der imaginäre Bildraum, der in die Tiefe führt und dem Betrachter entgegenkommt – ein Thema von Wildings Lehrer Willi Baumeister – wird hier suggestiv anschaulich. H. Sp.

475

476

476 Die Tänzerin Maria Taglioni d. Ä. Carl Ferdinand Stelzner (1805-1894), Hamburg, um 1845. Daguerreotypie; 12 × 14,5.

Carl Ferdinand Stelzner war 1837 als Miniaturmaler in Hamburg ansässig geworden. Seine Ausbildung hatte er in Paris erfahren, wo er sich auch in die Technik der Daguerreotypie einweisen ließ. Am 2. August 1842 eröffnete Stelzner sein erstes Atelier in Hamburg zusammen mit Hermann Biow; beide gehören zu den bedeutendsten Daguerreotypisten Deutschlands. Stelzner hat indes schon vor der Ateliergründung photographiert, wie die drei Daguerreotypien beweisen, die er unmittelbar nach dem Großen Brand von Hamburg im Mai 1842 anfertigte. Diese gelten heute als die ersten News-Photos der Welt. Seine Bedeutung liegt jedoch in seinen Gruppen und seinen Porträts. In ihnen blieb er der auf die Details bedachte Miniaturist. Die Pose, in der Stelzner die Taglioni (1804-1884) daguerreotypierte, muß im späten Biedermeier als recht gewagt gegolten haben.   F.K.

477 Selbstporträt mit Pinsel und Palette. Eduard Steichen (1879-1973), Paris, 1901. Platindruck; 20,6 × 15,2.

Eduard Steichen kam mit seinen Eltern aus Luxemburg 1881 nach Hancock, Michigan. Seit 1895 photographierte er bereits, 1900 ging er nach Paris, um Maler zu werden. Aus dieser Zeit stammt das Selbstporträt, ein typisches Beispiel für den Stil der Frühzeit Steichens, in der er seine Meisterwerke schuf. Die kühne Vermischung von photographischen und graphischen Techniken brachte dem damals 22jährigen Anerkennung und Ruhm ein. Alfred Stieglitz publizierte Steichens Frühwerk in der Zeitschrift ›Camera Work‹. In Deutschland freilich war die Zustimmung nicht so einhellig. Als Ernst Wilhelm Juhl 1902 in der ›Photographischen Rundschau‹ zwölf Bilder Steichens veröffentlichte, darunter unser Selbstporträt, mußte er als Redakteur zurücktreten.   F.K.

477

478

478 Rotes Haar. Arthur Benda (1885-1969), Wien. Vierfarben-Gummidruck nach Schwarzweiß-Negativ, 1911; 38 × 28,2.

Der Berliner Arthur Benda erlernte bei Nicola Perscheid in Leipzig die Photographie, arbeitete seit 1902 in verschiedenen Ateliers, bis er 1906 zu Perscheid zurückkehrte, der inzwischen nach Berlin übergesiedelt war. Bendas erste Farbbilder waren Pinatypien nach Aufnahmen Perscheids. In der Folgezeit entwickelte sich Arthur Benda zum Spezialisten für Farbbilder nach unterschiedlichen Verfahren. Bei Perscheid lernte er Dora Kallmus – Madame d'Ora – kennen, die ihn engagierte, um 1907 mit seiner Hilfe ein alsbald sehr erfolgreiches Atelier in Wien einzurichten. 1921 wurde Benda Teilhaber der Firma d'Ora-Benda in Wien, die er bis 1965 führte. Er war ein Virtuose des farbigen Bildes: Die Farben in ›Rotes Haar‹ entsprangen Bendas Phantasie. Ausgangsmaterial war ein schwarzweißes Negativ, von dem er vier verschiedene Farbauszüge gewann, die übereinanderkopiert wurden.   F. K.

479

479 Stilleben mit Zitrone. Willy Zielke (geb. 1902), 1934. Vierfarben-Bromöl-umdruck; 39,3 × 29,7.

Der in Lodz geborene Willy Zielke besuchte in München die ›Bayerische Staatslehranstalt für Photographie‹, an der er 1926 zum Fachlehrer avancierte. Durch seine schwarzweißen, konstruktiv gebauten Stilleben, die in der Nachfolge der ›Neuen Sachlichkeit‹ stehen, wurde Zielke schnell bekannt. 1932 machte er eine neue Entdeckung im Bromöl-Umdruck-Verfahren, für das er ein eigenes System entwarf. Ein Jahr später erschienen in ›Das deutsche Lichtbild‹ seine ersten Farbaufnahmen, die eine Sensation wurden. Unser Stilleben mit Zitrone entstand 1934 aufgrund von vier Aufnahmen hinter subtraktiven Farbfiltern in Hintereinander-Exposition. Die vier vergrößerten Matritzen wurden eingefärbt und in der Tiefdruckpresse übereinandergedruckt. Das Büttenpapier und die lichtbeständigen Lichtdruckfarben haben die Farben unverändert erhalten. F. K.

480 Buchenwald. Albert Renger-Patzsch (1897-1966), 1941. ›Vintage print‹; 23,5 × 17,5.

Albert Renger-Patzsch wurde in Würzburg als Sohn eines Musikers und leidenschaftlichen ›Kunstphotographen‹ geboren. 1925 machte er sich in Bad Harzburg als Photograph selbständig; von 1928 bis 1944 stand ihm im Museum Folkwang in Essen ein Atelier zur Verfügung, auch war er kurze Zeit Lehrer an der Folkwang-Schule. Das 1928 erschienene Bildbuch ›Die Welt ist schön‹ öffnete den Zeitgenossen die Augen für eine sachgerechte Photographie der Dinge. Durch die Bucheinleitung von Carl Georg Heise wurde Rengers Leistung als Entdecker der ›Photographischen Photographie‹ gefeiert. Rengers Stil, der sich in mehr als 35 Druckwerken und Bildbänden niederschlug, hat wesentlichen Einfluß auf die gesamte Photographie ausgeübt. Das Bild ›Buchenwald‹ läßt Rengers Prinzip des Pars pro toto ebenso erkennen wie seine Vorliebe für einen tonigen Vortrag seiner Bilder. F. K.

480

481

481 George Washington Bridge, New York. Andreas Feininger (geb. 1906), um 1940; 50 × 39.

In Paris als Sohn des Malers Lyonel Feininger geboren, erlernte Andreas am Bauhaus in Dessau, wo sein Vater lehrte, das Tischlerhandwerk. Nach dem Architekturstudium arbeitete er bei Le Corbusier. In die USA kam der Amerikaner Feininger erst nach Ausbruch des Zweiten Weltkriegs; seit 1943 photographierte er für ›Life‹. Seine ersten Bücher erschienen in Deutschland: ›Menschen vor der Kamera‹ (1934) und ›Fotografische Gestaltung‹ (1937). Sie ließen bereits Feiningers Begabung erkennen, seine Erfahrungen in Ästhetik und Technik der Photographie anderen mitzuteilen. Aus der Serie der berühmten Aufnahmen aus New York zeigt das Bild der George Washington Bridge den eindrucksvollen Stil seiner Architekturphotographie. F. K.

482 Grabamphore. Yang-shao-Kultur,
Pan-shan, Provinz Kansu (2200-1700 v. Chr.).
Steinzeugartige Irdenware; H. 43.
Inv. Nr. 1927.154.

Während die frühen Stufen der neolithischen
Yang-shao-Kultur in der großen Ebene Nord-
chinas zentralisiert waren, bildete sich im
Nord-Westen eine Sonderform heraus. Ihre
Leitformen waren große, ornamental bemalte Grabgefäße. Diese Amphoren der Pan-
shan-Stufe zählen zur schönsten vorge-
schichtlichen Keramik der Welt. In Wulst-
technik aus feingeschlemmtem, gelblichem
Ton aufgebaut und bei ca. 1000 Grad gebrannt, wurden sie mit Erdfarben in Eisenschwarz und Manganviolett kalt bemalt und
glanzpoliert. Die Ornamentik, deren Beziehung zur Bandkeramik Vorderasiens noch
diskutiert wird, zeigt meist harmonisch ver-
teilte Spiralmuster mit Zackenbändern, sowie Gittermuster oder stilisierte Figuren. Die
Ösenhenkel an der Schulter wie die Nasen
am Lippenrand dienten zum Tragen und zur
Befestigung eines Deckels.   R. H.

482

483 Zeremonialgefäß vom Typ ›Ting‹. China
Shang-Yin-Zeit (1300-1027 v. Chr.).
Fundort angeblich Anyang. Bronze; H. 26,2.
Inv. Nr. 1965.97.

Der dreibeinige Kessel ›Ting‹ diente bei den
rituellen Ahnenopfern zum Kochen der Op-
ferspeisen. Wie auf nahezu allen Zeremonialbronzen finden wir eine zentrale, magische
Tiermaske: das dämonische T'ao-T'ieh.
Durch Grate geteilt und getrennt, zerfällt es
wieder in seitlich gezeichnete Drachen. Die
zoomorphen Formen erheben sich nur leicht
über dem Spiralmuster des Grundes, das die
Chinesen als ›Lei-wen‹, Donnermuster, be-
nennen. Die höchst differenzierten Muste-
rungen wurden mit Hilfe von keramischen
Stückformen gegossen, von denen bei den
Grabungen in Anyang, der dritten Hauptstadt der Shang-Yin-Herrscher, große Mengen gefunden wurden. Zwei Inschriftzeichen
auf der Innenwand unseres Kessels lassen
sich als »Vater Mao« lesen: Sie nennen den
Namen des Ahnen, zu dessen Opfergerät das
Ting gehörte. R. H.

483

484 Zeremonialbronze vom Typ ›Yü‹. China, Shang-Yin-Zeit (1300-1027 v. Chr.). Bronze; H. 17. Inv. Nr. 1952.44.

Diese Form des Beckens für die Opferspeise geht direkt auf einen Schalentyp in schwarzer Keramik der neolithischen Lung-shan-Kultur zurück. Ähnlich wie bei dem ›Ting‹ finden wir auch hier auf der Wandung dreimal das Motiv der dämonischen Tiermaske, ›T'ao-T'ieh‹, bereichert jedoch durch flankierende Drachen. Diese immer wiederkehrenden, magischen Tiermotive in der Shang-Yin-Kunst könnten vielleicht die Kräfte des Kosmos und der Natur im Verhältnis zum Menschen verkörpert haben. Das ›Yü‹ vertritt in seiner hohen technischen Perfektion des Gusses einen Stiltyp, der in der letzten Residenz der Shang-Herrscher, Yin-hsü bei Anyang, entstand und als Gipfel der bronzezeitlichen Gefäßkunst überhaupt bezeichnet werden kann. R.H.

484

485 Zeremonialbronze vom Typ ›Hu‹. China, mittlere Chou-Zeit (900-700 v. Chr.). Bronze; H. 35. Inv. Nr. 1957.51.

Das wuchtige Weingefäß vertritt eine Stilphase der Bronzekunst, in der die magische Tiersymbolik der Shang-Yin- und der frühen Chou-Zeit ihre kultische Funktion verloren hatte. Die kräftige Kalebassen-Form zeigt eine Ornamentik, die an metallbeschlagene Bänder zum Halten und Tragen denken läßt. Die Zierbänder, die nicht aufgesetzt, sondern mitgegossen wurden, schmückt ein Schuppenornament, das ebenso charakteristisch ist für die mittlere Chou-Zeit, wie die zu Voluten stilisierten Drachen am Fußring. Der Deckel wie der Boden tragen die Inschrift: »Fürst Po Yü-fu hat das Opfer-Hu gemacht, möge es als Schatz ewig gebraucht werden.« R.H.

485

486

486 Pferdeschmuck. China, frühe Chou-Zeit (1000-900 v. Chr.). Bronze; H. 19,7, Br. 20,2. Inv. Nr. 1938.8.

Pferd und Wagen gehörten zu den wichtigsten Attributen der Shang- und Chou-Herrscher des frühen China. Die Kampfwagen wie das Geschirr der Pferde waren mit Bronzebeschlägen geschmückt. Am Maulkorb wurden zwischen den Ohren der Tiere abschreckende Bronzemasken des magischen T'ao-T'ieh-Ungeheuers angebracht. Unsere Maske zeigt den dämonisierten Kopf eines Wasserbüffels. Das Inschriftzeichen ›Wei‹ auf der Rückseite ist der Name des Lehnsgebietes, welches der Prinz Hou K'ang von seinem älteren Bruder Wu-Wang, dem ersten König der Chou-Dynastie, erhalten hatte. Danach kann man die Maske, die angeblich aus einem Fund in Hsün-Hsien, Provinz Honan, stammt, etwa um das Jahr 1000 v.Chr. datieren. R.H.

487 Zeremonialbronze vom Typ ›Hu‹. China, späte Chou-Zeit, (5. Jahrhundert v. Chr.). Bronze mit Einlagen; H. 50. Inv. Nr. 1970.119.

Drei kraftstrotzende Tiger stemmen den Fußring des monumentalen Gefäßes. Der birnenförmige Körper des Weinbehältnisses wird von erhabenen Bändern umspannt, die mit Einlagen von Kupferdraht geschmückt sind. Ebensolche Einlagen zieren die Blätter des ausladenden Aufsatzes, den das Hu floral bekrönt. Die Appliken in Form von T'ao-T'ieh-Köpfen an der Schulter wirken dagegen antikisierend trotz reicher Detailstrukturen und der mit Türkisen eingelegten Augen. Alle diese Merkmale sind charakteristisch für die Bronzekunst der späten Chou-Zeit und weisen nach Nordchina. In dieser Zeit des Verfalls der Feudalherrschaft scheinen die kostbaren Bronzegefäße auch schon weltlichem Prunk an den Höfen der vielen um die Macht kämpfenden Kleinstaaten gedient zu haben. R. H.

487

488 Zeremonialbronze vom Typ ›Ting‹.
China, Chou-Zeit, Ende der Periode
Ch'un-ch'iu, um 500 v.Chr.. Bronze; H. 29,5,
Dm. 38. Dauerleihgabe Sammlung
Philipp F. Reemtsma.

Das von drei kräftig gerundeten Beinen getragene große, nahezu kugelige Deckelgefäß
stellt die letzte Formentwicklung des ›Ting‹
(vgl. Nr. 483) dar. Die an der Gefäßwandung
und auf dem Deckel mittels Gußformen ein-
geprägten Ornamentbänder sind aus elegant
verschlungenen Schlangendrachen mit aufgerissenen Mäulern gebildet. Das Ornament
bleibt in der Fläche, die Tierleiber zeigen feine Schuppen-, Mäander- und Punktmuster.
Auch an den zwei geschwungenen Henkeln
erscheinen schmale Drachen. Der Gefäßdek-
kel läßt sich als Schale aufstellen. Diesen
Bronzestil kennt man von ähnlichen Gefäßen
mit verwandter Ornamentik aus dem Lü-Yü
Fund, der 1923 in der Provinz Shansi entdeckt wurde, und auch von jüngsten Grabungen im mittleren Norden Chinas. R.H.

488

489

489 Zeremonialbronze vom Typ ›Hu‹. China,
Späte Chou-Zeit (5. Jahrhundert v.Chr.).
Bronze; H. 33,8. Dauerleihgabe Sammlung
Philipp F. Reemtsma.

In der Sammlung Reemtsma finden sich zwei
nahezu formgleiche Weingefäße. Sie haben
weniger bizarre Formen als das vorherge-
hende Hu und besaßen ursprünglich Glieder-
ketten, die an den seitlichen Ösen angebracht waren. Zum Befestigen des Deckels
wiederum sind vier Paare von Ösen und Rin-
gen angesetzt. Auch bei diesem Gefäße findet man die horizontalen Bänder, zwischen
denen aber Ornamentstreifen mit einem
feinstrukturierten Muster aus Schlangendrachen zu erkennen sind. Die plastischen Augen der stilisierten Tiere werden im Chinesischen ›Su-li-wen‹, Hirsekornmuster, genannt. Ein nahe verwandtes Gefäß wurde in
Shan Piao-shan, Provinz Honan, ausgegraben, das nach den Fundumständen etwa 450
v.Chr. datiert wird. R.H.

490

490 Hsüan-chi. Astronomische Scheibe
China, späte Chou-Zeit (600-200 v.Chr.).
Hornfarbene Jade; Dm. 14,6. Inv.Nr. 1926.85.

Scheiben mit einer Mittelöffnung oder flache
Jaderinge, die generell mit ›Pi‹ bezeichnet
werden, gehören zu den wichtigsten Ritual-
Objekten im alten China. Die Scheibe mit
symmetrisch sich dreimal wiederholenden
Auskerbungen am Rande soll angeblich zur
Bestimmung des Himmelspoles und der
Nachtstunden mit Hilfe der Zirkumpolarster-
ne gedient haben. Wie die anderen zeremo-
niellen Jadegebilde, etwa die ›Tsung‹, ein
Zylinder mit vierkantigen Seiten, und die Ze-
remonialaxt, befanden sie sich in Gräbern
der Shang-Yin und Chou-Zeit; Fragmente eines Hsüan-chi wurden in Hou-chia-chuang,
in Anyang (ca. 1300 v.Chr.), gefunden. Unser
Objekt wird allerdings erst in die Chou-Zeit
datiert. R.H.

491

491 Spiegel. China, späte Ost-Han-Zeit (2.-3. Jahrhundert). Bronze; Dm. 23. Inv. Nr. 1904.151.

Seit dem 7. Jahrhundert vor Christus wurde die chinesische Bronzekunst durch Spiegel bereichert, die im Grabkult eine magische Rolle spielten. Der Spiegel, auf seiner Vorderseite glanzpoliert, zeigt auf der abgebildeten Rückseite einen dicken Knauf, durch den eine Schnur zum Anfassen gezogen ist. Konzentrisch sind Bänder mit Ornamenten und Figuren in das Rund geordnet. Die Figuren deutet man als taoistische Gottheiten und himmlische Tiere. Spiegel wie dieser wurden in Gräbern des frühen 3. Jahrhunderts in Shao-hsing im Staate Yüeh gefunden. Im 4. Jahrhundert wurden sie sogar nach Japan exportiert und auch dort als kostbare Grabbeigaben verwendet.   R. H.

492

492 Hügelurne ›Po-shan-lu‹. China, Han-Zeit (206 v. Chr.-220 n. Chr.). Ton mit grüner irisierender Glasur; H. 24, Dm. 20. Inv. Nr. 1909.236.

Während der Han-Zeit festigte sich der Brauch, den Verstorbenen statt kostbarer Bronzen Keramiknachbildungen ins Grab mitzugeben. Die grünen Bleiglasuren ahmen patinierte Bronze vorzüglich nach. Diese Hügelurne hat die Form eines Toilettenkastens ›Lien‹, wie sie damals Mode waren. Auf dem Deckel sind die fünf heiligen Berge Chinas in Stilisierung kulissenartig aufgebaut; zwischen diesen tummeln sich Tiere. Auch auf dem Fries der Leibung erscheint eine ähnliche Szene, bei der jedoch eine Jagdgruppe im Mittelpunkt steht, die vorderasiatischen Darstellungen nahekommt.   R. H.

493

493 Topf mit Hahnenkopf. China, Östliche Chin-Dynastie (317-420 n. Chr.). Steinzeug mit grüner Glasur; H. 15,7. Inv. Nr. 1954.31.

Die Chinesen beherrschten bereits in der Shang-Zeit den Brand von Steinzeugwaren, da bereits die Tonformen, mit denen die Ritualbronzen gegossen wurden, hohe Brenntemperaturen aushalten mußten. Die heute als ›Proto-Porzellan‹ bezeichneten braunen, mit Silikatglasuren überzogenen Gefäße der Han-Zeit bilden den ersten Schritt zum berühmten Seladon. Zur Zeit der 6 Dynastien fertigten im Staate Yüeh viele Öfen um Hangchou vorzüglich getöpferte Grabkeramiken mit grünen Eisenoxyd-Glasuren an. Häufig findet man in der Yüeh-Keramik Krüge, Kannen und Töpfe mit Hühnerköpfen oder -tüllen. Aber auch Löwen und Widder erscheinen als figürliche Gefäßformen. Anscheinend standen diese Tiere, falls sie nicht rein dekorative Formschöpfungen waren, im Zusammenhang mit Jenseitsvorstellungen.   R. H.

494 Deckeltopf. China, mittlere T'ang-Zeit (700-750 n. Chr.). Ton mit Bleiglasur; H. 26. Inv. Nr. 1927.32.

Der bauchige Deckeltopf zeigt in schöner Vollendung eine Tonware, die als ›San-ts'ai‹, Dreifarb-Keramik, bezeichnet wird. Zu Beginn des 8. Jahrhunderts lassen sich in Grabfunden nahe den Hauptstädten Loyang und Changan des T'ang-Reiches solche raffiniert glasierten Tonwaren nachweisen. Den bunten Farbeffekt erzielte man durch Metalloxyde, die, unter einer Bleiglasur aufgetragen, beim Brande verliefen. Besondere Ornamente entstanden wie bei Stoffbatik durch Wachsreservage. Gerade diese Muster und oft auch die Appliken zeigen den starken Einfluß sassanidischer Kunst. Dem kosmopolitischen Geschmack des T'ang-Hofes entsprechend waren solche Gefäße, die höchste Exotik und Pracht widerspiegelten, auch Teil von Grabausstattungen. R. H.

494

495

495 Topf. China, T'ang-Zeit (618-907). Steinzeug mit schwarzer Glasur und blauem Überlauf; H. 20. Inv. Nr. 1913.120.

Neben den weiß glasierten Hsing-Waren und den grünen Seladonen der T'ang-Keramik bilden die blaufleckig über Schwarz glasierten Steinzeugwaren aus Nord-China eine ganz eigene Gruppe. Öfen, die diese eisenhaltigen Glasuren brannten, sind an einigen Plätzen in der Provinz Honan entdeckt worden; der wichtigste von ihnen liegt bei Huang-tao in Chia Hsien und gab der Ware den Namen. Diese Keramik wird häufig als Vorläufer des Chün-Yao (vgl. Nr. 501) der Sung-Yüan-Zeit bezeichnet, da das schaumige Blaugrau, das bei diesem Topf als gezielt plazierter Überlauf aufgetragen wurde, im Chün der Sung-Zeit als Grundfarbe erscheint. Die Huang-tao-Waren sind schwer getöpferte Gefäße und Kannen, die häufig Ösenhenkel besitzen. Sie zeigen die flache Basis, den gekanteten Ansatz der Wandung und tektonische Formen, die charakteristisch für die Keramik der T'ang-Zeit sind. R. H.

496 Erdgeist. China, mittlere T'ang-Zeit (700-750 n. Chr.). Ton mit Bleiglasur; H. 68. Inv. Nr. 1946.36.

Für das Leben im Jenseits wurden auch in der T'ang-Zeit hochgestellten Persönlichkeiten kostbare Beigaben aus ihrem persönlichen Besitz in das Grab mitgegeben. Dazu gehörten unter anderem tönerne Figuren von Menschen. Tieren und Fabelwesen, die den Toten begleiten und schützen sollten. Wir kennen aus Bestattungen der 1. Hälfte des 8. Jahrhunderts häufig Gruppen von Figuren, zu denen zwei buddhistische Schutzwesen, ›Lokapala‹, ein oder zwei Beamte, je zwei Pferde und Kamele, stets aber auch ein Erdgeist ›T'u-Kuei‹ gehörten. Der Erdgeist erscheint als geflügeltes Fabelwesen mit Elefantenohren, Hufen und einem Barbarengesicht. Die reichen Glasurflüsse in Braun, Gelb und Grün weisen ihn in die Nähe des Deckeltopfes Nr. 494. R. H.

496

497

497 Schale. China, nördliche Sung-Dynastie (960-1126). Porzellanartiges Steinzeug mit Seladon-Glasur; H. 6, Dm. 21,3. Inv. Nr. 1959.266.

Im Norden Chinas standen wenigstens in drei Provinzen Öfen, die jene vornehme, durchsichtig olivgrün glasierte Ware brannten; diese werden im Gegensatz zum Lungchüan-yao des Südens, als ›Nördliches Seladon‹ bezeichnet. Da die schönsten Gefäße aus Yao-chao in der Provinz Shensi kommen, wo auch das mattglasierte Tung-yao gebrannt wurde, bezeichnet man das Nördliche Seladon heute häufig generell als Yao-chao-Ware. Aber auch in Lin-ju-hsien kamen Ausschuß-Keramiken zutage, die dieser Schale ähneln und deren in Schrägschnitt in den Scherben eingetiefte Pflanzenmotive – Lotosblüte und Pfeilkraut – serielle Herstellung verraten. R. H.

498 Temmoku-Schale. China, Sung-Dynastie (960-1279). Steinzeug mit irisierender Hasenfell-Glasur; H. 5,4, Inv. Nr. 1933.25.

Schwere Teeschalen aus dunklem Steinzeug mit dick herablaufender, braungestreifter oder irisierender Glasur wurden von japanischen buddhistischen Mönchen, die China bereisten, wegen ihrer unauffälligen, verborgenen Schönheit besonders geschätzt. Sie erhielten den Namen ›Temmoku‹ nach dem Berge T'ien-mu-shan, ›Himmels-Augen-Berg‹, einem Tempelbezirk in der Provinz Chekiang, in dem die Schalen erworben werden konnten. Nach den Scherbenfunden jedoch weiß man heute, daß die Öfen bei Shui-chu Chen und bei Chien-an in der Provinz Fukien lagen. Die in Japan äußerst kostbaren Schalen wurden in Tempeln und fürstlichen Sammlungen liebevoll bewahrt. Für den Gebrauch zur Teezeremonie, für den die Temmoku-Schalen das klassische Gefäß darstellten, faßte man den glasurfreien Rand in Silber. R.H.

498

499 Kuan Yin. Nord-China, Liao-Chin-Dynastien (10.-12. Jahrhundert). Bronze, vergoldet; H. 13,2. Inv. Nr. 1952.69.

Kuan Yin, der Bodhisattva der Barmherzigkeit, kann ikonographisch durch die kleine Figur eines Amitabha-Buddha im Kopfschmuck bestimmt werden. Hier erscheint der Kuan Yin, wie häufig in der Kunst seit der Sung-Zeit, im weißen Gewand, das Oberkörper und Haupt teilweise verhüllt. Auf dem Lotussockel sitzend, hält er ein anderes Attribut, die Lotusknospe, in der Hand. Aus stilistischen Gründen läßt sich die Figur in die Zeit der Liao-Chin-Dynastien datieren, denn unter den Monumentalskulpturen des Tempels Hsia-Hua-yen-ssi in der Stadt Ta-t'ung, die aus dem 11. Jahrhundert stammen, findet man nah verwandte Darstellungen. R.H.

499

500 Blütenförmige Schale. China, Chin-Zeit (1115-1234), Nord-China, Ting-chou, Provinz Hopei. Weißes, porzellanartiges Steinzeug; Dm. 20. Inv. Nr. 1910.469.

500

Weißen Kaolin-Ton benutzten die Chinesen seit vorgeschichtlicher Zeit. Die volle Beherrschung der Töpferkunst in der Sung-Zeit ließ in den Öfen von Chien-tz'u-ts'un, Ch'ü-yang, in der Provinz Hopei das vornehme und hauchdünne, weiße Geschirr zur Vollendung gelangen, das als Ting-yao bekannt wurde. Während im 10. Jahrhundert Schalen in glatten, oft metallischen Formen gebrannt wurden, bevorzugte das Geschmack der frühen Sung-Zeit ein schwungvoll eingeschnittenes Ornament. Auch als die Jurchen-Tartaren als Chin-Dynastie den Norden Chinas eroberten, ging die Produktion weiter. Als Neuheit traten Dekore auf, die mit Modeln eingepreßt waren. Sie erlaubten ein Reliefmuster bei hauchdünn gepreßter Wandung; bei unserer Schale sehen wir stilisierte Päonienranken. Die gelbliche Glasur, die den Fußring überzieht, bildet auf der Außenwandung Tränen; der unglasierte Mündungsrand ist in Kupfer gefaßt. R.H.

501 Weinkanne. Süd-China, Provinz Kiangsi, nördliche Sung-Zeit (960-1126). Porzellan mit bläulicher Glasur; H. 20. Inv. Nr. 1939.2.

Wie im Norden Chinas wurde auch im Süden während der Sung-Zeit die Porzellanherstellung vervollkommnet. Als Zentrum der Töpfereien, die im Familienbetrieb Gefäße aus Kaolin mit einer bläulichen Glasur, die Ching-pai-(Klar-Weiß-)Ware herstellten, bildete sich die Gegend um Ching-te Chen heraus. Unsere elegante Kanne mit ihrem Deckel, der durch eine Öse am Henkel befestigt werden konnte, stammt vermutlich aus einem Grabfund. Man sieht an den Abschürfungen die Verfärbung des zuckerigen Scherbens durch den Reduktionsbrand. Die Ch'ing-pai-Waren gelten als Vorläufer des Blauweiß-Porzellans R. H.

502

501

502 Topf. China, Yüan-Zeit (1279-1368). Steinzeug mit Sgraffito-Dekor; H. 37. Inv. Nr. 1912.924.

Im Norden Chinas begann bereits im 10. Jahrhundert eine volkstümliche Steinzeugware hergestellt zu werden, bei der schwungvolle Bemalung und Reliefschnitt über und unter der Glasur Anwendungen fanden. Diese Gruppe wird generell als Tz'u-chou-yao bezeichnet, obwohl sie nicht allein in dem Bezirke Tz'u-chou entstand. Unser großer, imposanter Topf vertritt eine spätere Phase dieser Ware. Der Dekor erscheint hier in positivem Schattenriß, da der Grund aus der schwarzen Glasur in Sgraffito-Technik herausgeschnitten wurde. Die Vorderseite des Topfes schmücken zwei Streifen mit Lotus- und Päonienranken. Im unteren Streifen erscheint ein springender Löwe, auch Fo-Hund genannt, mit seinem Ball.   R. H.

503

503 Pinselwaschbecken. China, Chün-chou, Yü-Hsien, Provinz Honan; Yüan-Ming-Zeit, 14.-15. Jahrhundert. Steinzeug mit Glasur; H. 9. Dm. 20,2. Dauerleihgabe Sammlung Philipp F. Reemtsma.

Für den Gebrauch im Kaiserpalast lieferten die Öfen in Yü-Hsien elegante Gefäße, die als Blumentöpfe, Blumenzwiebelschalen, Untersätze und auch als Pinselwaschbecken Verwendung fanden. Sie wurden in Sätzen hergestellt und tragen meist eine Nummer; dieses Becken trägt die Zahl 6 auf der Basis eingeritzt. Das trommelförmige Gefäß ruht auf drei Füßen in Form von Wolkenschnörkeln. An der Mündung und über dem Ansatz der Füße sitzen Nuppen, die den Fluß der zähen, hellblauen Chün-Glasur betonen. Solche raffiniert getöpferten und in Kapseln gebrannten Gefäße datierte man früher in die Sung-Zeit; heute nimmt man eine spätere Entstehungszeit an.   R. H.

504

504 Landschaft. Huang Ting (1650-1731), China, Ch'ang-shu, Provinz Kiangsu. 1722. Tusche auf Papier; 360 × 156. Inv. Nr. 1957.26.

›Sommerberge – weite Ferne‹ betitelte Huang Ting sein monumentales Landschaftsbild, das er 1722, im 61. Regierungsjahr des Kaisers K'ang-hsi malte. Nach seiner Aufschrift kopierte er frei nach einem Gemälde des berühmten klassischen Malers Tung Yüan (10. Jahrhundert) mit gleichem Thema, »um sich freizumachen von der Sommerglut«. Huang Ting läßt sich zu den Malern rechnen, die als Vertreter der Süd-Schule, als unprofessionelle Literaten und Gentlemen auftraten. Seine kühne Landschaftsvision, in der kein lebendes Wesen zu erblicken ist, trug er mit trockenem, beinahe pedantisch strichelndem Pinsel vor. Dichtung, Malerei und Schriftkunst gehörten zu den elitären und eskapistischen Beschäftigungen der Literaten-Maler, deren Kunst bis nach Japan ausstrahlte (vgl. Nr. 562). Huang Ting folgte als Schüler des Malers und Kunstkritikers Wang Yüan-chi den Idealen und Ideen seines Lehrers, der das berühmte Essay ›Verstreute Notizen an einem Fenster im Regen‹ verfaßt hatte.   R. H.

505

505 Reisende in den Bergen im Herbst

(Ausschnitt). Yüan Yao, (tätig ca. 1712-1755)
China, Ch'ing-Zeit 1742. Tusche und Farben
auf Seide. 212 × 99,3. Inv. Nr. 1962.53/St. 172.
Kunst-Stiftung.

Yüan Yao, in Südchina in der Provinz Kiangsi
geboren, war als Hofmaler unter den Ch'ing-
Kaisern Yung-cheng und Ch'ien-lung tätig.
Wie sein Onkel Yüan Chiang gehörte er zu
den von der chinesischen Kunstkritik verach-
teten Berufsmalern, die im Stile der Sung-
Akademie, der sogenannten ›Nördlichen
Schule‹, malten. Ihre meist großformatigen
Bilder waren für die Paläste des Kaisers und
der hohen Würdenträger bestimmt, in denen
die phantastischen Landschaftskompositio-
nen mit häufig weitläufigen Terrassen und
Palästen eine geziemende Atmosphäre schu-
fen. Wenn unser Bild auch dem Thema nach
an ein Gemälde der Sung-Zeit, vermutlich
des Kuo Hsi (ca. 1020-1075), anschließt, so
malte Yüan Yao doch die Tiere und Menschen genrehaft nach dem Leben und milderte damit die übersteigerte Formenwelt
der phantastischen Berggebilde.   R.H.

506 Luffa-Früchte. Ch'i Pai-shih (1863-1957),
Peking, 1948. Tusche und Farbe auf Papier;
26,6 × 24. Inv. Nr. 1961.102 b.

Aus einem Album, das der Maler Ch'i Pai-
shih für den Deutschen Alfred Koehn in Peking malte, stammt diese Pinselzeichnung
von zwei Luffa-Früchten, zu welcher der
Künstler in harmonischer Schrift schrieb:
»Farbe-Duft-Geschmack«. Ch'ih Pai-shih, der
das Tischlerhandwerk erlernte, begann erst
spät als Schüler von Wu Chang-shih in nai-
ver, lapidarer Weise zu malen; er knüpfte bei
dem Individualisten Pa-ta Shan-jen (1626 bis
1705) an. In China gilt er als der beispielhafte
Vertreter einer volkstümlichen, modernen
Malerei im traditionellen Stil. Bekannt wurde
er auch durch Briefpapiere, die der Verlag
Yung-pao-chai in Peking druckte. Ch'i Pai-
shih bevorzugte und wiederholte Themen
von Tieren, Vögeln und Blumen, die eine
symbolische Bedeutung haben; selten malte
er Landschaften. Auch im Westen ist er, wie
kaum ein anderer moderner chinesischer
Maler, bekannt.   R.H.

506

507 Chrysanthemen. China, Ching-Zeit,
K'ang-Hsi, Periode, um 1680. Farbholzschnitt; 30 × 37,2. Inv. Nr. 1951.2.

507

Der hervorragend mit abgeschatteten Farben
und mit Blindprägung gedruckte Farbholzschnitt gehört zu einer Serie von Darstellungen mit Blumen, Früchten und Insekten, denen jeweils ein Gedicht zugeordnet ist. In Europa wurden diese Farbholzschnitte bereits
im 17.Jahrhundert bekannt, denn der Arzt
und Naturforscher Engelbert Kaempfer
brachte 1692 einen Satz aus China mit zurück. Unser Blatt ist ein Abzug aus dieser Serie. Die Chrysanthemen und Schmetterlinge
spielen, wie das Gedicht von Ting Ying-
tsung, einem Dichter aus Soochow, betont,
auf den berühmten Poeten T'ao Yüang-ming
an. Es lautet: »Nun brauche ich mich nicht
mehr nach ihnen zu sehen, an denen sich
T'ao Yüan-ming so gern erfreute, denn auch
an meinem Ostzaun trotzen sie einsam dem
Herbstwind.«   R.H.

508

508 Zehnbambushalle. Hu Cheng-yen (1582-1672), Nanking, 1633. Holzschnitt-Album mit Farbholzschnitten; 27,3 × 28,3. Inv. Nr. 1951.52.

Als Lehrbuch für Maler und als Bildband für Kunstliebhaber veröffentlichte der Arzt Hu Cheng-yen, der als Siegelschneider und Holzplattendrucker in Nanking tätig war, das Werk ›Sammlung der Kalligraphie und Malerei der Zehnbambushalle‹, an dem er von 1619-1633 gearbeitet hatte. Das Werk umfaßt 8 Doppelbände mit 186 Bildern nach Gemälden von acht seiner Mitarbeiter. Im Album mit Fächerbildern findet man als Illustration einen alten Baum vor Felsblöcken an einem Abhang mit Bambusgras. Links stehen die zwei Siegel des Malers Kao Yang Ch'iu-fu. Im Farbdruck wird hier in Grün-, Grau- und Brauntönen in malerischer Weise ein Gemälde reproduziert. Um dies zu erreichen, trug man die Farbe individuell auf die Druckstökke auf und verwischte sie. Nur die frühen Ausgaben des Werkes zeigen die nuancierte Farbigkeit unseres Blattes und tragen die Künstler-Siegel. R. H.

509 Teller. China, Ming-Zeit, Periode Hung-chih (1488-1505). Porzellan mit weißer Glasur und grüner Schmelzfarbe; Dm. 18,3. Dauerleihgabe Sammlung Philipp F. Reemtsma.

Zu den Servicen, die von der kaiserlichen Manufaktur von Ching-te Chen in großem Sortiment jährlich an den Kaiserhof geliefert wurden, gehörten seit der Periode Chenghua (1465-1487) diese Teller mit Drachenmuster in grüner Schmelzfarbe. Unser Exemplar aus der Periode Hung-chih zeigt einen Dekor, wie man ihn bei Seladonen der Yüan-Zeit kannte: Drachen und drei Wolkenschnörkel, eingraviert im Bisquit und aus der Glasur ausgespart. Die schmelzartige weiße Glasur und die naive und doch raffinierte Art des Dekors, der plastisch ausgeformt und mit Emailfarbe übermalt ist, geben dem Teller ein elegantes Aussehen. Hier betont die vergoldete Metalleinfassung noch besonders die Kostbarkeit dieses Porzellans. R. H.

509

510 Deckelkasten. Yüan-Ming-Dynastie, 14.-15. Jahrhundert. Lack auf Holz mit Perlmutter-Einlagen und Bleidraht; H. 19, Dm. 21,9. Inv. Nr. 1892.86.

Die Form dieses imposanten Kastens mit blütenförmigen Wandungen ist offensichtlich der Metallkunst entlehnt. Aber auch zum Porzellan der Yüan-Zeit lassen sich Verbindungen nachweisen, etwa bei der Form der doppelt gekanteten Lotusblätter am Deckel. Während die anderen Lackkästen dieser Form in schlichtem Schwarzlack gehalten sind, schmückt unseren Kasten ein dichtes Musternetz verschiedener Kreis-Stern- und Flechtmuster in Perlmutter-Einlage. Die Innenscheibe des in konzentrischen Kreisen und mit gebogten Blattformen durch Bleidraht akzentuierten Deckels ziert ein vierklauiger Drache. Es ist noch nicht zu entscheiden, ob der Kasten bereits in der Yüan-Zeit angefertigt wurde. Man muß jedoch darauf verweisen, daß ein Schalenfragment von einem Perlmutterlack mit ähnlichen Musterstellungen bei Peking in einem Grab der Yüan-Zeit gefunden worden ist. R. H.

510

511

511 Zylindrische Dose. China, Yüan-Ming-Zeit, 14.-15. Jahrhundert. Schwarzer Gurilack auf Holz; H. 6,6, Dm. 24. Inv. Nr. 1886.93.

Der Deckel und die bündige Seitenwandung des Kastens überzieht eine dicke Lackschicht, die über grobfädigem Leinenstoff aufgetragen worden ist. In der Abfolge kann man an den schrägen und kantigen Schnittflächen zwei rote Schichten zwischen dicken schwarzen, aus mehrfachen Lagen gebildeten Partien erkennen. Auf dem Deckel sind um ein Mittelfeld, das aus gegenständigen Dreiecksvoluten gebildet ist, zwei Reihen versetzter Jui(Wolkenkopf)-Motive angeordnet, die an der Seitenwandung wiederkehren. Im Japanischen wurde dieses Motiv der auch in Europa gebräuchliche Name geprägt: Gurilack, was mit bogig oder körnig übersetzt werden kann. Die Gurilacktechnik mit der typischen Wolkenkopf-Musterung war in China im 11. und 12. Jahrhundert bereits bekannt.   R.H.

512 Weinbecher. China, Ming-Dynastie, Anfang 15. Jahrhundert. Rotlack über Holzkern; H. 5,6. Inv. Nr. 1880.74.

Die Technik des Schnitzlackes läßt sich in China mindestens bis in die T'ang-Zeit zurückverfolgen. Zu künstlerischer Ausbildung des Reliefschnitts kam es während der Sung-Zeit (960-1279). Die Tradition der namentlich bekannten Lackkünstler der Yüan-Epoche setzte sich in die Ming-Zeit hinein fort. Immer vorzüglicher beherrschten die Handwerker die Kunst, viele dünne Schichten übereinander aufzutragen und diesen dicken Lackmantel dann mit dem Messer zu schnitzen. Das Ornament setzte sich vor einer gelben Grundschicht plastisch ab. Unser kleiner Becher, der wohl das einzig bekannte Exemplar dieser Form ist, zeigt einen als Blütenstand gearbeiteten Fuß. Darüber füllen Blüten und Ranken des Busch-Hibiskus die Wandung. Die gerippten Blätter erscheinen flach, die Blüten ausgetieft mit fein graviertem Aderwerk.   R.H.

512

513

513 Schale. China, Ming-Dynastie, Anfang 15. Jahrhundert. Porzellan mit Unterglasurblau; Dm. 31. Inv. Nr. 1946.6.

Wenn auch auf chinesisches Porzellan seit der Periode Hsüan-te (1426-1435) häufig Regierungsmarken aufgemalt wurden, fehlen diese beim Exportporzellan für den Nahen Osten. Die Feinheit des Scherbens jedoch und die Glasur ›wie Orangenhaut‹ bei zurückhaltend und tüpfelig aufgetragenem Kobaltblau, das leicht schwarz oxydiert, bestätigen die Anfertigung dieser Gruppe im frühen 15. Jahrhundert. Unser Teller stammt aus einem großen Geschirr mit sehr beliebtem Muster: Ein Strauß von Lotusblüten mit Pfeilwurz und Wasserrispen ist auf den Spiegel gesetzt. Die Fahne wird von einer Ranke von 13 Blüten umzogen, unter denen man Kamelien, Hibiskus, Päonie und Chrysantheme erkennt. Als Abschluß dient am Rande ein Spiralband.   R.H.

514 Kanne. China, Ching-te Chen, Ming-Zeit, Periode Yung-lo (1403-1424). Porzellan mit Bemalung in Unterglasurblau; H. 33,3. Inv. Nr. 1946.5.

Die prächtige Blau-Weiß-Kanne folgt dem Vorbilde islamischer Metallgefäße und war vermutlich auch für den Export nach Fürstenhöfen des Nahen Ostens bestimmt. Die Bemalung der schweren, an der Schulter und am Henkelansatz frei reliefierten Kanne zeigt ornamental und zugleich spannungsvoll ge-ordnete Rankensysteme mit den Lieblingsblumen der Zeit: Nelkenzweigen am Halse, Chrysanthemen, Lotus, Kamelien und Päonien am Körper. Da im 15. Jahrhundert die Porzellanmaler Chinas noch nicht immer den flüssigen Farbauftrag des Kobalts beherrschten, erscheint die Malerei von Blau zu Schwarz getupft. Gerade dieser, ursprünglich unbeabsichtigte Effekt wurde im 18. Jahrhundert als besonderes Zeichen kostbaren und frühen Porzellans getreulich kopiert. R. H.

514

515

515 Goldfisch-Topf. China, Ching-te Chen, Ming-Zeit, Periode Chia-ching (1522-1566). Porzellan mit Bemalung in Schmelzfarben; H. 23,8. Inv. Nr. 1946.8.

Während der Chia-ching-Periode wuchs die Produktion der Öfen in Ching-te Chen gewaltig an, da vom Kaiserhof in Peking Bestellungen einliefen, die jährlich in die Tausende gingen. Berühmt für das Porzellan dieser Zeit sind das besonders leuchtende, violette Unterglasurblau und die Bemalung mit Schmelzfarben. In Kombination mit Blau wird diese kraftvolle und heitere Ornamentik Wuts'ai, ›Fünffarb-Dekor‹, genannt. Die Schmelzfarben Grün und Gelb neben zwei Eisen-Rot und Schwarz wirken besonders lebhaft bei den Goldfisch-Töpfen mit ihren Bildern von Fischen und Pflanzen im Wasser. Fisch, im Chinesischen ›Yü‹, ist synonym mit dem Wort für Überfluß und daher glückbedeutend. Als konventionelle Umrahmung treten am Fuße eine Wolkenform-Bordüre (Jui) und auf der Schulter eine Lotusbordüre auf.   R.H.

516 Teller. China, Ming-Zeit, Periode Wan-li (1573-1619). Porzellan mit Unterglasurblau; Dm. 51. Inv. Nr. 1912.1130.

In den Jahren 1602 und 1604 gelangten in Amsterdam chinesische Porzellane zum Verkauf, die von zwei erbeuteten portugiesischen Handelsschiffen stammten. Diese Blauweiß-Geschirre von dünnem, zerbrechlichem Scherben und dekorativer Malerei erhielten nach den portugiesischen Handelsschiffen, den carracks, in Europa den Namen Kraak-Porzellan. Als Exportware in Ching-te Chen hergestellt, wurde es nach dem Nahen Osten, nach Europa und Japan exportiert und dort gerne nachgeahmt. Vornehmlich in den Niederlanden erfreute es sich großer Beliebtheit; auf vielen Stilleben des 17. Jahrhunderts findet man es getreulich abgebildet. Besonders charakteristisch ist die Bemalung der Fahne mit radialen Paneelen, in denen man bei unserem Teller glückverheißende Früchte, Blumen und die Embleme der taoistischen Unsterblichen erkennen kann. R.H.

516

517

517 Teller. China, Ming-Zeit, Periode Wan-li (1573 bis 1619). Porzellan mit Unterglasurblau und Schmelzfarben; Dm. 11,3. Dauerleihgabe Sammlung Philipp F. Reemtsma.

Das Spektrum der Porzellane aus der Wan-li-Zeit ist außerordentlich groß. Vor allem dominieren im westlichen Bewußtsein jene speziell für den Export angefertigten Blau-Weiß-Geschirre. Wie verschieden das Porzellan für den heimischen Markt aussah, zeigt dieser kleine Teller, der in Unterglasurblau und mit Schmelzfarben dekoriert wurde. Den Spiegel schmückt ein kleines Landschaftsstück mit drei fröhlich singenden Vögeln auf einem Blütenbusch: Hier findet man die Schmelzfarbenmalerei im Stile der Periode Cheng-hua (1465-1487) lebensvoll fortgesetzt, die als ›Fünffarben-Malerei‹ der Wan-li-Zeit bezeichnet wird.   R.H.

518 Bierhumpen. China, Ende der Ming-Zeit, Periode Ch'ung-chen (1628-1644) und 1641. Porzellan mit Unterglasurblau, Silberfassung; H. 20. Inv. Nr. 1911.165.

Nachdem zunächst die Portugiesen den Ostasienhandel monopolisiert hatten, spielten die Holländer nach Gründung der Niederländischen Ostindischen Compagnie die führende Rolle als Keramik-Importeure. Sie hatten bereits 1625 hölzerne Modelle von Krügen und Humpen zum Nachbilden nach China entsendet. Allein zwischen 1602-1657 verschifften sie etwa 3 Millionen Stück Porzellan nach Europa. Gegen Ende der Ming-Zeit begannen breitangelegte Bildszenen als Schmuck von Export-Porzellanen die kleinteilig gedrängten Motivgruppen des Porzellans vom Ende der Wan-li-Zeit (1573-1619) abzulösen. Unser Humpen zeigt eine Gartenszene, die aus einem illustrierten Roman, vielleicht dem ›Traum der roten Kammer‹, übernommen sein wird. Die weiche, leuchtende Tönung des Kobaltblau wird als ›Veilchen in Milch‹ bezeichnet. Die deutsche Silber-Montierung trägt das Wappen des Pfalzgrafen Christian August von Bayern-Sulzbach mit dem Datum 1641.   R.H.

518

519 Monumentalvase. China, Ch'ing-Zeit, Periode K'ang-hsi, Ende 17. Jahrhundert. Porzellan mit Unterglasurblau, H. 110. Dauerleihgabe Sammlung Philipp F. Reemtsma.

Monumentalvasen von über einem Meter Höhe scheinen als besonders kostbare Zierstücke für die fürstlichen Porzellansammlungen gegen Ende des 17. und Anfang des 18. Jahrhunderts von China nach Europa exportiert worden zu sein. Weltbekannt wurden die Dragoner-Vasen der Dresdner Porzellan-Sammlung mit geometrischen Lotus-, Rosetten- und Drachen-Bordüren auf der Leibung. August der Starke tauschte sie 1717 von Friedrich Wilhelm I. von Preußen gegen sächsische Kavalleristen ein. Einem anderen Satz gehört die Reemtsma-Vase zu. Hier zeigen je zwei identische Paneele eine kriegerische und eine häusliche Szene inmitten seltsam unchinesischer Architektur. Geteilt werden die Bilder von Zier-Streifen mit Windenblüten, nach unten abgegrenzt mit ornamentalen Bordüren, die ebenso wie die Lambrequins am Halse auch auf kleineren Objekten mit Unterglasurblau-Bemalung der K'ang-hsi-Periode zu finden sind.   R.H.

519

520 Roleau-Vase. China, Ching-Zeit, Periode K'ang-hsi (1662-1722). Porzellan mit Schmelzfarben der ›Famille verte‹; H. 44,4 Dauerleihgabe der Sammlung Philipp F. Reemtsma.

Die zylindrische, zum hohen Halse ausgewogen eingezogene Form ist charakteristisch für Porzellane der K'ang-hsi-Zeit. Durch die Technik des ›Email sur bisquit‹, bei dem die Schmelzfarben direkt auf den unglasierten Scherben aufgetragen wurden, erhalten die Farben einen weichen, changierenden Glanz.

In abstrahierender Zeichnung ist auf der Leibung umlaufend eine Gartenszenerie dargestellt. Ein Goldfasan, Sinnbild für Erfolg im Examen und im Leben überhaupt, sitzt auf einem durchbrochenen, gefleckten Felsen. Ein blühender Magnolienbaum und ein Rosenstrauch mildern die strenge Darstellung. Sehr typisch für K'ang-hsi-Porzellan ist die Bordüre am Halse mit Wolkenköpfen, Mäander- und Punktmustern. Vasen, die in dieser Technik dekoriert sind, findet man nicht sehr häufig unter den hauptsächlich für den Export angefertigten Porzellanen der ›Famille verte‹, der Grünen Familie.   R.H.

521 Vase. China, Ch'ing-Zeit, Periode K'ang-hsi (1662-1722). Porzellan; H. 20,5. Dauerleihgabe Sammlung Philipp F. Reemtsma.

Die zierliche, hochschultrige Vase gehört zu den allerseltensten monochromen Porzellanen der K'ang-hsi-Periode, den ›acht vorgeschriebenen Formen mit Pfirsichblüten-Glasur‹. Die Erfindung dieser mit einer ins Grüne spielenden, rosafarbenen Kupferglasur wird dem Direktor der kaiserlichen Porzellanmanufaktur Ts'ang Ying-yüan zugeschrieben. Diesem fähigen Manne war die Neubelebung der Porzellanherstellung in Ching-te Chen nach 1683 zu verdanken. Während die kräftigere, rote Ochsenblutglasur auch für große Vasen und Schalen verwendet wurde, blieb die kompliziertere Pfirsichblüten- oder Pfirsichhaut-Glasur jenen acht kleinen Vasen und Schreibgeräten vorbehalten, die für den Schreibtisch des Hofgelehrten ausersehen waren. R.H.

522

523 Großer Teller (Ausschnitt). China, Ch'ing-Zeit, Periode K'ang-hsi (1662-1722). Porzellan mit Schmelzfarben und Unterglasurblau; Dm. 39,3. Inv.Nr.1948.82.

Glückverheißende Motive erscheinen auf chinesischen Porzellanen immer wieder, selbst in genrehafte Bildszenen hineingeheimnist. Eine Gruppe großer Teller, vermutlich der späten K'ang-hsi-Periode, variieren solch ein Thema aus der taoistischen Mythologie. Eine Glücksfee, gemeint ist vielleicht Hsi Wang Mu, die Mutter des Westlichen Paradieses, trägt ein Wunschzepter. Sie schwebt neben einem Damhirsch – Symbol für Reichtum –, der einen Wagen mit Schätzen zieht. Ein Diener mit Büchern an einem Knotenstock, wie ihn die Unsterblichen tragen, folgt. Drei Fledermäuse – Symbol für Glück – begleiten die Gruppe. Auch auf der Außenwandung ist mit den ›100 Formen des Schriftzeichens für Langes Leben‹ betont, daß es sich um ein vermutlich als kaiserliches Geschenk angefertigtes Porzellan handelt. R.H.

522 Teller. China, Ch'ing-Zeit, Periode K'ang-hsi (1662-1722). Porzellan mit Schmelzfarben: Dm. 35,4. Dauerleihgabe Sammlung Philipp F. Reemtsma.

Den breiten Spiegel des Tellers schmückt eine Legenden-Szene. Ein bärtiger Inder in seidenem Dhoti mit goldenem Kopfschmuck und Rasselstab führt einen seltsamen weißen Elefanten. Die Vorlage zu diesem Bilde, das aus dem Buddhismus kommt, stammt vermutlich aus einem Holzschnittwerk und gibt ein Gemälde des klassischen Figurenmalers Li Lung-mien (1040-1106) wieder. Der Elefant gilt im Buddhismus als Verkörperung der höchsten Weisheit und erscheint als Reittier des Bodhisattva Manjushri. Die Keramik-Maler in Ching-te Chen übertrugen selbst solche ungewöhnlichen Bilder mühelos auf das glasierte Porzellan. Eisenschwarz und -rot sowie die transparenten Emailfarben mit dem dominierenden Grüntönen der ›Famille verte‹ ergaben eine reiche und prächtige Farbwirkung. R.H.

523

524

524 Kuan Yin. China, Ch'ing-Zeit, Periode K'ang-hsi (1662-1722). Porzellan. Te-Hua, Provinz Fukien; H. 28. Dauerleihgabe Sammlung Philipp F. Reemtsma.

Die Manufakturen in Te-Hua hatten neben den kaiserlichen und privaten Öfen, die in Ching-te Chen konzentriert lagen, die größte Bedeutung für die Porzellanherstellung. In der Gegend von Swatow und Chao Chou befanden sich reiche Kaolinvorkommen, die ausgebeutet werden konnten. Das milchig weiße Porzellan von Te-Hua, das die Franzosen als ›Blanc de Chine‹ bezeichneten, scheint bis in die Ming-Zeit zurückzugehen. Nicht nur Weingefäße und Gegenstände für den Schreibtisch des Gelehrten – häufig mit Gedichtinschriften versehen –, sondern auch figürliche Plastik von uns namentlich bekannter Modelleure wurden dort angefertigt. Neben Skulpturen von buddhistischen Gestalten findet man gelegentlich witzige Darstellungen von Europäern. Der Bodhisattva Kuan-Yin der Sammlung Reemtsma trägt das Siegel des Modelleurs Ho Chao-tsung. R.H.

525

525 Vase. China, Ch'ing-Zeit, Periode Yung-cheng (1722-1736). Steinzeug mit Mischglasur; H. 23,5. Inv. Nr. 1906.94.

Die Vase ist einer Pilgerflasche oder Kalebasse nachgebildet. Auf der Basis findet sich die Siegelmarke: »Ta Ch'ing Yung-cheng nien chih« (Gefertigt in der großen Ch'ing Dynastie, unter Yung-cheng). Durch eine mittelhart gefeuerte Mischglasur von Türkis und Purpurbraun, die im Englischen ›robins egg‹

(Rotkehlchen-Ei) bezeichnet wird, erhält das Gefäß eine unregelmäßig gefleckte Oberflächenstruktur. Unter den Glasuren, die in der oft zitierten Liste der Yung-cheng-Zeit – entstanden zwischen 1729 und 1732 – aufgeführt sind, erscheint diese Glasur als Nr. 15. Dort wird sie als ›Lu-chün‹ und als eine Mischung von Kuang-tung mit I-Hsing-Steinzeugglasuren bezeichnet. Die Liste selbst stammt wohl von dem Töpfergenie T'ang Yin.   R.H.

526 Fuß-Schale. China, Ch'ing-Zeit, Periode Yung-cheng (1723-1736). Porzellan mit Unterglasurfarben; H. 11,7. Inv. Nr. 1952.74.

Das elegant geformte Gefäß gehört zu den besonders edlen Porzellanen, die nicht für den Export, sondern für den chinesischen Markt hergestellt wurden. Fuß-Schalen wie diese dienten anscheinend seit dem 14. Jahrhundert als rituelle Wasserbehältnisse für Altäre im Hause oder im Tempel. Im Inneren undekoriert, zeigt die Außenwandung in Unterglasurbemalung mit Kobaltblau und Kupferrot drei früchtetragende Zweige, die ›Drei Früchte des Überflusses‹, die den Wunsch für Reichtum an Glück, Jahren und Kindersegen symbolisieren. Die Bemalung versucht den Stil der Periode Hsüan-te (1426-1435) der Ming-Dynastie zu imitieren. Im Inneren des Fußes steht in kalligraphisch präziser Schrift die Marke: »Ta Ch'ing Yung-cheng nien chih«, d. h. »angefertigt in der großen Ch'ing-Dynastie in der Periode Yung-cheng«.   R.H.

526

527

527 Teller. China, Ch'ing-Zeit, Periode Yung-cheng (1723-1736). Porzellan mit Schmelzfarben. Dm. 30,7. Inv. Nr. 1892.40.

Als Neuheit erschien im chinesischen Porzellan in den zwanziger Jahren des 18. Jahrhunderts die Palette der ›Famille rose‹ – Schmelzfarben, zarte Farben oder fremde Farben benannt. Diese Palette mit dem charakteristischen Karminrosa aus Goldchlorid und einem neuen, dickflüssigen Weiß hatten die Jesuiten-Patres in China bekannt gemacht. Während der Regierungszeit des Kaisers Yung-cheng, als seit 1726 Nien Hsi-yao der kaiserlichen Manufaktur in Ching-te Chen vorstand, erreichte die Porzellankunst ihren Höhepunkt vornehmer Verfeinerung. Für den Export wurden nur selten Teller wie dieser freigegeben, der die Johanneumsmarke der Dresdner Sammlung trägt. Der sparsame Blütendekor mit der fein abgestimmten Farbabstufungen zeigt den Zauber der Waren in chinesischem Geschmack. R. H.

528 Weinkännchen. China, Ch'ing-Zeit, Periode K'ang-hsi, um 1700. Steinzeug mit europäischer Metallfassung; H. 11,5. Inv. Nr. 1898.20.

Die Töpferei in I-Hsing Hsien, das nahe beim Tai-Hu-See in der Provinz Kiansu gelegen ist, hatte eine lange Tradition. Bekannt wurden die Waren aus braunrotem, eisenhaltigem Steinzeug in Europa vor allem seit dem 17. Jahrhundert, denn die kleinen I-Hsing-Wein- und -Teekannen wurden in großer Zahl exportiert; dem Böttcher-Steinzeug Meißens dienten sie als Vorbild. Für China selbst lieferten die I-Hsing-Öfen Trinkschalen, Weinkännchen und Gerät für den Schreibtisch des Gelehrten. Diese Kanne hat die Form eines Bündels Bambusstämme. Die europäische, vergoldete Fassung des frühen 18. Jahrhunderts beweist, daß das Kännchen bereits um 1700 nach Europa gekommen ist. R. H.

528

529

529 Vase. China, Ch'ing-Zeit, Periode Ch'ien-lung (1736-1796). Porzellan mit Unterglasurrot; H. 33. Inv. Nr. 1913.293.

Die Form der ›mei-p'ing‹ (Pflaumenvase), die speziell zur Aufnahme eines Pflaumenzweiges entworfen wurde, gehörte seit der Sung-Zeit zu den beliebten und ganz auf den Geschmack des vornehmen, gelehrten Chinesen abgestimmten Porzellanformen. Auch im 18. Jahrhundert behielt diese Form die Gültigkeit für erlesen dekorierte Palastware. Die Bemalung in Unterglasurrot kam mit dem Unterglasurblau in der Yüan-Zeit in Mode, wurde jedoch selten angewendet, da das Kupferrot beim Brande sehr leicht in Schwarz umschlug. Bei dieser vermutlich für den Kaiserpalast bestimmten Vase gelang der Brand vorzüglich; die anspruchsvolle Darstellung eines fünfklauigen Drachen in gefüllten Päonienblüten ist besonders wohl gelungen. R. H.

530

530 Flaschenvase. China, Ch'ing-Zeit, Periode Ch'ien-lung (1736-1795). Porzellan mit Schmelzfarben; H. 28. Inv. Nr. 1946.16.

Unter der Regentschaft des dritten großen Mandschu-Kaisers Ch'ien-lung blieb die Vorliebe für die fremden Emailfarben der ›Famille rose‹ erhalten und verführte zu Nachahmungen anderer Werkstoffe – z. B. Email – im Porzellan. Bei Gefäßen strebte man barocke Formen und minutiös flächendeckende Bemalung an, eine Tendenz, die sich bis in die Moderne erhielt. Unsere Vase zeigt Streublumen in Eisenschwarz und opaken Schmelzfarben auf einem purpurrosa Grund. Die Wirkung von Email wird dadurch unterstrichen, daß in die Glasur des Grundes dichte Rankenornamente eingeritzt sind, eine Technik, die als ›graviata‹ bezeichnet wird. Die Basis wie das Innere des Halses sind in einem hellen Seladon-Grün glasiert. R. H.

531 Ziervase (Ausschnitt). China, Ch'ing-Zeit, Periode Ch'ien-lung (1736-1795). Mandarinen-Porzellan; H. 31,5. Inv. Nr. 1883.247.

Jesuiten-Patres brachten Zeugnisse europäischer Kunst an den Hof der weltoffenen Mandschu-Herrscher. Im Jahre 1715 kam Guiseppe Castiglione (chinesisch Lang Shihning, 1688 bis 1768) nach China und lehrte europäische Malerei, deren Eigentümlichkeit sogar in das Repertoire der Porzellanmaler aufgenommen wurde. Unter den Exportporzellanen zeigt die Figurenmalerei in der Wiedergabe der Körperplastizität wie auch im rocailleartigen Ornament Formen des Rokoko. Bei den bunten Mandarinen-Porzellanen findet man in den lebendigen Genre-Szenen diese Züge besonders ausgeprägt. In China selbst schätzte man diese, für den chinesischen Geschmack zu exotischen Porzellane nicht: Sie waren ausschließlich für den Export nach Europa bestimmt. R. H.

531

532

532 Ein Paar Kummen. China, Ch'ing-Dynastie, Periode Tao-kuang (1821-1850), 1848. Porzellan mit Bemalung in Farben der ›Famille rose‹; H. 7,3, Dm. 17,3. Inv. Nr. 1956.64.

Die Porzellane der Zeit nach Kaiser Ch'ienlung zeigen wenig Neues; das ganze Repertoire der Dekore und Glasuren stand zwar zur Verfügung, wurde aber nicht weiterentwickelt. So wurden die immer noch beliebten Farben der ›Famille rose‹ weiterhin in dichtem Ornament mit einem horror vacui, vorzugsweise bei den ›Peking-Schalen‹, eingesetzt. Das Kummenpaar unserer Sammlung zeigt einen erlesenen Dekor. Auf der Außenwandung sind je zwei der ›acht buddhistischen Embleme‹ als Gruppe dargestellt: Staatsschirm und Baldachin, Lotus und Vase, Rad und Muschel, Fische und Knoten. Vermutlich waren die Kummen als Geschenke in Auftrag gegeben worden, denn sie tragen auf der Basis die zyklischen Zeichen und die Periodenbezeichnung für das Jahr 1848 in Eisenrot. R. H.

533

533 Snuff-Bottle (Tabak-Flasche). China, Ch'ing-Zeit, Mitte 18. Jahrhundert. Überfangglas, geschnitten; H. 10,5. Inv. Nr. 1904.256.

Glas wurde in China bereits in vorchristlicher Zeit hergestellt, für Gefäße jedoch vermutlich unter sassanidischem Einfluß verwendet. Erst Kaiser K'ang-hsi rief unter Anleitung der Jesuiten-Patres eine Glashütte in den Palastwerkstätten ins Leben. In China aber wurde das Glas gegossen, meist mit Mineraloxyden gefärbt, und dann wie die Halbedelsteine geschliffen und geschnitten. Auch bei dieser Tabakflasche ist ein karminroter Überfang über weißem Reisglas zu sehen, den man in Form der 12 Tiere des Tierkreises in Relief ausschnitt. Der Stöpsel aus rötlichem Glas hält ein kleines Löffelchen, um den Tabak herausnehmen zu können. R.H.

534 Becher aus Rhinozeroshorn. China, Ch'ing-Zeit, Mitte 18. Jahrhundert. Rhinozeroshorn; H. 15. Inv. Nr. 1889.334.

Dem Horn des Rhinozeros, dieses seltenen Tieres, das im 18. Jahrhundert nur noch vereinzelt in Südchina und Südostasien anzutreffen war, wurden besondere Kräfte zugeschrieben. Nicht nur als Medizin wurde es benutzt, sondern auch für Gefäße am Kaiserhof verarbeitet, denn es sollte durch Schwitzen jedes Gift anzeigen. Ähnlich wie bei den Jadearbeiten bevorzugte man neben realistischen Formen auch antikisierende Ornamente. Bei diesem hervorragend gearbeiteten Becher erkennt man Motive von Zeremonialbronzen und findet reptilartige Drachen bewegt um die Wandung verteilt. Der Becher ist an der Basis signiert: Po Hung-tu und dürfte aus einer führenden Werkstatt stammen. R.H.

534

535

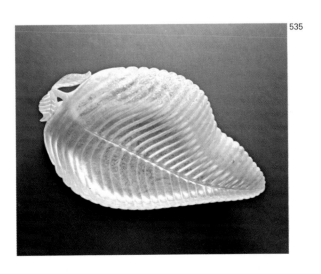

536

535 Schale in Form eines Blattes. China, Ch'ing-Zeit, Periode Ch'ien-lung (1736-1796). Hellgrüne Jade; L. 19,3. Dauerleihgabe Sammlung Phillip F. Reemtsma.

In Form eines Artemisia-Blattes ist die Schale, in naturalistischer Weise gebogt und gerippt, zu einer hauchdünnen Haut geschliffen worden. Am Ansatz des Stiels, der eine Ringöse trägt, biegen sich zwei kleine Blättchen zierlich zum Rand der Schale. Die Herkunft solcher überfeinen Jadeschalen – man kennt sie auch in Form von Chrysanthemenblüten – läßt sich nicht präzis bestimmen. Auch in Indien zur Moghulzeit wurden in Delhi und Rajasthan ähnliche Schalen gearbeitet; meist jedoch sind die indischen Jadearbeiten zusätzlich reich mit Einlagen von Edelsteinen und Gold geschmückt. Dem chinesischen Geschmack dagegen entsprach solche Verfremdung des Materials nicht, wollte man doch die Farbe und Struktur des Gesteins allein sprechen lassen. R. H.

536 Tuschwassergefäß. China, Ch'ing-Zeit, 17.-18. Jahrhundert. Hellgrüngraue Jade; H. 6,5, L. 12,1. Inv. Nr. 1895.337.

Für den Schreibtisch eines Gelehrten dürfte diese Jadearbeit bestimmt gewesen sein. In naturalistischer Weise erscheint ein Lotusblatt zu schmalhoher Schale gebogen; sein Stiel ist mit anderen Wasserpflanzen straußartig zusammengebunden und verleiht dem Schälchen Stand. Am Außenrand des Blattes sitzen ein Taschenkrebs und ein kleiner Frosch, am Innenrand eine Schnecke. Grünliche Jade oder Nephrit bleibt in China seit dem Neolithikum der am höchsten bewertete Stein. In der Ch'ing-Zeit sind bei Geräten dieses Materials zwei Tendenzen wahrnehmbar: Einmal ahmte man Formen alter Bronzegefäße nach und transponierte sie nostalgisch in edles Zier- und Gebrauchsgerät, oder man wählte, wie bei diesem Schälchen, auf das zierlichste gestaltete, naturalistische Formen. R. H.

537 Brokat (Ausschnitt). Zentralasien, Turkestan, angeblich 14. Jahrhundert. Rote Seide mit Papiergold; 63 × 64. Inv. Nr. 1900.127.

Dieses Fragment gehört zu einer Stoffbahn, deren Abschluß eine kufische Inschrift bildet; der außergewöhnlich qualitätvolle, frühe Seidenstoff wäre somit der arabischen Welt zuzuordnen. Wegen des chinesischen Dekors wird das Gewebe jedoch nach Turkestan lokalisiert. Einflüsse von Formen der Yüan-Zeit (1279-1368) kann man nicht nur in den Drachenmedaillons, sondern auch in dem Rankengrund mit Blattformen sehen; letztere sind den chinesischen Jui-Wolkenköpfen nahe verwandt. Dieser Stoff demonstriert damit deutlich, wie seinig man auch heute noch über die Einflußsphären und die Verschmelzung nah- und fernöstlicher Techniken und Kunstformen weiß. R. H.

537

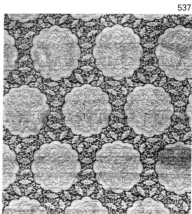

538

538 Drachengewand (Ausschnitt). China, Ende 18. Jahrhundert. K'o-ssu, Seiden-, Gold- und Silberfäden; 137 × 121. Inv. Nr. 1914.116.

K'o-ssu ist eine Webtechnik in Art der Tapisserie aus feinen Seiden- oder Metallfäden. Angewandt wurde sie für kostbare Gewebe, u. a. für Zeremonial- und Hofgewänder. Unter den überlangen, hufförmig endenden Ärmeln wurden bei Audienzen die Hände verdeckt. Das reichgemusterte Gewebe spiegelt das Universum wider: In der breiten Saumbordüre entwächst ein Berg dem Wasser, aus dessen Schaumkronen Glückszeichen, die ›Kostbaren Dinge‹, hervorschauen. Die Gewandfläche, die hier das Swastika als Untermuster bringt, versinnbildlicht das Himmelsgewölbe; zwischen die Wolken sind taoistische Embleme gesetzt. Bedeutungsvoll in neunmaliger Darstellung ist der symbolträchtige Drache, das Hauptmotiv des Gewandes. M. P.

539 Wollener Knüpfteppich. China, Provinz Kansu, um 1700. Kette und Schuß: Baumwolle, Knüpfung: Wolle; 205 × 144. Inv. Nr. 1968.55.

Der kleine gelbgrundige Teppich diente vielleicht ursprünglich als Belag einer Ruhebank. Das sparsame Ornament in Blau und Braun besteht aus einem Mittelmedaillon, das, aus zwei Wolkendrachen gebildet, von Fledermäusen umgeben ist. In dem verbleibendem Raum stehen spiegelbildlich je drei einzelne Wolkendrachen. Die bewegten, fast rankenartigen Formen der glückbedeutenden Fabel-

tiere heben sich ab von den beiden strengen Bordüren, die das Feld des Teppichs umranden. Man findet ähnliche Ornamentformen auch auf Brokaten der K'ang-hsi-Periode, so daß man den Teppich gleichfalls in diese Zeit datieren kann. R. H.

539

540 Weinkanne in Lotusform. Korea, Koryo-Dynastie, 12.-13. Jahrhundert. Steinzeug mit Kupferrot und Seladonglasur; H. 28. Inv. Nr. 1910.166.

Die kalebassenförmige Kanne ist aus zwei übereinander gestellten Lotusknospen gebildet. An dem eingeschnürten Halse sind auf den Rand der unteren Leibung die Figuren zweier frei modellierter Kinder angesetzt, die Lotusstengel halten. Gefäße mit freiplastischer Modellierung gehören zu den besonderen Leistungen der koreanischen Töpfer des 12. und 13. Jahrhunderts. Als wesentliche keramische Sonderschöpfungen der Koryo-Dynastie (918-1392) sind vor allem die mit farbigem Slip eingelegten Seladone und die frühe Verwendung von Bemalung mit Kupferrot zu nennen. An unserer Kanne sind die Blattformen mit breiten Linien in Unterglasurrot umzogen, die Blattadern eingeritzt; dadurch erhält das Gefäß kräftige Akzente. Die seltene Weinkanne stammt aus einem koreanischen Grabfund und gelangte in japanischen Besitz, ehe sie 1910 für Hamburg erworben wurde.   R.H.

540

541

541 Schale. Korea, Koryo-Dynastie, Anfang 12. Jahrhundert. Steinzeug mit Seladon-Glasur; Dm. 13,5. Inv. Nr. 1961. 32.

Der Einfluß der chinesischen Keramik der Sung-Zeit wirkte zu Beginn des 11. Jahrhunderts bis nach Korea. Scharfgebranntes, blaugrünes Seladon mit einer nur in Korea erreichten weichen, graugrünen Tönung wurde für die buddhistisch geprägte Aristokratie Koreas hergestellt. Neben undekorierten Waren kannte man einen eingeritzten Dekor und, wie bei diesem kleinen Teller, mit Modeln in den Scherben eingepreßte Ornamentik. Dieses Verfahren wandte man beispielsweise auch für Dachziegel an. Unsere Schale zeigt in der Mitte des Spiegels eine Lotusblüte im Doppelring, umgeben von einer Bordüre aus Wolkenköpfen und einer Perlkante. Auf den 8 Feldern der Seitenwandung steht je eine Lotusblüte; den Rand umzieht eine Mäanderborte. Die matte, dickflüssige Glasur ist weitmaschig krakeliert.   R. H.

542 Schreibkasten. Korea, Yi-Dynastie, 15.-16. Jahrhundert. Holz mit Perlmuttereinlagen in Lack, Bronzebeschläge; Br. 25,5. Inv. Nr. 1910.33.

Die Datierung des Schreibkastens ergibt sich aus der Verwandtschaft der Lotusranken des Perlmutterornaments zu chinesischen Motivformen der Ming-Zeit. Die Lackkunst besaß in Korea eine lange Tradition; älteste Funde stammen aus Han-zeitlichen Gräbern. Während der Koryo-Dynastie (918-1392) entstanden Lackarbeiten mit ähnlich feingliedrigen Einlagen, wie sie die gleichzeitige Seladon-Keramik aufweist. Die Kunst der Yi-Zeit dagegen bevorzugte kraftvollere Formen. Hier sind sie allerdings gemildert durch die zierlichen Beschläge und die Flächenteilung des Deckels. Die Kostbarkeit des Behältnisses wird unterstrichen durch seine Innenausspannung mit weißem Leder. Nur wenige Kästen dieses Typs sind erhalten geblieben.   R. H.

542

543 Topf. Japan, Neolithikum, Jomon-Kultur (5000 v. Chr.-3. Jh. n. Chr.), 3. Jahrhundert n. Chr. Irdenware; H. 12. Inv. Nr. 1907.733. Geschenk von Ryokichi Yoshida, Ugo.

Die älteste neolithische Kultur Japans wird nach ihrem markanten Dekor Jomon, ›Schnurmuster‹-Keramik, genannt. Die höchste Eigenständigkeit erreichte die Jomon-Keramik in ihrer mittleren Phase im 3. Jahrtausend vor Christus. Aus der Endphase, angeblich der Kamegaoka-Stufe, die um 280 n. Chr. zu datieren ist, stammt unser Gefäß. Einfache Wellenornamente umziehen den trichterförmigen Hals und die Leibung des dunkelgrauen Topfes. Der Topf wurde in Nordjapan in der Provinz Ugo (heute Akita) ausgegraben. R. H.

543

544 Ziegel. Japan, angeblich Nara-Zeit (710-794), angeblich vom Tempel Hokkeji, Nara, Ton: Dm. 15. Inv. Nr. 1907.732.

Mit den Missionaren des Buddhismus kamen seit der Mitte des 6. Jahrhunderts auch Baumeister, Bildhauer und Ziegelbrenner vom Festland nach Japan. Das Inselreich übernahm von jener Zeit an die hohe Kultur und Zivilisation Chinas über die Landbrücke Korea. Im 8. Jahrhundert jedoch entstanden erste direkte Beziehungen zu China. Erste Tempelbauten im chinesischen Stil mit Hallen, Pagoden und Korridoren in Holzkonstruktion mit Ziegeldächern entstanden in Nara und im Lande Yamato. Von einem dieser damals gegründeten, später allerdings erneuerten Tempel, dem Hokkeji, soll diese Ziegel-Endplatte stammen. Sie zeigt eine Lotusblüte in Relief mit acht geschweiften Blättern um einen Fruchtstand. R. H.

544

545

545 Deckeldose. Japan, Asuka-Nara-Zeit (538-794). Irdenware mit Aschenglasur; H. 8. Inv. Nr. 1956.65.

Die fein ausgedrehte Dose mit einem Stülpdeckel, der von einem flachen Knopf bekrönt wird, gehört zur Gruppe der Sue-Ware Japans; Beziehungen zur südkoreanischen Grabkeramik der Silla-Zeit sind nachweisbar. Unsere Dose jedoch steht auch jenen Gefäßen formal nahe, die, mit chinesischer Dreifarben-Bleiglasur gebrannt, noch heute im kaiserlichen Schatzhaus Shosoin in Nara aufbewahrt werden. Die Inschrift in Goldlack kann als Seirai oder Shorai, ›aus der Vorzeit‹, gelesen werden. Links steht, ebenfalls in Goldlack, das ungedeutete Signet des Lackmalers. R. H.

546

546 Chatsubo. Japan, Muromachi-Zeit
(1392-1573). Steinzeug mit Aschenglasur;
H. 33,5. Inv. Nr. 1900.224.

Viele der frühen, als ›alte Öfen‹ bezeichneten
Keramikzentren Japans stellten in der Kama-
kura- und Muromachi-Zeit Vorratstöpfe aus
Steinzeug her. Zwar meint man, etwa in der
Form und der Glasur eine Beziehung zur chinesischen Seladon-Keramik erkennen zu
können, doch blieben die japanischen Waren
selbst im 15. und 16. Jahrhundert um vieles
primitiver als die chinesischen Exportkerami-
ken. Dieser Topf diente vermutlich zur Aufbewahrung von Teeblättern nach der neuen
Ernte. Ein gelackter Holzdeckel bildete einen
guten Verschluß. Die genaue Provenienz
konnte noch nicht bestimmt werden; die
Herkunft aus dem Besitz des Tempels Daito-
kuji in Kyoto scheint aber gesichert zu sein.
R. H.

547

547 Topf. Japan, Ende der Momoyama –
Anfang der Edo-Zeit, Insel Kyushu, Karatsu,
Anfang 17. Jahrhundert, Steinzeug mit Feld-
spat-Glasur; H. 15. Inv. Nr. 1913.22.

Der schwere, bauchige Topf mit abgesetztem
Fuß- und Mündungsrand wird zunächst als
Haushaltsgefäß benutzt worden sein und
erst später als Frischwassertopf für die Teezeremonie gedient haben. Das schlichte Pin-
selornament in Eisenbraun auf der Wandung
läßt ihn als bemalte E-Garatsu-Ware bestimmen; vielleicht wurde er in Abodani gebrannt. Karatsu-Keramik entstand auf der Insel Kyushu in Süd-Japan, nachdem Koreaner
vom Festlande dort ansässig oder aber nach
den Koreafeldzügen des Hideyoshi als
Kriegsgefangene umgesiedelt wurden. Sie
brachten die Kenntnis der ansteigenden
Brennöfen mit, bei denen hohe Temperatu-
ren für Steinzeug- und auch Porzellanbrand
erreicht werden konnten. R. H.

548

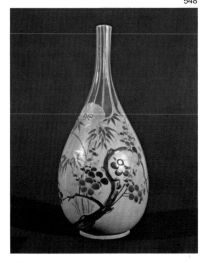

548 Tokuri. Japan, Kyoto, Edo-Zeit, 18. Jahrhundert, Steinzeug mit Emailfarben und
Gold; H. 23,5. Inv. Nr. 1891.131.

In der alten Kaiserstadt Kyoto bildete sich eine völlig eigenständige Keramik aus, die den
Namen Kiyomizu-Yaki, ›Kiyomizu-Keramik‹,
erhielt. Vielleicht von dem bedeutenden Töpfer Ninsei (um 1657), aber auch von südchi-
nesischer, emaillierter Steinzeugware angeregt, brannten die Töpfer in Kiyomizu und
Awataguchi ein cremefarbenes Steinzeug,
das sie im japanischen Geschmack mit eleganten Mustern in den Schmelzfarben Grün,
Blau und Gold bemalten. Häufig bildeten sie
Holz- und Lackgegenstände in Keramik nach.
Aber auch das übliche Speisegerät, Reis-
schalen und Sakeflaschen schmückten sie
mit plastisch aufgetragenen Farben und erzielten damit – ganz anders als beim Porzellan – Wirkungen, die denen von Lackarbeiten
nahekommen. Unsere Flasche zeigt das alt-
hergebrachte Motiv der drei Freunde – Pflaume, Kiefer, Bambus – sowie textile Muste-
rungen. R. H.

549 Räuchergefäß. Japan, Provinz Mino, Momoyama-Zeit (1573-1615). Steinzeug, Oribe-Ware; H. 10. Inv. Nr. 1907.472.

Das dreiseitige Gefäß ›Mukozuke‹ diente anscheinend ursprünglich als Speisebehältnis für das Kaiseki-Mahl vor der Teezeremonie. Derartige Behältnisse wurden in Sätzen zu fünf hergestellt. Hier ist das seltene Einzelstück durch Zufügung des Bronzedeckels zu einem Räuchergefäß umgestaltet worden. Keramik dieses Stils entstand in Mino nahe der Töpferstadt Seto. Sie wird Oribe-Ware genannt, da der Teemeister Furuta Oribe (1543-1615) sie inspiriert haben soll. Unser Becher zeigt Typisches des ›Narumi-Oribe‹: Auf gelbrosa und weißem Scherben Engobierung und eine flotte Zeichnung in Eisenbraun, dazu den charakteristischen flach gestrichenen Überlauf von grüner Kupferglasur.   R.H.

549

550

550 Furidashi. Takahashi Dohachi (1783-1855), Kyoto, Edo-Zeit. Steinzeug mit gelblicher Glasur; H. 8,7. Inv. Nr. 1901.410.

Das kleine, bauchige Gefäß stellt ein Kuriosum dar, denn der japanische Töpfer Dohachi, bekannt unter seinem Priesternamen Ninami, ahmte hier rheinisches Steinzeug nach, ohne daß man ein genaues Vorbild nennen könnte. Mit den Holländern kamen über Deshima und Nagasaki allerhand europäische Kuriositäten in das vom Auslande abgeschlossene Japan der Tokugawa-Herrschaft, die zu Neuschöpfungen anregten. Dohachi gestaltete ein Steinzeuggefäß zur Aufbewahrung von Pulvertee für die Teezeremonie, selbst wenn in dem Relief mit dem Porträt eines Holländers ›Tabak‹ zu lesen ist. Unter Dohachi, der zu den bekannten Studio-Töpfern seiner Zeit in Kyoto zählt, gewann das Teegerät volkstümliche Züge, die dem Geschmack des Stadtbürgertums entgegenkamen. R.H.

551 Flasche. Japan, Kyushu, Provinz Hizen, Edo-Zeit, Mitte 17. Jahrhundert. Porzellan mit Unterglasurblau; H. 35,7. Inv. Nr. 1901.99.

Nachdem in Japan zu Beginn des 17. Jahrhunderts durch koreanische Umsiedler Porzellanerde entdeckt und mit dem Brande von Porzellan begonnen wurde, beherrschten die Töpfer sehr schnell die von Korea und Süd-China überkommene Technik der Unterglasurblau-Bemalung. Zahlreiche Öfen in der Nähe der Stadt Arita stellten bereits in der ersten Hälfte des 17. Jahrhunderts Seladone und Blau-Weiß-Porzellane her. Seit 1653 wurde dank der Aufträge der niederländischen Ostindischen Compagnie die Produktion rasch erweitert. Chinesische Muster waren sehr gefragt, der Bilddekor unserer Flasche ist dagegen rein japanisch. R.H.

551

552

552 Teller. Japan, Kyushu, Provinz Hizen, Arita 2. Hälfte 17. Jahrhundert. Porzellan mit Unterglasurblau; Dm. 46,8. Inv. Nr. 1880.506.

Die Niederländische Ostindische Compagnie förderte die junge Porzellanindustrie Japans durch große Aufträge, da seit dem Untergang der Ming-Dynastie (1644) aus China kein Porzellan mehr zu beziehen war. In der Nähe der Stadt Arita fertigten zwei kleinere Manufakturen, in Sarukawa und Hiekoba, diese großen Teller an. Zunächst waren die im Stile des Kraakporzellans hergestellten Teller sehr gefragt (vergl. Nr. 516), wenig später aber übernahmen die japanischen Musterzeichner Motive des chinesischen ›Übergangsstils‹ der Zeit nach 1620. Wir sehen besonders an den Ranken, die eine Blumen- und Vogelszene umgeben, wie eigenwillig japanische Porzellanmaler das chinesische Vorbild abwandelten. R.H.

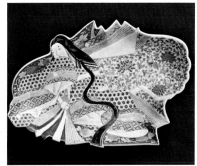

553

553 Hofdamen-Teller. Japan, Kyushu, Provinz Hizen, Arita; Edo-Zeit, Ende 17. Jahrhundert. Porzellan mit Schmelzfarben; Br. 29. Inv. Nr. 1889.559.

Unter der Exportware für Europa traten nach den Blau-Weiß-Geschirren farbig ›nishiki-de‹ (Brokatstil) dekorierte Porzellane in den Vordergrund, die nach dem Exporthafen Imari genannt wurden. Zuerst verwendeten die Dekorateure Unterglasurblau mit Eisenrot und Gold auf Gefäßen von meist groben Scherben. Die für den einheimischen Bedarf gefertigten Imari-Porzellane jedoch, die als ›kenjo‹ Waren für Geschenkzwecke besonders fein bemalt wurden, zeigen eigentümliche japanische Formen und Dekore. Dieser ungewöhnliche Teller hat die Form einer Hofdame des Mittelalters in ihren 12fachen Gewändern und den glänzend offenen Haaren. Vermutlich zählte er zu den Geschenken, die der Fürst von Nabeshima speziell zum Puppenfest am 3. Tag des 3. Monats anfertigen ließ. R. H.

554 Sakekannen. Japan, Kyushu, Arita; Edo-Zeit, 2. Hälfte 17. Jahrhundert. Porzellan mit Schmelzfarben; H. 27,5. und 18,5. Inv. Nr. 1891.153 und 1890.308.

Beide Kannen gehören einem Dekorationsstil an, der ursprünglich als Ko-Kutani, ›Alt-Kutani‹, bezeichnet wurde, heute aber der Gruppe der Imari-Porzellane aus Arita zugerechnet wird. Von besonderem Reiz ist die Bemalung der Flasche mit Glyzinien-Blüten und fliegenden Sperlingen und der Ring-Kanne mit Rispen blühender Kiri-Trauben. Die Muster wurden zunächst in Weiß ausgespart und dann mit leichten Farben bemalt. Sie stehen vor fein gestrichelten Grundmustern in Eisenrot. Obwohl die Emailfarben Grün, Violett und Gelb auf Ko-Kutani hinweisen, steht fest, daß die Schmelzfarbenmalerei auf dem frühen japanischen Porzellan wohl nur in der Stadt Arita in der Straße der Farbmaler ausgeführt worden ist. R. H.

554

555 Schüssel. Japan, Edo-Zeit, Ende 17. Jahrhundert. Porzellan mit Schmelzfarben; H. 8,3, Dm. 20. Inv. Nr. 1890.309.

Kakiemon-Porzellan unterscheidet sich von den anderen Porzellanen Japans nicht nur durch seine charakteristische bunte Bemalung mit Schmelzfarben, sondern auch durch den reinweißen, milchigen Scherben. Die früheste Anwendung dieser Schmelzfarbenmalerei und des Muffelbrandes in Japan schrieb man dem Töpfer Sakaida Kakiemon um die Mitte des 17. Jahrhunderts zu, sie läßt sich jedoch erst für das Ende dieses Jahrhunderts belegen. Damals wurden bereits neben den Arita- und Imari-Waren auch Kakiemon-Porzellane nach Europa exportiert; sie haben die Dekore des Meißner Porzellans nachhaltig beeinflußt. Sparsam sind im Inneren einige Streublüten und auf der Außenwandung Rehe und Vögel unter Ahorn so verteilt, daß der weiße Grund beherrschend bleibt. R. H.

555

557 Teller. Japan, Kyushu, Provinz Hizen, Okawachi; Edo-Zeit, Anfang 18. Jahrhundert. Porzellan mit Bemalung; Dm. 19,2. Inv. Nr. 1907.657.

Den Spiegel dieser edlen Nabeshima-Schale schmückt ein textiler Dekor. Drei Aoi-förmige Wappenschilde, durch Zwickel miteinander verbunden, sind mit Lotusblüten und – Blättern gefüllt und von Blattrosetten umgeben. Die Vorzeichnung ist, wie nur bei Nabeshima-Porzellan, in zartem Unterglasurblau ausgeführt; die Muster sind mit dünnen Schmelzfarben koloriert, von denen sich das kräftige Eisenrot der Lotusblüten und des Gittermusters der Zwickel betont abheben. Ornamente dieses Stils bezeichnet man als Karabana, China-Blumen. In dem Familienarchiv der Fürsten Nabeshima finden sich noch heute Musterbücher aus dem Jahre 1718 mit Entwürfen ähnlicher Dekore. R. H.

556 Fußschale. Japan, Kyushu, Provinz Hizen; Edo-Zeit, Anfang-Mitte 18. Jahrhundert. Porzellan mit Bemalung. Dm. 20,3. Inv. Nr. 1907.656.

Die Hausmanufaktur des Fürsten von Nabeshima in Okawachi fertigte exklusiv für den Bedarf des Fürsten das erlesenste Porzellan an, zumeist Fußschalen in verschiedenen Größen, in Sätzen zu fünf oder zehn. Die Bemalung lag in den Händen der Familie Imaizumi, deren Entwürfe das unverwechselbare Fluidum japanischen Designs besitzen, wie man es auch in der Textil- und Lackkunst findet. Manche Anregung stammte aus frühen, naturwissenschaftlichen Druckbüchern oder enzyklopädischen Bildbänden und wurde genial ins Rund umgezeichnet. Die Kombination von dünnem Unterglasurblau mit zarten Emailfarben und Eisenrot erinnert an das chinesische Tou-Ts'ai-Kolorit. Auf diesem Teller bilden Blätter und Streublüten ein sich nach rechts verjüngendes Band. R. H.

556

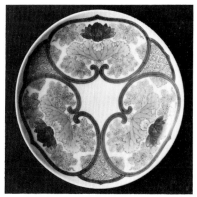

557

558 Blauer Fudo. Japan, Kamakura-Zeit, um 1280 oder später. Zypressenholz mit farbiger Fassung; H. 104. Inv. Nr. 1963.9/St. 181. Kunst-Stiftung.

Fudô Myôô, der ›unbewegliche Weisheitskönig‹, ist eine Gestalt des esoterischen Buddhismus. Als eine Manifestation des Ur-Buddha Dainichi ist Fudô der wichtigste der ›Fünf großen Weisheitskönige‹. Sein abschreckendes und furchterregendes Äußeres und seine Attribute – Feuerlohe, Schwert und Lasso – wirken als das ›Gute‹ im Dienste des Buddhismus: mit ihnen wehrt er die erkenntnishemmenden Kräfte ab. Unser blauer Fudô hält in der rechten Hand das Schwert mit der linken umfaßt er das Lasso; sein Gesicht ist wütend verzerrt. Seine rundplastisch gearbeiteten Haarlocken krönt auf dem Scheitel eine Lotusblüte, die die heilsbringende Kraft des Fudô symbolisiert. Die farbige Musterung des Gewandes zeigt den Gebrauch von Kirikane, ›geschnittener Goldfolie‹. R.H.

559 Jizo. Japan, Muromachi-Zeit (1337-1573). Holz mit farbiger Fassung und Schnittgold; H. 50. Inv. Nr. 1946.37.

Der Bodhisattva Kshitigarbha, Jizo, erscheint in Mönchsgestalt mit dem Wunschjuwel und einem (fehlenden) Priesterstab. Jizo errettet in der buddhistischen Vorstellungswelt die Seelen aus der Hölle und aus niederen Existenzstufen, er schützt Kinder und Reisende. Die hölzerne Statuette ist wie die des Fudo in Yosegi-Technik aus Holzelementen zusammengefügt. Augen und die Urna auf der Stirn sind mit Bergkristall eingelegt. Seine Mönchsrobe ist mit feinem Kirigane-(Schnittgold)Ornamenten überzogen. Trägt die ungewöhnlich feingearbeitete Statuette auch stilistische Züge der Kamakura-Zeit (1192 bis 1333), so wird sie doch später entstanden sein. Es ist überliefert, daß sie ursprünglich aus dem Tempel Kofukuji in Nara stammt. R.H.

558

559

560

560 Das Sanno-Fest der Hiei-Schreine von Sakamoto (Ausschnitt). Paar 6teiliger Stellschirme. Iwasa Katsushige (tätig bis 1673), Fukui (?), Edo-Zeit, Tusche und Farben auf Goldgrund; 104 × 258. Inv. Nr. 1963.52/ St. 188-189. Kunst-Stiftung.

Das Tempelfest der 7 Hiei-Schreine von Sakamoto fand Mitte April unter Anteilnahme der Bevölkerung statt. Beide Bräuche des Festes sind auf den Schirmen dargestellt: rechts das Wettrudern der Göttersänften über den Biwa-See, links die Prozession mit dem entwurzelten Sakaki-Baum. Das Schirmpaar gehört zur Gattung der dekorativen Genremalerei, die, an der Schwelle der neuzeitlichen japanischen Malerei, ein waches Interesse am Brauchtum des Volkes bekundet. Selbst Stadtmaler nahmen Genrethemen auf. Unser Schirmpaar trägt die Siegel des Katsushige, eines Sohnes von Iwasa Matabei, ohne jedoch dem individuellen Stil von Matabei nahezustehen. R.H.

561

561 Chinesische Dichter (Ausschnitt). Unkoku Toeki (1591-1644), Hagi, Provinz Suo; Edo-Zeit, nach 1618, Tusche und leichte Farben auf Papier; 154,4 × 362. Inv. Nr. 1971.13. Gestiftet von Frau Gertrud Reemtsma, Hamburg.

Der rechte der beiden sechsteiligen Wandschirme zeigt den Dichter T'ao Yüan-ming (365-427) auf einsamem Felsplateau mit seinem Ch'in (Musikinstrument). Ein Beet im Vordergrund ist mit Chrysanthemen, den Lieblingsblumen des Dichters, bepflanzt. Als Pendant dazu erscheint auf dem linken Schirm Lin Pu (967-1028) in einer Einsiedlerhütte. Die beiden Dichter zählen zu den ›Vier Blumenliebhabern‹, die dem Hof- und Beamtenleben entsagten und ihren Neigungen – der Dichtkunst und Blumenzucht – lebten. Ideale Bildthemen der chinesischen Geisteswelt, wie diese, gelangten im Gefolge der Kunst des Zen-Buddhismus nach Japan. Die an chinesischer Malerei orientierten Künstler, besonders die Maler der Kano-Schule und die Nachfolger des großen Mönchsmalers Sesshu, zu denen Toeki gehörte, waren dieser Thematik verpflichtet. R.H.

562 Landschaft (Fächerbild). Ike no Taiga (1723-1776), Kyoto, um 1750. Tusche und Farben auf Papier. 17,7 × 49,6. Inv. Nr. 1977.34a. Geschenk von Herrn und Frau Harold A. Hartog, Hamburg.

Mit nassen Tuschelinien und Punkten legte Taiga dieses kleine, einem Fächeralbum zugehörige Landschaftsbild auf dem hellen Glimmergrund des Fächers an. Seine Vorliebe für chinesische Gelehrtenmalerei wird durch die Aufschrift bezeugt: ›Frei kopiert nach dem Pinsel von Wang Meng‹. Dieser Künstler zählt zu den großen chinesischen Literaturmalern der 2. Hälfte des 14. Jahrhunderts. Taiga gehörte zu den eigenen Aussagen der Nanga-Schule an, die sich an China orientierte. Wie diese Landschaft zeigt, transponierte er in genialer Weise die Vorbilder ins Japanische. R.H.

563 Kalligraphie (Fächerbild). Rai Mikisaburo (1825-1859). Tusche auf Glimmerpapier; 14,6 × 18,4. Inv. Nr. 1977.34m. Geschenk von Herrn und Frau Harold A. Hartog, Hamburg.

In seiner klaren und kaum kursiv verkürzten Schrift schrieb Mikisaburo ein chinesisches Viersilben-Gedicht von 7 Zeilen, das eine Landschaftsstimmung beschreibt, auf den Fächergrund; das Blatt gehört zum gleichen Fächeralbum wie Nr. 562. Mikisaburo, der dritte Sohn des berühmten Gelehrten und Historikers Rai Sanyo, betätigte sich nicht nur künstlerisch und geisteswissenschaftlich, sondern trat wie sein Vater als Vorkämpfer japanischer nationaler Ideen für die Austreibung der Europäer ein. Am Ende der Tokugawa-Herrschaft geriet die geistige Elite der Edo-Zeit in den großen Konflikt, entweder die Feudalherrschaft und Isolierung des Inselreiches zu erhalten oder das Land der internationalen Politik und dem Welthandel zu öffnen. Mikisaburo endete tragisch: Im Jahre 1859 wurde er mit dreißig Anhängern enthauptet. R.H.

562

564 Kurtisanen. Katsukawa Shunsho (1726-1792), Edo (Tokyo), Edo-Zeit. Tusche und leichte Farben auf Seide; 84 × 37. Inv. Nr. 1907.636.

Nicht nur als Zeichner für den Farbholz-schnitt sondern auch als Maler schöner Frau-en, ›bijin‹ machte sich Katsukawa Shunsho einen Namen. Als Künstler des Ukiyo-e, der bürgerlichen Genremalerei, das die vergäng-liche Welt städtischer Vergnügungen schil-derte, verdankte ihm der Farbholzschnitt das wirklichkeitsnahe Porträt des Schauspielers in Rolle. Mit seinen Bildern des Frauenlebens erreichte er etwa ab 1780 den Gipfel seines Könnens. Auch auf diesem Bilde einer Kurti-sane mit vier Begleiterinnen unter einem blü-henden Kirschbaum besticht die sichere Li-nienführung und die miniaturhaft feine Kolo-rierung. Shunsho signierte das Gemälde, zu dem ein Gegenstück existierte, mit seiner Namensform Katsu Shunsho und fügte sein Signet hinzu. R.H.

564

563

565

565 Naniwa-Cho. (Reise-Skizzenbuch).
Yamamoto Baiitsu (1783-1856), Osaka, 1844.
Tusche auf Papier; 22 × 20.
Inv. Nr. 1978,23(3). Kunst-Stiftung.

Das achte Blatt dieses Albums mit Ansichten
von der Gegend um Kobe und Osaka, Naniwa-cho, zeigt den Nunobiki-Wasserfall bei
Kobe. Baiitsu skizzierte während der Fahrt
auf einem Mietsboot die pittoreske Szenerie
vom Palastgraben in Osaka bis zum Endpunkt der Reise in Maikonoura. Der Künstler
gehörte zu den Bunjin-Malern, die, in chinesischer Gelehrtenmalerei geschult, zumeist
chinesische Vorwürfe frei kopierten. Bei diesem Album jedoch hat er nach der Natur gemalt. Zwar setzt er mit leichter Hand chinesische, trockene Pinseltechnik und auch japanische, schwingende Lineatur wechselweise
ein, gestaltet aber die unverwechselbare japanische Landschaftsszenerie in ganz neuer
Weise. Die Beischriften geben kurze Reiseno-
tizen.   R.H.

566

566 Geisha im Boot. Utagawa Toyokuni (1769-1825), Edo (Tokyo), Edo-Zeit. Tusche und Farben auf Seide; 30,5 × 83. Inv. Nr. 1908.259.

Utagawa Toyokuni spielte in der Zeit zwischen 1790 und 1825 eine führende Rolle im Ukiyo-e-Holzschnitt. Vor allem zeichnete er Entwürfe zu Farbholzschnitten von Schauspielern, die durch eine eigene dramatische Stilisierung herausragten, aber nach der Jahrhundertwende der Routine verfielen. Eine gewisse Formerstarrung läßt sich auch auf diesem Gemälde erkennen – so in den geometrischen Linien des Schiffes, der Kiefern und der Wellen, in denen sich der Mond spiegelt –, wenngleich die Figur des Mädchens, das eine Sakeschale ausspült, sehr delikat gemalt ist. Die Aufschrift des bekannten Dichters Shibutsu (✝ 1837) links im Bild heißt: »Der Glanz des Mondes und die Gestalt des Mädchens, wie anmutig sind beide.« Am unteren Bildrand links steht die Signatur des Malers: Ichiyusai Toyokuni ga. R.H.

567

567 Affe. Mori Sosen (1747-1821), Aufschrift von Ichikawa Beian (1779-1858). Tusche und Farben auf Seide; 92 × 34. Inv. Nr. 1907.637.

Sosen wird als Maler der Shijo-Schule aufgeführt, da seine engagierte Naturbeobachtung und getreue Schilderung von Tieren, insbesondere von Affen, den Idealen der Kyotoer Shijo-Schule entsprach. Kräftige Linierung des Tiergesichts und der Pfoten geben dem Affen Ausdruckskraft. Sein Körper wird durch feinste Strichlagen des Fells plastisch modelliert. Von Hand des berühmten Kalligraphen Beian ist das Gedicht eines Chinesen aus der Yüan-Zeit (1279-1368) in markanter Schrift dazugefügt. Es schildert eine Mondnachtstimmung mit schreienden Affen. Die roten Siegel des Kalligraphen stehen neben dem Gedicht, Signatur und Siegel des Malers erscheinen in der unteren Bildecke. R.H.

568

568 Adler am Wasserfall (Diptychon). Shibata Zeshin (1807-1891), Edo-Meiji-Zeit. Tusche und Farbe auf Seide; 92 × 34 cm. Inv. Nr. 1907.637.

Shibata Zeshin kam aus einer Familie von Holzbildwerkern. Er erlernte die Lackkunst bei dem bekannten Meister Koma Kansai II. und arbeitete hervorragende Lacke. Seit 1822 studierte er aber auch Malerei der Shijo-Schule, daneben Kalligraphie und Dichtkunst. Seine schöpferische Phantasie offenbart sich in seinen Arbeiten in den verschiedensten Materialien, in Lackbildern, im Holzschnitt, in der Malerei. Dieses Diptychon zeigt einen Adler, der, auf einem Felsen sitzend, sein Spiegelbild in einem Wasserfall beobachtet. Den Kontrast der geballten Energie in Tier und Felslandschaft zur Leere des Wasserfalls hat der Künstler faszinierend darzustellen vermocht.   R.H.

569

569 Kirschblütenschau. Hishikawa Moronobu (gest. 1694), Edo (Tokyo), Edo-Zeit, um
1680. Holzschnitt, handkoloriert; 27 × 43.
Inv. Nr. 1975.36/St. 319. Kunst-Stiftung.

Dieses Blatt gehört zu einer Folge von 13
oder mehr Einzelholzschnitten mit dem Titel:
›Ansicht von Ueno zur Kirschblüte‹; es zeigt
den Kiyomizu-Tempel am Waldhang zwischen blühenden Kirschblüten. Besucher des
Tempels beten, andere Personen der mondä-
nen Welt flanieren im Vordergrund und geben dieser Darstellung des Ukiyo-e, der ›Bilderwelt des fließend-vergänglichen Lebens‹,
den modischen Akzent. Moronobu hatte als
erster Künstler in Edo solche modischen
Bildfolgen und Buchillustrationen unter seinem Namen edieren lassen und gilt daher als
Begründer der Holzschnittkunst in der Hauptstadt Edo, dem späteren Tokyo. R.H.

570 Geisha mit Notenheft. Ishikawa
Toyonobu (1711-1785), Edo-Zeit, Edo –
(Tokyo), um 1742. Schwarzdruck, hand-
koloriert; 50 × 22. Inv. Nr. IE 1908.2.

Wie sein Vorgänger Okumura Masanobu
steht auch Toyonobu an der Schwelle vom
handkolorierten Schwarzdruck zum frühen
Mehrfarbendruck. Seine Darstellungen liebenswürdiger Szenen mit Mädchen und Lie-
bespaaren zeigen viel Charme und Sinn für
Humor. Die Geisha in elegantem Gewand
mit Pflaumenblüten und raffiniert frisiertem
Haar hält ein Notenheft in den Händen, das
den Gesang zum bekannten Liebesdrama
›Ochiyo und Hambei‹ enthält. Auf dem Stellschirm links steht die Signatur des Künstlers
und seine zwei Stempel: Ishikawa shi Toyonobu. Die Verlagsmarke (Eijudo) sieht man in
der unteren Ecke rechts. Holzschnitte in diesem großen Bildformat gehören zu den Sel-
tenheiten jener frühen Stufe des japanischen
Holzplattendrucks. R.H.

570

571

571 Kurtisane. Suzuki Harunobu (1725? bis
1770) Edo (Tokyo), Edo-Zeit, 1768/69. Farbholzschnitt; 28,6 × 22. Inv. Nr. IE 1896.175.

Im oberen Stockwerk eines Teehauses steht
eine Kurtisane und blickt auf den Fluß hinab.
Neben ihr facht eine jüngere Begleiterin das
Feuer eines Öfchens an, um einen Sakekes-
sel zu wärmen. Über der Wolkenkante liest
man ein Gedicht des klassischen Poeten Mi-
namoto Shitagao (910-983): es besingt den
Herbst und das Spiegelbild des Mondes auf
dem Wasser. Harunobu hat in der kurzen
Zeitspanne vom Entstehen der ersten Kalen-
derbilder im Jahre 1765 bis zu seinem Tode
in der neuen Technik des Vielfarbendruckes
Meisterwerke von unnachahmlichem Zauber
geschaffen. Seine ätherisch-zarten Gestalten
machten nicht nur ihn, sondern die Azuma-
Nishiki-e, die ›Brokatbilder aus Edo‹, landes-
weit berühmt. Er gab seinen Genrebildern
gern eine poetische Verbrämung und trave-
stierte Gestalten der Vergangenheit auf das
Charmanteste. R.H.

572

572 Herstellung von Holzschnitten. Farb-
holzschnitt-Triptychon, Kitagawa Utamaro
(1753-1806), Edo (Tokyo); Edo-Zeit, um 1802.
36,2 × 74,6. Inv. Nr. IE 1897.20.

Das schönste Triptychon aus Utamaros Folge von Damen bei der Herstellung von Farbholzschnitten befindet sich in der Sammlung
unseres Museums. Diese Darstellung des
ganz und gar männlichen Handwerks des
Entwerfens, Plattenschneidens und Druk-
kens der Farbholzschnitte durch schöne Damen entsprach dem Geschmack der Zeit.
Utamaro gab daher auch dem Holzschnitt einen parodistischen Titel und vergleicht die
Holzschnitt-Herstellung mit dem Reisanbau.
Wir sehen rechts den Maler, der den Entwurf
seinem Verleger zeigt; in der Mitte den Plat-
tenschneider mit seinen Assistenten und
links die Vorbereitung des Papiers zum
Druck. Man kann die Souveränität des Zeichners Utamaro ebenso in der Gruppierung der
Figuren wie in jedem Detail erkennen. R.H.

573 Kurtisanen und ihre Handschriften.
Kitao Masanobu (1761-1816), Edo (Tokyo);
Edo-Zeit, 1784. Holzschnittalbum; 37 × 25,7.
Inv. Nr. IB 1902.27.

Ein besonders bezauberndes Farbdruckbuch
stammt von der Hand des bekannten
Schriftstellers und Zeichners Kitao Masanobu, der vor allem unter seinem Dichterna-
men Santo Kyoden bekannt ist. Masanobu
gab diesem Buch mit 7 doppelseitigen Abbildungen seine Einzigartigkeit durch die Zu-
sammenstellung der Bilder von bekannten
Kurtisanen mit deren eigenen Gedichten in
eigener Handschrift. Hier sehen wir, begleitet
von ihren Dienerinnen, rechts Hinazuru aus
dem Hause Chojiya und links, majestätisch
an ihrem eleganten Schreibtisch sitzend,
Chozan aus dem Hause Sumiya. Die reiche,
delikate Zeichnung von Figuren und Interieur
zeigt die Meisterschaft und hohe Originalität
des Künstlers, der wie Torii Kiyonaga zu den
Klassikern des Japan-Holzschnittes zählt. R.H.

573

574 Geisha Hinazuru. Kitagawa Utamaro
(1753-1806). Edo (Tokyo). Edo-Zeit, um 1795.
Farbholzschnitt; 32 × 26. Inv. Nr. IE 1900.16.

Kitagawa Utamaro, wie Toshusai Sharaku
ein Protegé des Verlegers Tsutaya Jusaburo,
ist der Frauendarsteller im japanischen Farbholzschnitt schlechthin. In unwiederholbarer
Weise gelang ihm die Ausdeutung weiblichen Wesens. Auch dieser Porträtkopf,
»Okubi-e«, einer jungen Geisha will in der
Lieblichkeit des Gesichts und in der Zartheit
der Bewegung das Wesen des Mädchens
wiedergeben. Die Figur selbst ist in der allgemeinen Freude am Parodistischen, die jene
Zeit kennzeichnet, durch die Bildkartusche
und das Scherzgedicht als Verkörperung der
›Heimkehrenden Segel‹ aus den ›Acht Ansichten des Biwa-See‹ bezeichnet worden.
R.H.

574

575 Schauspieler Matsumoto Yonesaburo.
Toshusai Sharaku (tätig 1794/95), Edo
(Tokyo), Edo-Zeit. Farbholzschnitt mit
Glimmergrund; 37 × 25,3. Inv. Nr. IE 1903.1.

Vom Sharaku kennt man 143 Farbholzschnitte und einige Vorzeichnungen aus den Jahren 1794/95. Er gilt als der größte Porträtist
der Kabuki-Schauspieler. Sein Porträtkopf
des Schauspielers Matsumoto Yonesaburo
in der Rolle der Kurtisane Shosho ist wohl
sein zartestes Bildnis eines Mannes in Frau-
enrolle. Ebenso nuancenreich wie die Vorzeichnung ist die Ausführung des Druckes
mit Blindprägung, Glimmer- und Glanzdruck.
Da Herstellung und Vertrieb in der Hand des
Verlegers, hier des berühmten Tsutaya Jusaburo, lagen, erscheint auch dessen Signet
rechts unter der Künstlerbezeichnung und
dem Zensurstempel. R.H.

575

576 Schauspieler Ichikawa Danjuro VI.
Toshusai Sharaku (tätig 1794/95), Edo
(Tokyo), Edo-Zeit. Farbholzschnitt; 32,6 × 25.
Inv. Nr. 1973.115.

Im 11. Monat 1794 trat der damals 17jährige
Schauspieler Ichikawa Danjuro VI (1778-1799)
in der Rolle des Arakawa Taro am Kiriza-
Theater in Edo auf. Zur stilisierten Perücke
trägt er eine rosa Schminkmaske. Sein Gewand zeigt das Mimasu-Wappen der Ichika-
wa-Familie, dagegen erscheint über seinem
Namensschild (mit persönlichem Namen)
sein privates Wappen in Form eines sprin-
genden Karpfens. Das Porträt gehört zu den
etwa 12 Schauspielerbildern, die Sharaku
Ende 1794 zeichnete. Mit dieser Serie scheint
die Kraft des Künstlers zu erlahmen, denn
verglichen mit den Kopfporträts auf Glimmergrund von 1794 fehlt jetzt die volle Prägnanz der Charakterisierung. R.H.

576

578

577 Der Fuji bei klarem Wetter. Katsushika
Hokusai (1760-1849), Edo (Tokyo), Edo-Zeit.
Farbholzschnitt; 24,5 × 37.
Inv. Nr. IE 1896.389.

Hokusai, der geniale ›malbesessene‹ Holz-
schnittzeichner, eroberte das Landschaftsbild für den japanischen Farbholzschnitt. Seine berühmte Serie der ›36 Ansichten des
Fuji‹ erschien zwischen 1823 und 1832. Unter
den meist mit prallem Menschenleben erfüll-
ten Darstellungen fallen die wenigen, reinen
Landschaften heraus. Bei diesem Druck
›Südwind, aufklarendes Wetter‹ setzt Hokusai den braunen, beinahe schneefreien Berg-
gipfel von Japans majestätischem, heiligen
Berg vor einen mit Windwolken überzogenen, leuchtend blauen Himmel. Die Tiefenef-
fekte werden durch die Abschattung der
Druckplatten ›fukibakashi‹ geschaffen, eine
Technik, die Hokusai souverän einsetzte.
R. H.

578 Trommelbrücke von Kameido.
Katsushika Hokusai (1760-1849),
Edo (Tokyo). Edo-Zeit, 1827-1830. Farb-
holzschnitt; 23,5 × 36,8. Inv. Nr. 1896.11.

Aus Hokusais Folge der berühmten Brücken
in den Provinzen ›Shokoku Meikyo Kiran‹
sind heute noch 11 Blatt bekannt. Sie wurde
vom Verlag Eijudo herausgegeben und erschien etwas später als seine ›36 Ansichten
des Fuji‹ (Nr. 577). Bei diesem Druck mit der

Darstellung der Trommelbrücke vom Kamei-
do-Schrein gelang Hokusai eine Komposition, die an die klassische, erzählende Malerei ›Yamato-E‹ des Mittelalters erinnert. Der
Raum wird durch die angeschnittenen Dä-
cher im Vordergrund rechts angedeutet,
Wolkenbänder setzen die halbkreisförmige
Holzbrücke in raffinierter Weise vom blauen
Mittelgrund des Sees ab. R. H.

579 Einfallende Wildgänse bei Haneda. An-
do Hiroshige (1797-1858), Edo (Tokyo), Edo-
Zeit, 1839. Farbholzschnitt; 25,4 × 36.
Inv. Nr. 1898.114.

Nachdem Hiroshige mit seiner Holzschnittfolge, den 53 Stationen des Tokaido, von
1833 schlagartig berühmt geworden war,
schuf er immer neue Landschaftsfolgen. Seine Fähigkeit, die japanische Landschaft in ihren Stimmungen der Tages- und Jahreszeiten lebendig und doch alltäglich wiederzuge-
ben, machte ihn auch in Europa zum beliebtesten Meister des japanischen Farbholz-
schnitts. Aus einer wenig bekannten, da als
Privatdruck edierten Bildfolge stammt diese
Ansicht von Haneda mit einfallenden Wild-
gänsen. Hier vertreten 8 Ansichten von Edo
die klassischen ›8 Ansichten vom Biwa-See‹.
Der Kyokadichter Daihaido Norimasu, dessen Scherzgedicht links oben im Bilde steht,
war an der Herausgabe dieser vorzüglichen
Holzschnitte mitbeteiligt. R. H.

577

579

580 Kyobashi, Bambuslager. Ando Hiroshige (1797-1858), Edo (Tokyo), Edo-Zeit, 1857. Farbholzschnitt; 36 × 23,5. Inv. Nr. IE 1897.7.

In seiner letzten bedeutenden Holzschnittfolge ›100 Ansichten von berühmten Stätten in Edo‹, die 1856-1859 herausgegeben wurde, verwendete Hiroshige das Hochformat. Er arbeitete bei seinen Darstellungen mit wechselvollen Blickpunkten, kühnen Verkürzungen, An- und Ausschnitten, ja selbst mit gänzlich unjapanischen Schatteneffekten. Die Ansicht der Kyobashi zeigt diese berühmte Holzbrücke in Edo bei Vollmond. In ihrem Schatten stakt auf dem Sumida-Fluß ein Bauer sein mit Reissäcken beladenes Boot. Am linken Flußufer ragen die gebündelten Bambusstangen wie eine abstrakte, gewaltige Barrikade empor. Dieser berühmte Farbholzschnitt, von dem ein Exemplar vielleicht schon 1858 zur Pariser Weltausstellung nach Paris kam, hat James Abbott McNeill Whistler zu einem Gemälde angeregt. R.H.

580

581

581 Muramatsu Takanao. Utagawa Kuniyoshi (1798-1861), Edo (Tokyo), Edo-Zeit, 1852. Farbholzschnitt; 35,8 × 26,3. Inv. Nr. 1896.116.

In einer Serie der ›Porträts loyaler Vasallen‹ stellte Kuniyoshi, angeregt vom europäischen Kupferstich, die Helden mit realistischen Gesichtszügen dar. Durstig trinkt hier der junge Ritter Muramatsu Takanao während des nächtlichen Rachezuges aus einem vereisten Wasserbecken. Neben dem roten Bildtitel steht auf Violett der Name des Helden, darunter sind – auch auf Rot – die Künstlerbezeichnung, dazu das Signet des Plattenschneiders, die Datum-, und Zensoren-Marken wie eine Verlagsbezeichnung gesetzt. Die nervöse Spannung, die der Darstellung innewohnt, wird durch die mosaikartige Auflösung des Hintergrundes noch unterstrichen. Mit Kuniyoshi, einem virtuosen Zeichner, begann sich der japanische Holzschnitt neuen Anregungen aus dem Westen zu öffnen. R.H.

582 Ehefrau der Meiji-Zeit. Tsukioka Yoshitoshi (1839-1892). Tokyo, 1888. Farbholzschnitt; 37,5 × 25,4. Inv. Nr. 1978.13. Stiftung der Firma Dralle, Hamburg.

In einer Serie von Halbfiguren schöner Frauen ›Fuzoku Sanjuniso‹ zeichnete Yoshitoshi mit oft bizarrem Naturalismus Frauen aller Stände in ihrem charakteristischen Ambiente. ›Ehefrau der Meiji-Zeit beim Spaziergang‹ betitelt er das Bild einer eleganten Japanerin in westlichem Kostüm, mit europäischem Sonnenschirm und einem kecken Strohhut. Im Hintergrunde erblickt man die blühenden Schwertlilien eines Parks. Trotz des modischen Sujets und der grellen Anilin-Farben hat Yoshitoshi mit genialer Zeichenkunst die Formmittel der klassischen Ukiyo-E eingesetzt. Überdies zeigt der Druck höchstes technisches Raffinement: Blindprägung, Glanzpolierdruck, Farbabschattung. Unter der Signatur des Künstlers links stehen auch die Namen des Plattenschneiders und in Gelb das Signet des Verlages Tsunashima Kamekichi. R.H.

582

583

583 Surimono. Kubota Shumman (1757 bis 1820), Edo (Tokyo), Edo-Zeit. Farbholzschnitt; 21 × 28,5. Inv. Nr. IE 1896.228.

Als Surimono, ›Druck-Ding‹ oder ›Druck-Kunstwerk‹, werden in Japan Glückwunschblätter bezeichnet, die für Neujahr oder für andere Festanlässe auf das raffinierteste privat gedruckt und verschenkt wurden. Kubota Shumman, der sich als satirischer Kyoka-Dichter in der eleganten bürgerlichen Welt bewegte, verrät in seinen Surimono Bildung, Phantasie und gediegene Zeichenkunst. Das zeigt dieses ungewöhnlich große Surimono für das Jahr 1811, ein Jahr des Widders. Schreibgerät mit Tusche, Pinsel, Stempel und Siegelfarbe bilden zusammen mit eleganten Gefäßen, in denen die Frühlingsblumen Pflaume und Adonisröschen stehen, ein vornehmes Stilleben. Ein Gedicht von Shumman selbst steht als 2. von links in der Folge von Poemen bekannter Satiriker. R. H.

584 Surimono. Ando Hiroshige (1797-1858), Edo (Tokyo), Edo-Zeit. Farbholzschnitt; 20,7 × 18,2. Inv. Nr. IE 1900.3.

Unter den wenigen Surimono von Hiroshige nimmt diese Darstellung von Seetangsammlerinnen am Meer vor dem silbernen Gipfel des Fuji einen besonderen Rang ein. Hier gelang es Hiroshige – wie ähnlich nur noch bei seinen Briefpapieren – eine Landschaft nicht wie in seinen gängigen Holzschnitten bunt und lebensnah darzustellen, sondern gleichsam transparent zu machen, um den besonderen Anforderungen des Glückwunschblattes gerecht zu werden. Das Gedicht von einem unbekannten Gelegenheitsdichter spielt auf den Sonnenaufgang zu Jahresbeginn an und auf den alten Brauch, dabei junge Kräuter zu sammeln. R. H.

584

585 Netsuke. Osaka und Edo, Edo-Zeit, 18. und 19. Jahrhundert. Elfenbein und Holz; H. 4 und 5,5. Inv. Nr. 1927.355 und 1927.184.

Das knebelartige Netsuke diente dem Japaner zur Befestigung von Taschen und Medizinbüchsen (Inro) am Gürtel. Um 1700 kam die Sitte auf, gegenständlich und figürlich geschnitzte Netsuke anstelle von Siegeln und Naturgegenständen zu benutzen. Ein spezialisiertes Handwerk mit Hunderten von Schnitzern war in den Städten tätig, da die Nachfrage der Stadtbürger nach kunstvollen Netsuke ständig wuchs. Die Wildente aus Elfenbein trägt das Signet des Meisters Ohara Mitsuhiro aus Osaka (1810-1875); die Taucherin, die auf einer Muschel stehend ihren Schurz auswringt, ist mit dem Namenszug von Yasumichi bezeichnet. R. H.

585

Die kleine Dose könnte ihrer Form nach ursprünglich als Puderbüchschen gedient und zu einem Toilettenkasten gehört haben. Untersatz und Deckel sind in Blei gefaßt und sitzen perfekt aufeinander. Die Oberfläche und Innenseite des Deckels und das Innere des Untersatzes zeigen das gleiche, doch jedesmal abgewandelte Bildmotiv: Auf einem felsigen Grunde eine Kiefer, ein Kamelienstrauch und am Boden niederes Sasa-Bambusgras. In die goldenen Hiramakie-Flächen sind die Binnenlinien mit der Nadel eingeritzt, der Hintergrund ist teils mit feinem, teils mit dichtem Nashiji gewölkt. R. H.

586

586 Tebako. Japan, Muromachi- oder Momoyama-Zeit, 15.-16. Jahrhundert. Flach- und Relieflack auf Holz; H. 17,2, L. 31,3. Inv. Nr. 1904.73.

Deckel, Seitenwandung und das Innere des Deckels dieses vornehmen Toilettenkastens, ›Tebako‹, schmückt eine Symbollandschaft mit den glückbedeutenden Pflanzen Kiefer und Bambus und den langes Leben verheißenden Tieren Schildkröte und Kranich. Diese Insellandschaft, im Japanischen Horai genannt, ist das chinesische P'eng-Lai, die Insel der Seligen in der Vorstellung des Taoismus. Der Dekor wurde in Flach-Relieflack auf einem mit Goldflocken gestreuten Nashiji ›Birnengrund‹, gearbeitet; einzelne Gesteinsbrocken sind durch Blattgoldstückchen markiert. Die Darstellungsweise transponiert Chinesisches in die rein japanische Formensprache eleganten, höfischen Geschmackes, der von Poesie geprägt wurde. Das Motiv des Horai-Eilandes war in der Lack- und Textilkunst im 15.-16. Jahrhundert außerordentlich beliebt. R. H.

587 Kogo (Dose für Räucherwerk). Japan, Muromachi-Zeit (1392-1573). Flachlack in Gold auf Schwarzlackgrund; H. 3. Inv. Nr. 1967.236. Geschenk von Herrn Dr. h. c. Kurt Meissner, Hamburg.

587

588

588 Suzuribako. Iizuka Kanshosai Toyo, Japan, Edo-Zeit, 19. Jahrhundert (?). Relieflack auf Holz; H. 4,5, L. 25. Inv. Nr. 1914.49.

Der Schreibkasten, ›Suzuribako‹, zeigt auf der Außenseite des Deckels und um die Wandung herumgezogen einen Zug von Silberreihern, der sich in einer Gruppe von Kryptomerien und herbstlichen Laubbäumen niederläßt. Mit hohem Feingefühl für Komposition und Detail ist es dem Künstler gelungen, im Lack ein Gemälde zu schaffen. Die Bäume, teils in Flachlack, teils in farbigem Relieflack vage zurücktretend und reliefartig hervorgehoben, stehen ebenso wie die lebendig bewegten Vögel plastisch vor dem tiefen Schwarz des Hintergrundes. Wenn der Kasten auch nicht dem ersten Träger des Namens Iizuka Toyo zugewiesen werden kann, so beweist auch dieser spätere Meister gleichen Namens die souveräne Beherrschung der äußerst komplizierten Materie der farbigen Makie-Lacktechniken. R. H.

589

589 Inro. Koma Yasutada, Japan, Edo-Zeit, Ende 18. Jahrhundert. Lack auf Holz; H. 8,1. Inv. Nr. 1903.61.

Zur Tracht des modischen japanischen Bürgers und Ritters gehörten in der Edo-Zeit kleine, mehrteilige Büchsen für Siegelfarbe und Medizin, die Inro, welche am Gürtel mit einem Netsuke befestigt wurden. Den Lackmeistern gaben die häufig sehr kostbar gearbeiteten Inro ein reiches Betätigungsfeld. Viele bekannte Künstler der Kajikawa- und Koma-Familien in Edo spezialisierten sich auf diese Arbeiten. Koma Yasutadas rotgrundiges Inro zeigt einen ritterlichen Dekor: Täuschend echt sind in vielen raffinierten Lacktechniken zwei Schwertstichblätter nachgebildet. Das eine stellt ein Tsuba dar mit Fischen und Muscheln in Takamakie (Relieflack) von Gold, Silber und Rot. Das andere, in Vierpaßform, zeigt die schöne Darstellung zweier Widgänse im Schilf. Als zugeordnetes Netsuke findet sich die Gestalt eines Teetrinkers in Negroro-Lack. R. H.

591 Noisho (No-Gewand). Japan, 17. Jahrhundert. Kara-ori, Seide und Papiergold; 150 × 138. Inv. Nr. 1888.24.

Das No-Spiel läßt sich bis in das 10. Jahrhundert zurückverfolgen. Der Inhalt der Stücke entspringt der Gedankenwelt der buddhistischen Lehre und ist »eine hochentwickelte Kunst, die ewigen Werte menschlichen Empfindens auszudrücken«. Ausdrucksmittel sind die Bewegungen. Die No-Spieler tanzen und spielen nach Rezitativen auf einfacher Bühne; sie tragen Holzmasken und prächtige Kostüme, denen eine wichtige Rolle zufällt. Je nach Farbstimmung, Mustermotiv und Gewebematerial lassen sich drei Typen unterscheiden. Unter diesen ist das prächtigste Kostüm das Kara-ori, überwiegend ein No-Gewand für Frauen- und Kinderrollen. Kara-ori bezeichnet eine Gewebeart; das broschierte Muster tritt aus einem Grund in Körperbindung wie gestickt hervor – hier sind es Löwenzahn mit Wasserkraut und Wurzeln zwischen Bambusgras und kleinen Blüten. M. P.

590 Suzuribako (Ausschnitt). Japan, späte Edo-Zeit, 19. Jahrhundert. Lack auf Holz; H. 3, L. 19. Inv. Nr. 1904.189.

Der elegante Schreibkasten zeigt eine modische Szene mit einer Straße im Freudenviertel, dem Yoshiwara. Vor einem der ›Grünen Häuser‹ spazieren Samurai in Verkleidung mit ihren Dienern und eine Kurtisane mit zwei Begleiterinnen. Das Haus selbst läßt durch die Gitterfenster den Blick ins Innere zu. Da sitzen zwei Mädchen mit Speise- und Toilettengerät vor einem silbernen Stellschirm. Die Darstellungsart erinnert entfernt an Moronobu (vgl. Nr. 569), läßt aber eine spätere Entstehung erkennen. Das Bild ist vorzüglich in einer Lacktechnik ausgeführt, die als Polierlack, ›togidashi‹, bezeichnet wird und durch Einlagen von Perlmutter und Goldfolie bereichert ist. R. H.

590

591

592

592 Tsuba. Japan, Muromachi-Zeit (1392 bis 1573). Schmiedeeisen; H. 8,6. Inv. Nr. 1902.3.

Das Schwertstichblatt, ›tsuba‹, sitzt als Schutz für die Hand des Kämpfers zwischen dem Griff und der Klinge des Schwertes. Nicht nur der Klinge, sondern auch den Zierarten des japanischen Schwertes wurde höchste handwerkliche Sorgfalt zuteil. Anfangs fertigten die Schwertfeger und Plattner die tsuba meist aus Schmiedeeisen mit wenigen Durchbrechungen oder Einlagen an. Später arbeiteten spezialisierte tsuba-Meister als Vasallen an den Höfen der Shogune und Lehnsfürsten in den Provinzen. Dieses dünn geschmiedete tsuba kennzeichnet der verdickte Rand als Arbeit eines Rüstungsschmieds. Das Motiv des Grabstupas (links) mit der Sichel des schmalen ›Dreitagemonds‹ in negativem Schattenriß spielt poetisch auf die Vergänglichkeit des Lebens an.
R. H.

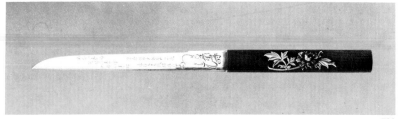

593

593 Kozuka. Yokoya Somin (1670-1733) und 1859, Japan, Edo-Zeit. Shakudo mit Gold und Silber; H. 22,7. Inv. Nr. 1908.291.

Den schmalen Griff für das Schwertmesser arbeitete der berühmte Meister der Schwertzieraten, Yokoya Somin, in traditionellem, von den Goto-Meistern entwickeltem Stil: Auf gepunztem Grunde erhebt sich in Reliefeinlage eine Päonienblüte. Die Rückseite dagegen ist goldplattiert und trägt die Signatur »Toan Somin« eingraviert, eine Namens-

form, die der Künstler anscheinend nur auf dieser einen, dadurch sehr bedeutenden Arbeit verwendete. Die silberne Klinge stammt aus späterer Zeit. Der Schwertschmied Kono Haruaki schmiedete und gravierte sie im Jahre 1859 mit dem Bilde des Glücksgottes Fukurokuju. Dazu schrieb er die Gedichtzeile: »Mit seiner Stellung zufrieden sein, bedeutet Glück. Den Magen nicht überfüllen, erhält frisch. Verschwendung meiden, ermöglicht, Reichtum zu sammeln.«   R. H.

594

594 Tsuba. Kano Natsuo (1828-1898), Kyoto und Tokyo. Eisen mit Relief und Einlagen; H. 8,8. Inv. Nr. 1892.458.

Auf der Rückseite dieses Stichblattes sieht man in stillem Gewässer Blätter und Blüten einer Wasserwurz. Dort finden sich Signatur und Signet des Künstlers, dazu das Datum: Mittherbst 1863. Die Vorderseite ziert ein Wildkarpfen, der aus dem Wasser springend nach einer Fliege schnappt. Der als Goldschmied für Schwertschmuck ausgebildete Natsuo studierte gleichzeitig Malerei bei Nakajima Raisho, einem für seine Fischbilder berühmten naturalistischen Maler. Bis in die letzten Jahre der Tokugawa-Herrschaft hinein arbeitete Natsuo Schwertzierarte. Mit dem Beginn der Meiji-Reform 1868 stellte der Kaiser ihn in seinen Dienst: Natsuo zisilierte die Modeln für die ersten neuen Münzen; auch schuf er ein Jahr später die Zierarten für das kaiserliche Schwert.   R. H.

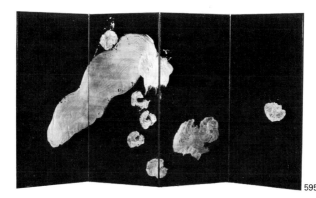

595

595 Kalligraphie ›Kanzan‹. Vierteiliger Stellschirm. Morita Shiryu (geb. 1912), Kyoto, 1965. Kunstharzfarbe auf Schwarz, Naturlack; 157,5 × 305. Inv. Nr. 1967.125/St. 253. Kunst-Stiftung.

Mit kräftigen Pinselzügen schrieb Morita ›Kanzan‹, den Namen eines Zen-Heiligen. Kanzan lebte um 800 zusammen mit Jittoku als Küchenjunge im Kloster T'ien-T'ai-Shan in China und hinterließ eine Sammlung von 200 Gedichten. Für den Zen-Anhänger bekunden diese exzentrischen Weisen, die häufig in der Zen-Malerei dargestellt sind, die Verachtung aller äußeren Würden, die Nichtigkeit alles Wissens und des geistigen Hochmuts schlechthin. Morita verrät mit der Wahl dieses Namens – wie in den meisten Zeichen seiner ›Sho‹ (Schriftkunstwerke) – seine geistige Verwurzelung in der zenbuddhistischen Geisteswelt. Die raffinierte Technik, die Morita hier benutzte, macht die Struktur seiner kraftvoll und spontan gesetzten Pinselzüge plastisch und äußerst nuancenreich und vermittelt dadurch den Eindruck einer ins Monumentale gesteigerten Lackarbeit. R. H.

596 Webteppich ›The Moon‹. Tatsumura H. Ken (geb. 1905), Kyoto, 1965. Weberei mit Seidenkette; 263 × 315. Inv. Nr. 1966.8. Gestiftet von Herrn Wilhelm Huth, Hamburg.

Der Teppich ist das Mittelstück eines Triptychons zu dem altjapanischen Bildthema ›Schnee-Mond-Kirschblüte‹ (Setsu-getsu-ka), das Tatsumura in seinem Entwurf frei variierte. Zentralpunkt der Gesamtkomposition, zu der rechts ein Teppich mit Pflaumenblüten und links ein dritter mit Eisschollen gehören, ist die große, sich in Wellen spiegelnde Scheibe des Vollmondes. Das selbständige Mittelstück ›Mond‹ zeigt auf einem Wellengrund mit unregelmäßig gekurvten und sich zu Spiralen schlingenden Wasser-Linien goldschimmernd und an den Rändern ins Violette übergehend den Schatten des Mondes. Hier spürt man deutlich Elemente des europäischen Jugendstils, die, nach Japan zurückstrahlend, gerade in diesem Webteppich von Tatsumura in neuer Weise ins Japanische transponiert worden sind. R. H.

596

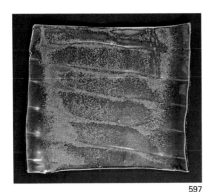

597

597 Platte. Kato Takuro (geb. 1898), Tajimi, Gifu-Provinz, 1969. Steinzeug mit grüner Oribe-Glasur; 38 × 32,5. Inv. Nr. 1970.132. Geschenk des Künstlers.

Der Töpfer Kato Tokuro steht in der Tradition der alten Seto- und Mino-Töpferei. Er selbst ist nicht nur mit seinen Neuschöpfungen klassischer Teekeramiken hervorgetreten, sondern publizierte Wesentliches zur Töpferei. Diese Platte, die als Kuchenschale für die Teezeremonie zu verwenden ist, bildete Kato in Form nebeneinander und übereinander gelegter Bambusblätter und überzog sie mit der klassischen, grünen Oribe-Glasur. Nicht wie bei den frühen Oribe-Waren tritt das Grün nur als Überlauf zu gemustertem Grunde hinzu, sondern überfließt in kräftigen Nuancierungen von Moosgrün zu Blau mit metallischen Ausblühungen Fläche und Außenwandung der Schale. R. H.

598 Flaschenvase. Hamada Shoji (1894-1978), Mashiko, 1968. Steinzeug, bemalt; H. 27. Inv. Nr. 1968.83.

Die Wandung der kantigen Vase ist mit weißen, unregelmäßigen Engobe-Strichen in Art des koreanischen ›hakeme‹ grundiert; darüber malte der Künstler in schwungvollen Strichen Schilfmuster in Unterglasurblau – und Braun. Entscheidend für Hamadas Schaffen, der in Tokyo und Kyoto studiert hatte, war sein Zusammentreffen mit Bernhard Leach im Jahre 1919. Von 1920-1924 arbeitete er in Saint Ives in Cornwall mit Leach zusammen; danach gründete er seine Werkstatt in Mashiko, Provinz Tochigi, und legte den Grund zu einem Töpferdorf, in dem viele gleichgesonnene Keramiker arbeiten. Gemeinsam mit Leach und mit Dr. Yanagi Soetsu begründete er die ›Mingei‹ Bewegung, die eine Erneuerung der volkstümlichen Keramik anstrebte. R. H.

599 Mizusashi (Wassergefäß für die Teezeremonie). Kiyomizu Rokubei VI (geb. 1901), Kyoto, 1970. Gelbliches Steinzeug mit Bemalung in Eisenbraun und Gold; H. 18. Inv. Nr. 1977.230. Geschenk des Künstlers.

Der runde, nach oben zu einem sechseckigem Mündungsrand ausschwingende Topf zeigt Drehspuren und horizontale Spachtelungen. Auf dieser lebendigen Oberflächenstruktur malte der Künstler in Eisenbraun.

599

Wie in einem Gemälde überzieht das dichte
Geäst eines alten, blühenden Pflaumenbau-
mes den Scherben. Rokubei's neue und eigene Erfindung ist die Verwendung von Gold
für den Hintergrund, das er wie eine Engobe
in breiten Strichen aufträgt. Er benannte
1953 diesen Brenn- und Dekorstil ›Shuyo‹,
(Rostglanz). Für seine letzte Glasurtechnik
›Koki‹ (Alt und Selten), die er anläßlich seines
77. Geburtstages schuf, erhielt er den höchsten japanischen Kulturorden. R.H.

600 Teeraum Sho-sei-an (Klause der
Kiefernreinheit). Errichtet 1978. Gestiftet von
der Urasenke Foundation.

Das Sho-sei-an zählt zu den Teehäusern des
Grashütten-Typs Soan, die der hochberühm-
te Teemeister Sen no Rikyu (1521-1591), der
Ahn der Urasenke-Schule, für die Teezeremonie Chanoyu bevorzugte. Eine Soan-Hütte
besitzt die naturhafte Schlichtheit, die das
Empfinden des Wabi bei der Teezeremonie
unterstreicht. Wabi, ein zentraler Begriff der
japanischen Ästhetik, übersetzt man vielleicht mit naturhafter, harmonischer Einfach-
heit. Die Soan-Hütte soll, im Gegensatz zu
den eleganten Shoin-Teeräumen der Aristokratie, den volkstümlichen Charakter der Wa-
bi-Teezeremonie unterstreichen. An der
Rückwand befinden sich die Bildnische »Tokonoma« und die Eingangstür für den Teemeister ›Sadoguchi‹. Der Pfeiler ›Toko-Bashira‹, rechts von der Nische, ist ein ziemlich

598

roh belassener Stamm der roten Kiefer Aka-
matsu. Im Tokonoma wird nach Jahreszeit
und Zeremonie eine Hängerolle mit Kalligraphie oder auch ein Fächer aufgehängt: Am
Toko-Bashira kann eine Blumenvase für Cha-
bana hängen. Diese Ausschmückung be-
sorgt der Teemeister als Gastgeber vor An-
kunft der Gäste. Hinter dem Teeraum befindet sich die Anrichte ›Mizuya‹, in der der Teemeister die Geräte, die er benutzen will, je
nach seinem Geschmack, der Jahreszeit und
der Art der Gäste zusammenstellt. R.H.

600

Die pädagogische Abteilung

Wer fragt, sieht mehr als der sprachlos Staunende. Mit diesem Satz läßt sich die ebenso unbequeme wie unbefangene Einstellung der vielen jungen Besucher kennzeichnen, die gut ein Drittel des gesamten Museumspublikums ausmachen. Er könnte zugleich auch als Motto der pädagogischen Abteilung gelten, die diese Neugierhaltung als Antrieb und Orientierungshilfe zur ständigen Verbesserung der Vermittlungsarbeit für alle Besucher nutzt und fördert. Nicht das Staunen, sondern die Fragen an das Museumsobjekt – ob von Museumspädagogen oder von Besuchern gestellt – führen in jene »kulturgeschichtlichen Untergründe«, in die schon Justus Brinckmann und die nachfolgenden Direktoren Einblicke geben wollten. Sie schaffen ein offenes Kunstverständnis, das vor der Festlegung auf Geschmacks(vor)urteile schützt.

Was schon seit mehr als 100 Jahren die Arbeit des Museums für Kunst und Gewerbe bestimmt, kann erst seit fünf Jahren mit der Einrichtung einer pädagogischen Abteilung konsequent verfolgt werden. In ihren Räumlichkeiten im 2. Obergeschoß des Hauses ist es nun Schülern und Jugendlichen, aber auch Erwachsenen möglich, jene Dimensionen eines Kunstwerkes zu erschließen, die im Allgemeinen verborgen bleiben: die Bedingungen und Verfahren seiner Herstellung, die historische Verwendung und seine gegenwärtige Bedeutung.

Keramik-Werkstatt, Studio-Raum und Ausstellungsflächen bieten Gelegenheit für theoretisches, eigenschöpferisches und spielerisches Lernen im Bereich des Kunsthandwerks und der Kulturgeschichte. Nicht Vorträge, Führungen und Lernprogramme stehen im Vordergrund der Arbeit, sondern das Angebot zur selbständigen Wissens- und Erfahrungsaneignung mit unterschiedlichen Mitteln und Methoden.

›Museumsgespräche‹ werden in Zusammenarbeit mit dem museumspädagogischen Dienst der Kulturbehörde über vorgegebene oder von Gruppen gewünschte Themen von den pädagogischen Mitarbeitern geführt. Sie gehen auf die Beobachtungen und den Wissensstand der Teilnehmer ein und entwickeln daraus neue Erkenntnisse, die dann durch praktische Übungen an kunsthandwerklichen Materialien zu wirklicher Erfahrung werden können.

Die ›Werkschule‹ der Pädagogischen Abteilung veranstaltet jeweils über den Zeitraum eines Vierteljahres Kurse, in denen – angeregt durch die gemeinsame Betrachtung von Museumsobjekten – mit Materialien des Kunsthandwerks, z.B. Ton, Gips, Holz, Draht, Stoff und Papier, zu Themen der freien und angewandten Kunst gearbeitet wird.

Spielmaterialien stehen Kindern zur Verfügung, die allein, mit ihren Eltern oder in Gruppen das Museum besuchen. Sie helfen ihnen, sich im Überangebot des Museums zurechtzufinden und sich auf einzelne Werke zu konzentrieren. Durch Such- und Beobachtungsaufgaben, Vergleiche, Um- oder Neugestaltungen der Gegenstände können Kinder die Sammlungen selbständig kennenlernen.

In jährlichen Kursen der ›Theater-Werkstatt‹ werden Erscheinungen der ästhetischen Umwelt und der Kulturgeschichte mit den Mitteln des Theaters und der Musik erarbeitet, Bühnenbilder, Kostüme und Requisiten hergestellt und die Ergebnisse dem Museumspublikum vorgestellt.

Die Erfahrungen der ersten fünf Jahre museumspädagogischer Arbeit haben gezeigt, daß sie mit ihrem abwechslungsreichen Angebot der vielseitigen Sammlungsstruktur des Museums ebenso entspricht, wie den Erwartungen jener Besucher, die Kunstwerke als Anregung betrachten für das Verständnis und die Gestaltung ihrer ästhetischen Umwelt.

Auskunft und Anmeldung:
Tel. (0 40) 2 48 25 27 27

N. J.

Künstlerregister

Die Zahlen bezeichnen die Abbildungsnummern

Künstlerregister